Les cochons
au paradis

Barbara Kingsolver

Les cochons
au paradis

Roman traduit de l'anglais (États-Unis)
par Martine Béquié

Rivages

Couverture : D. R.

Titre original : *Pigs in Heaven,*
HarperCollins Publishers, New York, 1993

ISBN : 2-7436-0344-5
ISSN : 1160-0977

Pour Camille

Printemps

1

Reine sans royaume

Il y a toujours eu des femmes seules dans la famille d'Alice. Cette constatation l'assaille avec la brutalité d'une crise cardiaque et elle se redresse dans son lit pour examiner de plus près ses pensées, rassemblées au-dessus d'elle dans le noir.

On est au mois d'avril, il est très tôt, il n'y a pas un souffle d'air et la chaleur est déraisonnable même à cette heure ignorée du soleil. Alice a soixante et un ans. Son mari, Harland, dort comme une souche et ronfle. Un couple heureux, en somme, qui s'apprête à glisser sans histoire dans la vieillesse, mais Alice sait qu'il n'en sera pas ainsi. Elle a épousé Harland il y a deux ans par amour, du moins le pensait-elle, et ce n'est sans doute pas un mauvais homme. Mais à la maison, sa religion c'est le silence. Vaporiser du lubrifiant sur tout ce qui couine, voilà sa philosophie du mariage. Même les soirs où il se tourne vers elle pour la prendre dans ses bras, Harland n'a pas de mots pour Alice – rien qui aille à l'encontre de toutes ces années où elle a dormi seule, à sentir le froid la pénétrer de part en part comme l'air d'une grotte et changer ses seins en calcaire. Ce mariage ne l'a pas réchauffée. Le silence ne prend fin que

11

lorsque Harland s'endort et que ses amygdales rattrapent le temps perdu. Elle ne supporte pas la vue de cet homme allongé sur le dos en train de ronfler comme un porc. Elle ne va pas tarder à prendre la porte.

Elle quitte le lit doucement et allume la lampe de la salle de séjour. Elle se retrouve face à face avec le fauteuil inclinable en similicuir, la place de Harland profondément imprimée en son centre. Le week-end il regarde le câble avec une vigilance de tous les instants, comme s'il avait peur de manquer la fin du monde – alors qu'il dédaigne CNN qui, si fin du monde il y avait, en assurerait fidèlement la retransmission. Harland préfère la chaîne de téléachats parce qu'il peut la regarder sans le son.

Sa collection de phares anciens, alignés dans la vitrine des porcelaines, la rend nerveuse. Elle se sent observée. Harland est carrossier chez El-Jay et sa ferraille menace d'envahir le territoire d'Alice. Elle n'a pas vraiment l'énergie de faire valoir ses droits. Peut-être arrive-t-il aux personnes âgées de réussir un mariage harmonieux une fois de temps en temps, mais il est rare que leurs maisons fassent de même. Elle allume la cuisine et met sa main en visière pour protéger ses yeux de la lumière trop vive et de tous ces appareils ménagers prêts à se mettre en marche.

Sa réaction première est d'appeler Taylor, sa fille. Taylor est plus grande qu'Alice à présent, si jolie, loin là-bas à Tucson. Alice veut la prévenir qu'une tare pèse sur la famille, comme les pieds plats ou le diabète : elles risquent de finir seules, par obstination pure et simple. L'affreuse pendule de la cuisine indique quatre heures quinze. Aucun espoir que le décalage horaire transforme ça en une heure décente à Tucson ; Taylor décrocherait le téléphone le cœur battant, persuadée que quelqu'un vient de mourir subitement. Alice se gratte la nuque, à l'endroit où ses cheveux gris coupés court, aplatis et hérissés de sueur et d'insomnie, partent en tous sens. Le désordre de la cuisine l'agace. Le plan de travail en formica, avec ses motifs de boucles roses et noires, lui tape sur le système, on dirait un tas d'élastiques prêts à s'élancer comme des grêlons à travers la pièce. Alice se demande s'il y a d'autres femmes qui se mettent à détester leur formica au milieu de la nuit. Elle fixe intensément le téléphone, espérant qu'il va sonner. Elle a besoin d'avoir la preuve qu'elle n'est pas la dernière survivante sur cette terre, reine sans royaume. La pendule déglutit doucement, avalant les secondes. Elle attend. Rien ne se passe.

Elle grimpe sur une chaise et cherche dans le placard au-dessus du réfrigérateur une bouteille de Jim Beam qui date d'avant son mariage avec Harland. Il y a des bocaux dont elle devrait se débarrasser. Au cours de sa vie, Alice a mis en conserve assez de tomates pour approvisionner une centaine d'abris atomiques, mais aujourd'hui elle s'en fiche, tout le monde s'en fiche. S'ils lâchent la bombe maintenant, la fin du monde se fera sans tomates. Elle descend de son perchoir et se verse un doigt de bourbon dans une tasse aux couleurs des Bengals, reçue en prime pour un plein d'essence. Alice préférerait encore se faire détartrer les dents que regarder un match des Bengals. C'est le prix à payer quand on reste alors que le cœur n'y est plus, pense-t-elle. On se retrouve supporter d'un sport qu'on n'a pas choisi. Elle tire le loquet de la porte moustiquaire et sort pieds nus sur la galerie.

Le ciel est parfaitement noir. Un reste de sourire de lune caché dans les branches basses de l'érable à sucre l'invite à sourire en retour. L'air n'est pas plus frais à l'extérieur de la maison, mais le seul fait de se trouver dehors en chemise de nuit éveille en elle un espoir de liberté. Elle pourrait s'en aller sans rien emporter. Les phares de Harland en feraient une fête en la voyant s'éloigner ! Elle s'installe dans la balancelle. Le grincement des chaînes lui manque, qui autrefois endormait son bébé. Elles aussi ont été réduites au silence par le lubrifiant de Harland. Elle plonge son nez dans la tasse de bourbon et aspire ses délicieuses vapeurs caustiques, comme elle avalait la fumée du tabac jusqu'au jour où Taylor l'a obligée à s'arrêter.

Elle a élevé une fille dans cette maison et planté toutes les fleurs de la cour, mais cela ne suffit pas à la retenir. On se lasse des fleurs. Avec la chaleur exceptionnelle qu'il y a eu ce printemps dans le Kentucky, les pivoines se sont ouvertes un mois avant Memorial Day. Leur odeur de poudre de riz lui rappelle des vieilles femmes qu'elle a connues enfant, et le cimetière. Elle cesse de se balancer un instant et tend l'oreille : un son nasillard monte du jardin. Les cochons de Hester Biddle. Hester habite à quelques pas d'ici. Après son attaque, elle est repartie pour un tour en se lançant dans l'élevage de cochons nains vietnamiens. Elle prétend qu'ils valent deux mille dollars pièce, mais Alice ne voit vraiment pas qui paierait ce prix-là. Ils sont laids à faire peur et passent leur temps à se sauver, pour aller creuser des trous dans les parterres de pivoines d'Alice. « Retournez donc chez vous », leur dit Alice d'un ton décidé. Les cochons lèvent la tête.

« Je plaisante pas, ajoute-t-elle en se levant de la balancelle, les mains sur les hanches. Je pourrais très facilement vous changer en tranches de bacon. »

Dans la faible lumière qui provient de la cuisine, leurs yeux rougeoient. Le cochon est une plaie dans la famille d'Alice : sa mère, Minerva Stamper, grande femme farouche, a mené de main de maître un élevage de cochons pendant cinquante ans. Alice ramasse un pot de fleurs vide sur la marche de la galerie et le lance en direction des cochons. L'obscurité l'engloutit. Une motte de terre et une paire de cisailles prennent le même chemin. Puis un saladier d'aluminium. Harland a commandé la série complète à téléachats pour leur anniversaire de mariage, si bien qu'à présent la maison possède un saladier en toute circonstance. Elle en ramasse un autre et le lance. Il faudra qu'elle les récupère demain matin, avec Dieu pour témoin, mais elle ne peut plus supporter ces cochons. Elle trouve un arrosoir métallisé et se hausse sur la pointe des pieds pour tester ses mollets. Alice est en forme, malgré son âge. Quand elle se concentre, ses muscles répondent toujours. Lorsque son premier mari l'a quittée, la maison est partie à vau-l'eau, mais elle et sa fille ont bien tenu le coup, tout compte fait.

Elle balance l'arrosoir mais est incapable de dire où il est passé. Ding ! Il a atterri, touchant probablement l'un des précieux saladiers. Les yeux rouges du cochon ne cillent même pas. Alice se sent vaincue. Elle retourne vers la galerie la tête basse.

Elle ne partira pas d'ici. Qui la prendrait ? Elle connaît la plupart des femmes riches de la ville pour avoir fait leur ménage pendant les années où elle élevait Taylor, mais leur respect pour Alice tient à ce qu'elle pourrait dévoiler de leur vie. Le vendredi, Alice dispute de joyeuses parties de poker avec Fay Richey et Lee Shanks, deux fumeuses invétérées, tellement reconnaissantes d'être encore mariées que si elle quittait Harland elles la traiteraient comme une brebis galeuse. Minerva et l'élevage de cochons ont à présent tous deux disparu bien sûr, l'une simplement morte et enterrée, et l'autre vendu pour éponger les dettes. La vie des gens et tout ce qu'il peut y avoir autour, comme l'assurance vie, durent trop longtemps pour valoir vraiment le coup. Elle trouve cela déprimant.

Un merle moqueur se pose à l'extrémité d'un mûrier accueillant qui a poussé à travers la haie. Il bat des ailes pour garder son équilibre et la longue branche monte et descend comme des chevaux de bois. Son profil menu se détache sur un horizon de la couleur d'une pâte qui lève. Le temps qu'Alice fasse le bilan de sa vie, l'aube s'est levée et le projecteur automatique de la grange des Biddle s'est éteint. Quelle qu'ait été votre nuit, le matin gagne toujours.

Depuis sa branche, le merle s'élance dans l'obscurité. Il réapparaît sur le toit pour clamer à cette partie du comté que l'antenne de télé lui appartient à lui et à lui seul. Il y a quelque chose chez le mâle, pense Alice, qu'on ne peut qu'apprécier. Elle se tient les bras croisés sur la poitrine et observe l'univers sombre du jardin, qui scintille à présent de météorites d'aluminium. Elle entend à nouveau les cochons. Pas étonnant qu'ils aiment venir ici, ils sont pris de panique chez les Biddle, avec Henry et toutes ses machines inutiles. Hier il avait sorti la faucheuse pour tondre sa cour. Typique ! Les pauvres bêtes sont simplement à la recherche d'une maison, comme les boat people. Elle a un faible pour les réfugiés et décide de les laisser. Cela va agacer Hester qui prétend que chaque fois qu'ils mangent les pivoines d'Alice ils reviennent avec la diarrhée.

Le matou du quartier, tout en muscles et en souplesse, rampe au sommet du treillis où les pois de senteur d'Alice se sont étiolés tout le printemps. Ce n'est pas la première fois qu'elle le surprend perché là-haut, à s'enivrer du parfum de la nuit, ou à imaginer le goût du merle moqueur. Chants d'oiseaux, querelles de voisinage, animaux affamés, voilà le jardin qu'Alice rêve de quitter. Elle se sent comme la reine d'un pays joyeux et pitoyable.

Bienvenue à Heaven.

Pour la première fois depuis des années elle pense à sa cousine Sugar Boss. Sugar est la citoyenne la plus célèbre de Heaven dans l'Oklahoma. Alice a gardé sa photo dans un album, avec le diplôme de fin d'études de Taylor et les quelques papiers de famille qu'elle possède. C'est une vieille photo découpée dans un numéro de *Life*, au cours de l'été 55. Sugar, une bouteille de soda à la main et une couronne de pâquerettes dans les cheveux, avait posé pour le photographe debout contre le panneau BIENVENUE À HEAVEN. La photo avait fait le tour du pays. Quand Alice l'avait découverte à la caisse du supermarché, elle n'en avait pas cru ses yeux. Elle lui avait envoyé une lettre, sans autre adresse que « Sugar Marie Boss, Heaven, Oklahoma. » La lettre lui était parvenue, bien qu'entretemps elle ait cessé d'être une Boss pour devenir une Hornbuckle. Et Sugar avait répondu.

Elles avaient passé leurs dernières années d'enfance ensemble à la ferme pendant la Dépression, avec tout un tas d'autres cousins qui se présentaient à la porte de Minerva quand il ne leur restait plus rien d'autre que la famille. Dans le nombre, Alice et Sugar étaient les plus proches, elles avaient tout juste un mois de différence. À neuf ans, on leur en donnait douze. Elles avaient trouvé du travail à l'usine de matelas, où n'étaient employées que des jeunes filles qui assemblaient la toile et la bourraient de plumes. Avec leurs bras qui se musclaient et le duvet qui collait à leurs cheveux, elles se mettaient à ressembler à des canards. C'était une époque où des liens se créaient entre les gens. Les cordes à linge allaient d'une habitation à l'autre et les lessives flottaient entre les maisons comme un pauvre drapeau toujours recommencé, les unissant dans une nation de baquets et de mains usées. Il y avait de l'amour dans cette vie, une espèce d'espoir solide. Les enfants gambadaient insouciants sous le linge qui battait au vent, dans un territoire bien à eux. Mais Alice a le sentiment que la plupart ont grandi le cœur affamé, persuadés qu'un jour ils perdraient tout à nouveau.

À la suite de ces retrouvailles fortuites, elle et Sugar partagèrent leurs souvenirs dans de longues lettres glissées dans d'épaisses enveloppes, mais une fois le passé épuisé, ni l'une ni l'autre n'eut l'énergie de poursuivre cette correspondance. Alice a le sentiment que la vie de Sugar n'a jamais plus atteint ces sommets ; dans ses lettres il était question de filles qui avaient tendance à se retrouver enceintes. Alice se représente une maison à l'abandon et des parterres de fleurs envahis de mauvaises herbes.

Mais puisque Sugar a fait exister Heaven, il doit bien en rester quelque chose. Alice étire ses jambes dans le matin orange pâle qui prend forme autour d'elle, et c'est avec un choc étrange qu'elle constate qu'elle est toujours la personne qu'elle était à neuf ans. Même son corps est resté pratiquement le même. Ses seins sont d'une architecture menue et saine, sa taille souple et robuste ; elle se fait l'effet de ces bâtiments californiens conçus en prévision d'un tremblement de terre. Aussi sûrement que ses organes sont chacun bien en place, elle a le sentiment que Sugar se trouve toujours à Heaven. Elle pourrait lui écrire aujourd'hui. Elle a gardé de la tendresse pour Sugar, sa parente longtemps disparue qui lui est revenue un jour à la caisse du supermarché. Une chose pareille peut être bonne ou mauvaise, comme un téléphone qui sonne dans la nuit : dans les deux cas vous n'êtes pas aussi seul que vous le pensiez.

2

Un œil mauvais

« Regarde, Turtle. Des anges. »

Taylor se baisse au niveau des yeux de sa fille et lui montre du doigt les anges de granit géants qui gardent l'entrée du barrage Hoover : le dos bien droit, les yeux fixés sur l'horizon, leurs bras sombres et polis levés vers le ciel.

« Ils ressemblent à Danny, observe Turtle.

– Des biceps à faire rêver », renchérit Taylor. Danny, leur éboueur, passe ses jours de congé à faire du body-building.

« Pourquoi est-ce que les anges auraient besoin de muscles ? »

Taylor rit à l'idée d'un saint obligé de se coltiner les poubelles débordantes du paradis. « Ils ont construit ce barrage dans les années 30, explique-t-elle. Demande donc à grand-mère de te parler de la Dépression un de ces jours. Personne ne trouvait de boulot, alors on avait ces grands travaux, les gens construisaient des ponts, des trottoirs et ces statues qui ont l'air de transpirer.

– On va prendre une photo. » Le ton de Turtle est sans réplique : Taylor se placera sous les anges et *elle* prendra la photo. Taylor se tient à l'endroit qui lui a

20

été assigné et se prépare à sourire aussi longtemps qu'il le faudra. Turtle regarde intensément à travers l'œil rectangulaire, ses sourcils noirs comme échoués sur son immense front. Les photos de Turtle sont assez catastrophiques en termes de composition : jambes coupées ou rien que du ciel, ou parfois même quelque chose que Taylor n'avait pas remarqué sur le moment. Quand les photos reviennent du drugstore, elle a souvent le sentiment d'avoir vécu les vacances de quelqu'un d'autre. Elle regarde les tennis retroussées de Turtle et ses jambes fermement plantées sur le sol, et se demande d'où lui vient toute cette énergie, ce qu'il en adviendra. Depuis qu'elle a trouvé Turtle dans sa voiture et qu'elle l'a adoptée il y a trois ans, il lui est arrivé bien des fois de douter qu'elle était sa mère. Cette enfant est le miracle auquel Taylor n'aurait pas ouvert s'il avait frappé à sa porte. Mais les miracles, c'est ça, se dit-elle.

Elle laisse errer son regard pendant que Turtle s'affaire. Le soleil est chaud, très chaud. Taylor enroule ses cheveux pour dégager son cou.

« Maman !

– Désolée. » Elle laisse aller ses bras le long du corps, avec application, comme une danseuse, et essaie de ne rien bouger à part les yeux. Un homme en fauteuil roulant avance dans leur direction et leur fait un clin d'œil. Il est plutôt beau, au-dessus de la taille, avec les bras de quelqu'un qui a participé aux grands travaux. Il se déplace à toute vitesse, sa crinière sombre voltigeant au vent, et négocie souplement son virage devant le piédestal de marbre des anges. En faisant un effort pour voir de côté, Taylor parvient à lire la dalle de marbre : c'est un monument dédié aux hommes qui sont morts en construisant ce barrage. On ne dit pas qui ils étaient. Un peu plus loin, un deuxième panneau, où sont inscrits les noms de tous les directeurs du projet, mentionne simplement que nombre de ceux qui ont travaillé ici ont trouvé le repos éternel. Il y a une plaque de bronze assez troublante où l'on voit des hommes en tenue de travail s'enfoncer tranquillement sous l'eau. «Pauvres types», dit-elle à voix haute. «La tombe du verseur de béton inconnu.

– Payés cinquante *cents* de l'heure, ajoute l'homme au fauteuil roulant. Certains étaient des garçons de la réserve navajo.

– Vraiment ?

– Ouais.» Il a un sourire en coin qui suggère qu'il en sait long sur les grosses magouilles de cette espèce, des boulots de misère qui ont eu vite fait d'expédier dans l'autre monde tous ces jeunes Navajos.

Le déclic de l'appareil libère Taylor. Elle détend les muscles de son visage.

«C'est toi la photographe officielle du voyage ?» demande-t-il à Turtle.

Turtle enfouit son visage contre le ventre de sa mère. «Elle est timide, l'excuse Taylor. Comme la plupart des grands artistes.

– Vous voulez que j'en prenne une de vous deux ?

– D'accord. On l'enverra à grand-mère.» Taylor lui tend l'appareil et quelques secondes plus tard la photo est faite.

«Vous êtes en route pour le tour du monde toutes les deux ?

– Presque. Nous commençons par le Grand Canyon. Hier, nous sommes parties de Tucson et nous sommes allées jusqu'au point de vue de Bright

Angel. » Taylor ne mentionne pas qu'elles se sont bourrées de cochonneries pendant le trajet et que lorsqu'elles sont sorties de la voiture au moment précis où le soleil se couchait, Turtle a regardé tout en bas au-dessous d'elle et a fait pipi dans son pantalon. Comment lui en vouloir ? C'est impressionnant tout ça.

« Moi je fais le tour des monuments dédiés aux malchanceux. » D'un signe de tête il désigne la dalle de marbre.

Taylor aimerait bien en savoir plus, mais elle décide de s'en tenir là. Elles l'abandonnent aux anges et se dirigent vers le musée. « Pri-è-re de ne pas s'a-ssoir sur le nur », déchiffre Turtle en s'arrêtant pour montrer le mur. Elle est en train d'apprendre à lire, à l'école maternelle et dans la vie en général.

« Sur le mur, corrige Taylor. Prière de ne pas s'asseoir sur le mur. »

Les lettres sont peintes au pochoir sur un parapet d'environ un mètre qui court le long du sommet du barrage, mais les mots sont en grande partie cachés par les jambes de toutes les personnes assises dessus. Turtle regarde sa mère avec cette merveilleuse expression de perplexité qu'ont les enfants sur leur visage jusqu'à ce qu'un beau matin ils se réveillent en sachant tout.

« Les mots ne signifient pas la même chose pour tout le monde, explique Taylor. Toi, tu peux comprendre qu'il ne faut pas s'asseoir sur le mur. Mais quelqu'un d'autre, comme Jax par exemple, pensera que ça veut dire : Allez-y et cassez-vous le cou si ça vous chante, mais ne venez pas nous dire que vous n'aviez pas été prévenus.

– C'est dommage que Jax soit pas ici », déclare Turtle solennellement. Jax est le copain de Taylor. Il joue du synthétiseur dans un groupe qui s'appelle *The Irascible Babies*. Taylor a parfois le sentiment qu'elle pourrait tout aussi bien garder Jax que le quitter, mais il faut reconnaître qu'en voyage c'est un compagnon précieux. Il chante dans la voiture et a toujours des idées de jeux pour distraire Turtle.

« Je sais, admet Taylor. Mais il voudrait absolument s'asseoir sur le mur. Y'a que les flics qui pourraient l'en déloger. »

Pour Taylor, regarder par-dessus le parapet est amplement suffisant, des mètres et des mètres de mur blanc de béton jusqu'au fond du canyon. Les galets tout en bas semblent minuscules et lointains, comme le rêve de votre propre mort. Elle serre le bras de sa fille avec une telle force que l'enfant pourrait bien en garder la trace. Turtle ne dit rien. Elle a été marquée par tant de choses déjà dans la vie. L'amour maternel de Taylor, d'une nature un peu particulière il est vrai, est celui qui de loin recèle le plus de bonté.

Les shorts en coton de Turtle, une jambe rouge et une jambe blanche, claquent au vent quand elle marche, comme une paire de drapeaux de signalisation. Quel message envoie-t-elle ? Taylor n'en a pas la moindre idée. Ses longs membres sombres et ses sourcils anxieux la font ressembler à ces enfants à l'air suppliant qui, dans les publicités, vous disent que vos vingt *cents* quotidiens donneront à la petite Maria ou au petit Omar leur vraie chance dans la vie. Taylor s'est déjà demandé si Turtle perdra un jour cette allure d'enfant du tiers-monde. Elle donnerait des années de sa propre vie pour connaître

24

l'histoire des trois premières années de sa fille, dans l'est de l'Oklahoma, où elle est censée avoir vu le jour. S'accrocher à Turtle comme elle le fait est totalement superflu, Turtle a toujours un poing cramponné à la main ou à la manche de Taylor. Elles se fraient un chemin à travers la circulation chaotique pour rejoindre le musée.

À l'intérieur, les murs sont tapissés de photos qui montrent de vastes étendues de béton couvertes d'échafaudages et des hommes aux sourcils broussailleux en bleus de travail, debout dans d'immenses turbines. Les ingénieurs de Mr. Hoover ont fini par triompher : l'Arizona y a gagné un système d'irrigation, Los Angeles l'électricité, et les Mexicains le filet d'eau salée qui restait.

À l'extérieur du musée, une bourrasque soudaine expédie un papier argenté de chewing-gum le long du trottoir. Un troupeau de tasses en carton et de pailles à soda roulent vers l'est avec un bel ensemble. Lucky Buster, assis sur les remparts du barrage, se demande comment passer le temps. Les gens jettent vraiment n'importe quoi par terre, ou même dans l'eau. Des *pennies* par exemple, qui finissent en bas au milieu des poissons-chats. Il y a peut-être des millions de dollars au fond du lac à l'heure qu'il est, mais chacun pense qu'il n'y a qu'une seule pièce – celle qu'il a lancée.

Lucky est complètement immobile. Il a l'œil fixé sur une boîte de soda rouge étincelante. Son ami Otis, ingénieur à la Southern Pacific, l'a mis en garde contre les boîtes de soda. Au soleil, elles captent si bien la lumière qu'on les confond avec les signaux lumineux posés sur les voies. Quand on en voit un, il faut arrêter le train tout entier. Et voilà, c'est juste une boîte de soda. Trop tard !

Tous les gens sont là-haut au-dessus de lui. Il y a une fille qui le regarde. Son visage rond comme une tarte dorée l'observe par-dessus le mur. Il lui fait un signe, mais elle se cache derrière sa mère, et elles s'en vont. Personne d'autre ne regarde. Il pourrait descendre maintenant. Mais l'eau est trop proche, effrayante ; l'eau c'est noir, bleu, rose, de toutes les couleurs. Elle vous éblouit tellement elle est lumineuse. Il détourne la tête vers le désert en bosses de chameau, plus reposant. Maintenant : *partez*.

Lucky se baisse et s'élance sur le mur gris qui court le long du bord. D'un côté il y a l'eau, couleur de poisson, et de l'autre on tombe dans le trou. Il fait très attention, comme ces filles en maillot de bain que l'on voit à la télé marcher sur des fils. Un pied, puis l'autre.

Un oiseau blanc aux pattes jaunes couvertes d'escarres atterrit juste devant Lucky. « Ssss », fait-il à l'oiseau en le menaçant de la main. L'oiseau s'éloigne très vite. Lucky se trouve à deux pas de la boîte de Coca. Un pas. Ça y est, il l'a.

L'oiseau tourne la tête et regarde droit vers Lucky d'un œil mauvais.

Le soleil est tombé entre les collines du Nevada, déployant un ciel cerise et citron. Turtle et Taylor traversent une dernière fois le rêve de béton de Mr. Hoover. Turtle s'agrippe avec une telle force que Taylor en a mal aux articulations. Lou Ann, leur amie hypocondriaque, a mis Taylor en garde contre l'arthrite, mais cette étreinte de fer est le principe même de leur relation, Turtle lui doit son nom, et sa mère. Elle n'a encore jamais lâché Taylor de son plein gré depuis le jour où elles se sont rencontrées.

À l'ombre du barrage, l'eau d'un vert musqué captive Turtle. Elle tire sur les doigts de Taylor pour lui montrer d'énormes poissons-chats qui se déplacent dans l'obscurité couleur de mousse. Taylor n'y prête pas vraiment attention. Elle essaie d'embrasser du regard la totalité du lac Mead, les profondeurs immenses et la masse d'eau qui, autrefois libre, rendait la vie impossible aux fermiers en aval. On la voit s'enfoncer entre les collines brunes, mais il n'y a pas de végétation le long de la berge, seulement une surface qui en rencontre une autre, un lac factice en plein désert qui ne peut même pas revendiquer ses propres limites. Au loin quelqu'un manœuvre un petit hors-bord beaucoup trop bruyant pour sa taille, comme un moustique.

Des nuages de pluie avec de hautes crêtes, rassemblés à l'ouest sur l'horizon, laissent espérer un temps plus frais, espérer seulement. A leur retour, leur Dodge brûlante pue le capitonnage en plastique. Taylor ouvre les deux portières pour faire un peu de courant d'air. Le cône glacé qu'elle a acheté à Turtle est une erreur, elle le voit, mais elle n'est pas une mère particulièrement méticuleuse. Depuis trois ans elle a fait son apprentissage de la maternité sur le tas, et actuellement sa philosophie se résume à ceci : tout ce qui a une réelle importance est lavable. Elle prend dans la boîte à gants une poignée de serviettes en papier qu'elle tend à Turtle, mais elle est obligée de regarder la route une fois la voiture en marche. La Dodge Corona est à peu près aussi maniable qu'une péniche et la

27

route est étroite et tortueuse, comme ces routes sur lesquelles elle a risqué sa vie dans le Kentucky de son enfance.

Le calme revient enfin avec la plaine du Nevada, qui semble cliniquement morte. Derrière elles le lac étire ses longs doigts verts, mendiant quelque chose au ciel, sans doute de la pluie.

« Comment est-ce qu'il va faire pour sortir ? demande Turtle.

– Qui ça ?

– L'homme, tout à l'heure.

– De quel homme parles-tu, ma chérie ? » Parler n'est pas le fort de Turtle ; elle a attendu l'âge de quatre ans pour prononcer une phrase complète, et même aujourd'hui il faut parfois plusieurs jours pour obtenir d'elle une histoire entière. « C'est quelque chose que tu as vu à la télé ? l'encourage Taylor. Comme les tortues Ninja ?

– Non. » Elle regarde tristement le cadavre gaufré de son cône glacé. « Il a ramassé une boîte de soda et il est tombé dans le trou près de l'eau. »

Taylor plisse les yeux pour regarder la route. « Au barrage ? T'as vu quelqu'un tomber ?

– Oui.

– Là où les gens étaient assis, sur ce mur ?

– Non, de l'autre côté. Du côté de l'eau. »

Taylor prend sa respiration pour garder son calme. « L'homme qui était sur le lac, sur cette espèce de petit bateau ?

– Non, répond Turtle. L'homme qui est tombé dans le trou près de l'eau. »

Taylor n'y comprend rien. « Ce n'était pas à la télé ?

– Non ! »

Elles gardent toutes deux le silence. Elles passent devant un casino où une enseigne lumineuse géante vous montre comment transformer votre paye en jetons pour machines à sous.

« Comment est-ce qu'il va sortir ? demande Turtle

– Ma puce, je sais vraiment pas de quoi tu parles. Tu as vu quelqu'un tomber dans un trou près du barrage. Mais pas dans l'eau ?

– Non, pas dans l'eau. Dans le grand trou. Il a pas crié. »

Taylor comprend ce que cela pourrait vouloir dire, et rejette cette possibilité, mais dans la fraction de seconde qui sépare ces deux pensées, le cœur lui manque. Il y avait un déversoir conique qui permet à l'eau de contourner le barrage en cas d'inondation. « Tu ne veux pas parler du déversoir, si ? Le grand trou qui se trouvait entre l'eau et le parking ?

– Oui. » Le regard de Turtle s'illumine. « Je crois qu'il pourra pas sortir.

– Il y avait une grande barrière tout autour. » Taylor roule maintenant à près de vingt kilomètres à l'heure. Elle ignore la file de voitures qui s'est formée derrière elle, bien que les conducteurs se manifestent bruyamment, impatients qu'ils sont d'arriver à Las Vegas pour jeter leur argent par les fenêtres.

« Turtle, est-ce que tu jures que tu me dis la vérité ? »

Sans attendre la réponse de Turtle, Taylor fait demi-tour, furieuse contre elle-même. Elle ne posera plus jamais cette question à Turtle.

Les anges gardiens de Mr. Hoover sont à présent dans l'obscurité. Les lieux sont abandonnés. Elles tambourinent aux portes closes du musée et Taylor met ses mains en écran pour voir à l'intérieur, mais l'endroit est désert. Un immense plan du barrage montre des ascenseurs, des tours de maintenance, et, de chaque côté, un long déversoir qui, comme un intestin distendu, forme une boucle sous le barrage jusqu'à la rivière en contrebas. Taylor elle-même a les tripes nouées. « Ils sont rentrés chez eux, dit-elle à Turtle qui s'obstine à cogner à la porte. Viens, montre-moi où il est tombé. »

Turtle accepte de changer de tactique. Les jambes de son short s'entrechoquent alors qu'elles traversent du côté Arizona, où une heure plus tôt elle a marqué son passage de glace à la vanille. « Là », dit-elle, en faisant un signe vers le bas.

Taylor examine la gorge du déversoir : un entonnoir de béton rectangulaire d'environ quinze mètres de diamètre, dont la base forme un grand trou rond.

Au loin, sur le flanc de la montagne, des points lumineux se déplacent lentement. De l'autre côté du lac, des chauves-souris plongent en battant des ailes à la recherche de moustiques. Taylor contemple le gosier obscur. « La tête, ou les pieds d'abord ? »

Turtle réfléchit à la question. « Il marchait là-bas dessus. » Son doigt trace une ligne imaginaire le long du mur de soutènement entre le lac et le déversoir. « Il a ramassé une boîte de soda. Puis il est tombé. De côté. » Sa main se terre dans la poche de son short, effrayée par ses propres révélations.

Taylor s'empare de son autre main. « Ne t'inquiète pas. Il a une sacrée veine que tu aies l'œil si perçant. Tu l'as vu disparaître dans le trou ? »

Turtle acquiesce.

Taylor ne sent plus ses jambes, comme lorsqu'elle regardait par-dessus le parapet. Ce qui est le plus dur dans le fait d'être mère, pense-t-elle, c'est qu'on ne peut jamais être le bébé de la famille, pas même quelques secondes. Elle fait un effort pour paraître calme. « Et si on criait ? Tu crois qu'il nous entendrait ? »

Turtle acquiesce à nouveau.

Taylor crie : « Il y a quelqu'un là-dedans ? Oh ! Oh ! » Elles écoutent la réponse indifférente de deux millions de tonnes de béton.

Taylor se penche au-dessus de la rambarde et met ses mains en porte-voix, pour montrer à Turtle qu'elles vont bien s'amuser, et en plus ça va marcher. « Hé ! Vous là-bas ! Vous m'entendez ? Hé ! Z'auriez pas un peu de monnaie ? Hello ! »

De l'autre extrémité du lac monte le vrombissement aigu d'un bateau à moteur. Turtle pleure sans faire le moindre bruit.

Elle cherche les doigts de sa mère, seule chose vraiment sûre. Elles attendent dans l'obscurité. Taylor promène le cercle de lumière de sa lampe-torche sur le gardien assis dans son fauteuil. Il ne se réveille pas. Derrière la baraque de métal il y a des machines avec de longs cous d'animaux, mais elles dorment aussi.

« Hé, monsieur ! » fait Taylor, un peu plus fort. La lumière glisse le long de sa chemise marron et éclaire un badge carré. Puis ses yeux. Il se réveille et cherche son arme.

« Qu'est-ce que c'est, bordel ?

– Excusez-moi, Mr. Decker, mais ne nous tirez pas dessus, d'accord ? Ma fille n'a que six ans, et nous sommes vraiment sans défense. »

Turtle s'assure que la main de sa mère est toujours là. L'homme se lève et allume une quantité impressionnante de lumières. Un moteur chante et pleure dans la baraque de métal. « Mais qu'est-ce que vous cherchez donc, bon sang ?

– Nous aimerions signaler un accident, d'accord ? Quelqu'un est tombé dans le barrage, par le déversoir. »

Mr. Decker ouvre grand ses yeux et tous ses rêves prennent la fuite.

« Il portait une chemise sombre, et avait un bandana vert autour de la tête. »

Taylor se penche et Turtle lui caresse les cheveux.

« Et des cheveux longs. Châtain foncé.

– En état d'ivresse ?

– Nous ne savons pas. Ce n'est pas quelqu'un que nous connaissons. Nous ne faisons que signaler l'accident. »

Mr. Decker fixe son entrejambe. « Quand ?

– Vers le coucher du soleil.

– Et vous décidez de venir me le dire au milieu de la nuit ?

– Il n'y a personne au musée. Nous avons mis un temps fou à trouver quelqu'un.

– C'est le dimanche de Pâques demain, bordel. Vous voudriez un défilé peut-être ?

– Écoutez, c'est pas notre faute si vous avez écopé d'une garde merdique, nous essayons juste de signaler qu'une vie humaine est en danger.

– Putain de merde. »

Taylor allume et éteint sa lampe-torche. « Vous avez jamais pensé à changer de boulot ? »

Mr. Decker disparaît dans la pièce à côté et passe un coup de téléphone. À son retour il demande : « Vous avez d'autres renseignements sur ce type ? Son âge ?

32

– Quel âge avait-il ? » demande Taylor à Turtle.

Turtle cherche à l'intérieur de son crâne. « Grand.

– Grand, comme un enfant ? Ou alors mon âge ? Ou plus vieux que moi ?

– Plus grand qu'un enfant. À peu près comme toi. »

Le corps de Mr. Decker s'affaisse d'un seul coup, comme un sac vide. « Vous êtes en train de me dire que vous n'avez pas assisté à l'incident personnellement ?

– Ma fille y a assisté.

– C'est *elle* qui l'a vu. » Il ouvre de grands yeux. « Tu crois au Père Noël, ma chérie ? »

Turtle cache son visage contre sa mère et ne répond pas. Elle sent que la tension monte chez sa mère.

« Monsieur, je vous signale que vous êtes en train d'intimider votre témoin. Elle a vu ce qu'elle dit avoir vu. Et pas grand-chose ne lui échappe, croyez-moi. Quand votre patron arrivera, elle pourrait très bien lui dire l'allure que vous aviez quand on vous a trouvé ici à ronfler pendant votre tour de garde. Alors vous auriez intérêt à prendre un petit euphorisant et essayer de vous montrer un peu plus aimable avec nous, d'accord ? »

Hugo Alvarez, le patron de Decker, les examine des pieds à la tête. Il a un bureau du style sans fioritures qui fait son maximum pour prouver que le Parc national ne jette pas l'argent des contribuables par les fenêtres. Taylor s'efforce de se tenir immobile dans son fauteuil en plastique orange pendant que Mr. Alvarez consigne les faits. « Votre fille ne vous ressemble vraiment pas », remarque-t-il.

Elle a l'habitude. Toujours ce même regard inquisiteur, comme si les gens se demandaient s'ils n'ont pas par hasard déjà vu cette enfant sur une brique de lait. « Elle est adoptée, répond Taylor machinalement.

– Mexicaine-Américaine ?

– Indienne. Cherokee. »

Mr. Alvarez en prend note sur son bloc ; apparemment cela fait partie des faits.

« Il est peut-être pas en pleine forme le type dans son trou, fait remarquer Taylor. Est-ce qu'on pourrait pas accélérer un peu les choses ? »

Mr. Alvarez a une frange sombre autour de son crâne chauve, et les yeux d'un chien indifférent. Il déclare sans émotion apparente : « Il y a une barrière de sécurité de deux mètres cinquante autour du déversoir.

– Nous ne savons pas comment il a réussi à franchir la barrière », déclare à son tour Taylor, sur le même ton que lui. Les lumières fluorescentes sont agressives à cette heure. Elle cligne des yeux, essayant de se rappeler le versant de la colline près du barrage. « Peut-être qu'il est arrivé par l'autre côté, par la montagne. Ou alors par le lac.

– Nous avons un personnel de sécurité. Ils surveillent cette zone comme des faucons.

– Sans vouloir vous offenser, nous avons passé une grande partie de la nuit à chercher l'un de vos faucons.

– C'est un week-end férié.

– Joyeuses Pâques, fait Taylor. Si nous allions ramasser des œufs. »

Alvarez soupire. « Je ne doute pas de votre bonne foi, mademoiselle, mais tout cela ne me semble pas très vraisemblable. Quelqu'un d'autre l'aurait vu. Il n'est pas envisageable de faire appel à une équipe de sauvetage s'il n'y a pas de témoin.

– Mais il y a un témoin. Ma fille est témoin. »

Alvarez se frotte le nez du bout de son stylo et décide de ne rien ajouter à ses abondantes notes.

« Elle n'a jamais menti de sa vie.

– Franchement, répond-il, je ne l'ai pas entendue dire quoi que ce soit.

– Elle ne parle pas beaucoup. Quand on a éliminé toutes les conneries dans la vie, il ne reste pas grand-chose à dire, vous savez. »

Alvarez regarde à nouveau Decker et se met à remonter sa montre avec application. Taylor se lève, se dirige vers la porte, revient sur ses pas, s'efforçant de contenir l'envie folle qu'elle a d'envoyer valdinguer un fauteuil. « Vous voulez que je mente ? Vous voulez que je dise que j'ai tout vu, moi aussi ? Si vous écrivez ça dans votre rapport, est-ce que vous pourrez appeler une équipe de secours ?

– Dites-moi simplement ce qui s'est passé. La vérité, c'est tout.

– La vérité est qu'un homme est tombé dans le déversoir de votre merveilleux barrage, aujourd'hui, au coucher du soleil. Ma fille l'a vu disparaître dans le trou, et vous lui donneriez une meilleure impression de la race humaine si vous manifestiez un peu d'intérêt. Parce que s'il meurt là-bas au fond, alors il va vraiment être mort. »

Le dimanche, après quelques heures de cauche-mar inconfortables à l'intérieur de la Dodge, Taylor et Turtle trouvent finalement, sur le parking réservé au personnel, le gardien-chef qui vient prendre son tour de garde. Sa camionnette, une Ford 59 couleur cerise, donne un regain d'espoir à Taylor. Peut-être que quelqu'un va enfin les écouter. Travaillant dans l'industrie automobile, elle a remarqué que les gens qui prennent soin des vieilles choses sont généralement capables de patience.

« Dans le déversoir ? demande-t-il. Impossible. Il y a une barrière à cet endroit. Un jour j'ai vu un type passer par-dessus et plouf. » Taylor se représente la longue chute libre et frissonne. « Au beau milieu de la journée, poursuit-il. Un accident. Vos suicidés, ils sautent la nuit en général. Ça donne des œufs brouillés le lendemain matin. »

Taylor manque de sommeil, elle ferait volontiers l'économie des œufs brouillés. « Ce type avait à peu près mon âge. Des cheveux longs. Il portait une salopette et puis... Ah oui, un bandana.

– Un bandana vert ? » Le visage du gardien s'éclaire comme si quelqu'un avait tourné un interrupteur. « Noué autour de la tête, comme ça ? Et des cheveux comme ça ? » Du revers de la main, il se frappe l'épaule.

Taylor et Turtle acquiescent.

« Bon Dieu, c'est Lucky Buster. » Il se dirige vers le déversoir.

Elles le suivent. « Vous le connaissez ce type ? demande Taylor.

– C'est un attardé. Mon Dieu. C'est incroyable. Quand c'était ?

– Hier soir. Vous le connaissez ?

– Ça fait deux semaines qu'il traîne dans le coin. Incroyable. Il m'a fait devenir fou. Il a dix ans d'âge mental, vous voyez ce que je veux dire ? Il fait une fixation sur les détritus.

– Attendez », crie Taylor. Turtle tire de toutes ses

36

forces sur le bras de sa mère comme si elle faisait du ski nautique. « Qu'est-ce qu'il fait avec les détritus ?

– Il est cinglé. Deux ou trois fois je l'ai surpris à escalader des endroits où même une putain de chèvre de montagne s'aventurerait pas. Il essayait de ramasser des boîtes de soda, vous vous rendez compte. Oh, mon Dieu, Lucky Buster. »

Il s'arrête devant le déversoir. Tous les trois plongent le regard vers le fond. Rien. Le gardien a du mal à respirer. « Merde, alors. »

À dix heures le lundi matin, six volontaires du club de spéléologie de Las Vegas, plus un médecin militaire diplômé en escalade, émergent du déversoir côté Arizona. Il a fallu toute la nuit pour rassembler cette équipe. Et ils ont passé encore plusieurs heures au fond du trou. Taylor et Turtle sont au premier rang des curieux qui se pressent contre la barrière de sécurité. Des gardiens munis de mégaphones crient à la foule de se disperser, ce qui provoque de nouvelles arrivées.

Les sauveteurs ressemblent à des mineurs, noirs de poussière. La corde qui les relie par la taille et qui a disparu à l'aube en boucles jaunes remonte maintenant toute noire. Seuls les mousquetons cliquetants de leur équipement d'escalade scintillent au soleil.

Le brancard émerge du trou, longue chose ovale toute raide, comme un pain qui sort du four. Lucky Buster est enveloppé dans des couvertures de sauvetage en caoutchouc et tenu fermement de la tête aux chevilles par des sangles de toile noire, si bien qu'on le dirait découpé en morceaux. Il n'arrête pas de cligner des yeux. Cette foule appuyée à la barrière est la chose la plus aveuglante qu'il ait vue de sa vie.

3

Les vraies histoires

Dix heures du matin dans le Kentucky ; le soleil commence à peine à s'intéresser à l'Arizona. Trop tôt pour appeler. Alice nettoie ses placards de cuisine depuis l'aube. Elle a vu aux informations du matin quelque chose qui l'a perturbée et elle a besoin de parler à Taylor. Les fuseaux horaires sont une mauvaise plaisanterie, inventée à coup sûr, pense-t-elle, par quelqu'un dont la famille était rassemblée sous un seul et même toit.

Le sol en linoléum est jonché de cartons, petites embarcations qui ploient sous leur charge : casseroles et poêles, bocaux, gants de cuisine, couteaux à steak. Alice n'aurait jamais imaginé avoir un jour besoin de tant de choses. Elle est dans un tel état qu'elle se sent capable de tout virer, même la cuisinière. Harland s'en apercevrait-il si elle s'arrêtait tout simplement de faire la cuisine ? Elle en doute. Quand elle l'a connu, il se faisait réchauffer tous les soirs des boîtes de soupe Campbell dans une grande casserole d'eau sans même les ouvrir. Elle contemplait incrédule les boîtes qui roulaient comme des bûches dans l'eau bouillante. « Elles n'explosent pas ? » lui avait-elle demandé, et il avait timidement

38

posé sa main dans la sienne pour lui avouer que si, ça arrivait. Pour lui, faire de la cuisine, c'est quand on prend la peine d'ouvrir la boîte d'abord. Alice a gaspillé ses talents.

À petits coups agressifs, elle atteint de son chiffon les étagères d'un placard trop haut. Elle sent son bermuda remonter le long de ses cuisses, là où ses veines sont devenues d'un bleu décourageant. Bien que personne ne puisse la voir à cet instant, elle déplore tout de même que son système circulatoire ne soit pas resté plus discret. Vieillir, en somme, c'est être de plus en plus transparent, jusqu'au jour où vos pauvres entrailles s'offrent à la vue de tous pour devenir une affaire publique.

Alice a du mal à se représenter la portion de sa vie qui se trouve encore devant elle. Elle sait qu'aucune femme affligée de varices ne quitterait un mari décent, pour peu qu'elle ait deux sous de jugeote. C'est pourtant ce qu'elle va faire. La solitude est son héritage, comme l'est la profonde ligne de cœur qui éclate en une multitude d'allumettes sur la paume de sa main. Chez les Stamper, les femmes pensent peut-être qu'en se consacrant à la famille elles vont trouver leur voie, mais il survient toujours quelque événement mystérieux pour les séparer des autres en fin de compte. Sa mère passait son temps à arpenter sa ferme les yeux fixés sur le ciel comme s'il y avait un panneau là-haut qui disait : LIBERTÉ ET BONHEUR, PAR ICI, AU BOUT DE LA ROUTE SOLITAIRE.

Alice n'a jamais désiré être comme elle. Elle s'est mariée jeune et sans expérience, mais bien décidée à rester avec son premier mari, Foster Greer. Elle l'avait rencontré dans un petit bar à la lisière des bois près de l'abattoir. Et ce premier soir, à la faveur d'une danse, il l'avait entraînée jusqu'au parking où il lui avait promis de la tirer de cette puanteur. Entre l'élevage de cochons et l'abattoir, Alice n'était jamais sortie de ce périmètre d'odeurs fétides. Elle n'avait pas compris de quoi il parlait. Quelle n'avait pas été sa surprise de découvrir que l'air, en lui-même, était dépourvu d'odeur. Elle respirait par le nez sans pouvoir s'arrêter, comme un drogué qui prend son pied avec une nouvelle drogue. Ils avaient quitté l'autoroute, et par une route étroite bordée de marécages et de saules ils avaient atteint La Nouvelle-Orléans avant le petit déjeuner. Aujourd'hui encore, Alice garde dans sa chair le souvenir de cette folle équipée : les bayous infestés d'alligators à minuit, la vitesse, et elle pleine de vie et d'espoir, comme s'il n'y avait qu'un homme et qu'une femme sur la terre cette nuit-là et que c'étaient eux les élus.

En tant que mari, Foster eut vite fait d'être à court d'idées. Il faisait carrière dans ce qu'il appelait les « nouveaux départs », ce qui signifiait qu'il se faisait virer de tous ses emplois de charpentier, les uns après les autres, et se consolait à grandes rasades de Old Grand Dad. Si une chose vaut vraiment la peine, disait-il à Alice, alors cette chose mérite d'être tentée à nouveau dans une ville différente. Sur quoi il ajoutait qu'on s'amusait trop avec elle, comme si c'était de sa faute s'il n'arrivait jamais à se fixer. Il avait fait promettre à Alice de ne pas s'aviser de faire la mariolle et tomber enceinte, et elle avait obéi, pendant presque dix ans. Ce n'était pas si facile à l'époque ; il fallait avoir de la suite dans les idées. Le jour où cela arriva, elle connaissait Foster depuis

40

assez longtemps pour savoir sauter sur une occasion quand elle se présentait : elle troqua Foster contre un bébé. Il lui avait certes fait découvrir l'air frais, mais est-ce un tel cadeau qu'on doive se montrer éternellement reconnaissant ? Il quitta Pittman, Alice et le bébé ne le suivirent pas.

Elle s'était imaginé que la maternité pratiquée avec zèle et passion mettrait un terme à la malédiction familiale : la solitude. Alice se jeta dans son amour pour sa fille avec la même détermination que Minerva avec ses cochons. Mais les enfants ne restent pas si on a fait son boulot correctement. À cette tâche, mieux on réussit, plus on a de chances de ne plus servir à rien au bout du compte. Elle regarde à nouveau la pendule : sept heures et demie à Tucson. Elle décroche le téléphone et compose le numéro.

Une voix de baryton fait : « Salut. »

Ce doit être Jax. Alice se sent ridicule. Ce qu'elle a vu à la télé ne concernait pas Taylor et Turtle. Elles sont sans doute encore au lit. « Oh, eh bien, salut, fait-elle. C'est moi, Alice.

– Salut, belle Alice. Comment va votre vie ?

– Ça peut aller », répond-elle. Elle ne sait pas quoi dire quand elle tombe sur Jax au téléphone. Ne l'ayant jamais vu, elle a du mal à se le représenter. Pour commencer, il joue dans un groupe de rock. Il vient de La Nouvelle-Orléans, et Taylor le lui a décrit comme un grand type maigre qui porte une petite boucle d'oreille en or. Mais il a la voix de Clark Gable dans *Autant en emporte le vent*.

« Votre fille est en vadrouille, lui annonce Jax. Elle a embarqué la deuxième génération, et elles sont parties voir le Grand Canyon. Qu'est-ce que vous en dites ?

– Alors c'est vrai ! » crie Alice, se faisant sursauter.

Jax ne réagit pas. «Vrai-de-vrai ! Elles m'ont laissé en tête à tête avec le micro-ondes. » Puis il ajoute : « Au fait, qu'est-ce qui est vrai ? »

Alice ne comprend plus rien. Si quelque chose leur était arrivé, Jax serait au courant. « Rien, fait-elle. Un truc stupide que j'ai vu à la télé. Harland avait mis les informations et il était question de quelqu'un qui était tombé du barrage Hoover. J'aurais juré, l'espace d'une seconde, que c'était Taylor Greer qui parlait à la caméra.

– Si Taylor était tombée du barrage, elle ne serait pas en train de parler à une caméra, fait remarquer Jax.

– Non, bien sûr que non, mais je me suis dit que c'était peut-être Turtle qui était tombée. Ça m'a inquiétée.

– Impossible, fait Jax de sa voix traînante d'homme du Sud. Elle ne laisserait jamais Turtle tomber de quelque chose de plus haut qu'une machine à laver. Et si par malheur ça arrivait, elle aurait sauté sur le téléphone pour vous en parler avant même que la gosse ait touché terre. »

Bien que perturbée par cette idée, Alice est presque sûre que Jax a raison. «J'espérais qu'ils repasseraient la scène, mais maintenant Harland est passé sur téléachats et pas moyen de l'en arracher.

– Il se peut très bien qu'elles soient là-bas, dit Jax pensivement. Elle ne me tient pas toujours au courant.

– Elles sont donc bien parties toutes les deux ? Turtle manque l'école ?

– C'est les vacances de Pâques. Elles ont décidé de vivre une expérience religieuse avec les roches sédimentaires.

– Vous auriez dû partir avec elles. Ce doit être quelque chose ce Grand Canyon.

– Oh, croyez-moi, c'est pas l'envie qui m'en manquait. Mais on nous a proposé de jouer dans un bar, le *Filth Encounter*, et ça ne se refuse pas. »

Alice se rend compte qu'elle retrouve son calme, à écouter Jax. Il a toujours l'air si décontracté qu'elle se demande parfois s'il est tout à fait vivant. « C'est bien qu'elles soient parties, dit-elle mélancoliquement. Elle a quelques longueurs d'avance sur moi, cette petite Turtle. Moi, j'ai même pas encore vu la nouvelle usine Toyota à Georgetown.

– Alice, tout va bien ? »

Alice se passe la main sur les yeux. La moitié du temps on dirait qu'il a grandi sur Vénus, mais il a une voix merveilleusement lente et profonde. Elle ne serait pas fâchée d'avoir ça chez elle. « Eh bien, pas vraiment, répond-elle. Je sais plus où j'en suis. Juste assez folle pour penser que j'ai vu ma propre fille à la télé. » Elle marque une pause. Comment raconter ses malheurs à quelqu'un qu'elle n'a jamais rencontré ? C'est le milieu de la matinée, dans une cuisine vide, l'heure où l'écran de télé se penche sur vos problèmes de cœur et où la radio envoie des prédicateurs au secours des désespérés. Elle lui dit : « Je crois que je vais quitter Harland.

– Ma foi, ce sont des choses qui arrivent. Il ne vous a jamais vraiment plu.

– Si. Au début. » Elle baisse la voix. « Pas dans la vie de tous les jours, mais je pensais qu'il s'améliorerait. Sous l'influence de la bonne cuisine.

– On ne peut pas réhabiliter un homme qui collectionne les ampoules électriques.

– C'est des phares qu'il collectionne.

43

– Des phares. C'est vrai ?

– Oui, des phares de voiture. Tout ce qui est vieille pièce de vieille voiture, en fait, à condition qu'elles ne fassent pas de bruit. Vous devriez voir ma salle de séjour. J'ai l'impression d'être morte et de me retrouver à la casse.

– Venez vous installer chez nous. Taylor laisse toutes ses pièces de voiture au boulot, c'est juré. On a besoin de vous, Alice. Taylor a horreur de faire la cuisine, et moi je suis un vrai criminel.

– On est rarement pendu pour les crimes qu'on fait dans une cuisine, répond Alice. Pour moi, si un homme fait preuve de bonne volonté, je lui tire mon chapeau.

– Votre fille ne tire jamais son chapeau à un homme pour quoi que ce soit. »

Alice ne peut s'empêcher de rire. « Ça c'est bien vrai.

– Elle dit que je cuisine comme un homme des cavernes.

– Ça alors ! » Alice rit plus fort. Clark Gable avec une boucle d'oreille en or, et maintenant des épaules voûtées et une massue. « Qu'est-ce que ça veut dire ?

– Manque de raffinement, sans doute.

– De toute façon, il est impossible que je vienne m'installer chez Taylor. Je le lui ai dit cent fois. Je vous gênerais. » Alice n'a jamais habité en ville et elle serait incapable de s'y faire, elle le sait. Que trouverait-elle à dire à des gens qui donnent de l'argent pour aller écouter un groupe appelé *The Irritated Babies* ? Et puis Alice ne sait pas conduire, même si peu de gens le savent parce qu'elle joue à celle qui préfère marcher.

« Je crois que Taylor ne m'aime plus, dit Jax. Je crois qu'elle a des vues sur Danny, le gars qui ramasse nos poubelles.

– Allons, allons.

– Vous ne le connaissez pas. Il est capable de soulever quatre sacs-poubelles dans chaque main.

– Je suis sûre que vous avez vos bons côtés vous aussi. Elle est gentille avec vous ?

– Oui.

– Alors, tout va bien. Ne vous en faites pas, vous le sauriez. Si Taylor n'aime pas quelqu'un, toute la ville est au courant. »

Jax rit. « De toute façon, elle aimerait bien que vous veniez nous voir, ajoute-t-il.

– Je viendrai. » Alice a les larmes aux yeux.

« Moi aussi, poursuit-il. J'aimerais que vous veniez. J'ai besoin de connaître cette Alice. Quand Taylor dit qu'elle veut que vous vous installiez ici, je trouve ça vraiment super. Autour de moi, les gens s'enrôlent tous dans des stages en douze semaines pour se remettre d'une enfance à problèmes.

– Vous savez, c'est ma faute si elle n'est pas tendre avec les hommes. Je crois que je l'ai montée contre eux. Sans le vouloir. C'est comme un mauvais sort. Ma mère s'est occupée d'un élevage de cochons toute seule pendant cinquante ans, c'est comme ça que ça a commencé.

– Vous avez un élevage de cochons côté maternel ? Je vous envie. J'ai toujours rêvé d'une enfance bercée par les cochons.

– C'était pas si merveilleux que ça. Ma mère était une Stamper. Elle était trop imposante et trop occupée pour qu'on puisse l'appeler " maman ", alors je l'appelais Minerva, comme les voisins, les créanciers

45

et les journaliers qui venaient tuer les cochons. Elle leur disait toujours : "Monsieur, c'est pas ici que vous trouverez ce que vous n'avez pas déjà." Et c'était la vérité. Elle avait des cochons à revendre, mais pas grand-chose à offrir à ses frères humains, à part du jambon.

– Ma foi, fait Jax, le jambon ce n'est pas rien.

– Elle n'aurait jamais laissé un homme l'approcher suffisamment pour voir le blanc de ses yeux. Et regardez-moi, c'est la même chose, je fais fuir les maris comme cette Elizabeth Taylor. Je crois que j'ai appris à ma fille à être trop indépendante. Elle a adopté ce bébé avant même d'avoir un copain digne de ce nom, pour moi c'était bien la preuve qu'elle était de la famille. Et je me dis qu'on pourrait continuer ainsi pendant treize générations sans qu'aucun homme ne montre ne serait-ce que le bout de son nez. Sauf peut-être pour venir réparer une fuite à l'occasion.

– Est-ce un avertissement du ministère de la Santé ?

– Oh, Jax, je sais plus ce que je raconte. Je ne suis qu'une pauvre vieille femme qui nettoie ses placards de cuisine pour passer le temps. Vous, les enfants, vous êtes heureux et moi je suis dans tous mes états.

– Non, tenez bon. Vous allez vous en sortir.

– Il vaut mieux que je vous laisse. Dites à Taylor de m'envoyer une photo de la petite. La dernière que j'ai reçue date de Noël et Turtle regarde le Père Noël comme si c'était Lee Harvey Oswald. On doit pouvoir trouver mieux pour décorer mon poste de télévision.

– Message enregistré. Elle rentre samedi. Je lui dirai que vous avez appelé, Alice.

46

– D'accord Jax, merci. »

Elle est prise de tristesse quand il raccroche, mais soulagée que Taylor et Turtle ne soient pas mortes ou en difficulté. Elle déteste la télévision, et pas seulement parce que son mari l'a abandonnée pour elle. Elle la déteste par principe. C'est comme l'histoire de ce petit garçon qui crie au loup, et vous met mille idées en tête sans vous donner le temps de comprendre ce qui se passe. Si les gens ne veulent pas se parler, ils ne devraient pas compter sur des étrangers en costume et cravate pour leur dire la vérité.

Elle traverse la cuisine en soulevant les pieds pour éviter des cartons remplis de spatules et de piles de saladiers. On dirait une vente aux enchères, et Alice a vraiment l'impression que quelqu'un est mort. Sauf qu'elle ne sait pas qui. Au fond, dans le salon, une jeune femme pleine d'entrain vante les mérites d'un gadget de cuisine capable d'émincer des oignons, pétrir la pâte à pain et même faire des milk-shakes. « Ne ratez pas cette occasion, appelez maintenant », dit la femme avec conviction, et en elle-même Alice défie Harland d'avoir l'audace de lui offrir ça pour leur anniversaire de mariage. Elle lui confectionnera un milk-shake à l'oignon et salut !

4

Lucky Buster vit toujours

Lucky et Turtle sont endormis sur la banquette arrière : Taylor distingue leurs ronflements respectifs, soprano et basse. Elle ratisse l'écran de son autoradio : des kilomètres de parasites. Elle l'éteint. Suspendue devant elle dans le rectangle du rétroviseur, apparaît la tête de Lucky, dodelinant contre le siège. Maintenant qu'elle peut l'examiner à son gré, elle le fait. Ses longs cheveux propres tombent sur son visage comme ceux d'une fille, mais sa gorge pâle révèle une peau de papier de verre et une grosse pomme d'Adam. Bien qu'il ait trente-huit ans, Taylor ne parvient pas à le considérer comme un adulte. L'idée est dérangeante.

Depuis qu'il est de retour sur la terre ferme, il ne cesse de leur demander de ne rien dire à sa mère. Angie Buster, qui tient un petit restaurant à Sand Dune, dans l'Arizona, paraissait fatiguée au téléphone. Lucky ne se doute pas qu'elle a parlé avec Taylor, ni qu'elle a regardé les informations à la télé pour voir et revoir son corps émerger du trou. Des images de synthèse ont retourné le barrage Hoover dans tous les sens, et l'Amérique entière a pu voir une image rouge miniature de Lucky s'enfoncer par à-coups dans le déversoir et s'y loger comme le protagoniste d'un jeu vidéo sinistre. Seuls Lucky et Turtle, auteurs du miracle, croient encore qu'ils ont été témoins d'un secret.

C'est Turtle qui a eu l'idée de le reconduire chez lui, une fois que sa cheville foulée a été bandée et que les docteurs l'ont eu gardé en observation. Turtle est une héroïne de la télé à présent, les agents de police et même les médecins font attention à elle. Un reporter a déclaré que désormais les destins de Turtle et de Lucky étaient liés, que, selon une croyance chinoise, si l'on sauve la vie de quelqu'un on est responsable de cette personne à jamais. Taylor se demande s'il a fabriqué cette histoire de toutes pièces. Pourquoi serait-on redevable de plus que ce qu'on a déjà donné ?

Elle s'engage sur la 93 en direction du sud et trouve une station sur sa radio. Une station de « vieux succès », comme on dit, bien qu'on y diffuse une chanson des Beatles. Si les Beatles se classent dans les vieux succès maintenant, où situer Perry Como, se dit-elle, et tous ces groupes de filles avec leurs histoires de cœurs brisés et leurs coiffures pare-balles ? Pour autant que Taylor se souvienne, elle était à l'école maternelle quand les Beatles ont commencé à faire un tabac, mais ils sont restés célèbres jusqu'à son adolescence, troquant leurs costumes de clergyman et leurs maigres cravates contre le LSD et les petites lunettes de soleil noires. Elle ne retrouve pas le titre de la chanson mais c'est une des dernières, avec cette musique bizarre qu'ils ont cultivée vers la fin – comme si leurs voix sortaient d'un tuyau en métal.

À quoi a-t-il bien pu penser pendant toute une journée au fond de son trou ? Taylor n'ose pas l'imaginer. À présent, avec ses ongles récurés, sa chemise rouge à carreaux lavée et dûment repassée à la blanchisserie de l'hôpital, son histoire semble impossible. Les médecins ont supposé qu'il n'avait même pas perdu connaissance, sauf peut-être pour dormir. À le voir sur son siège maintenant, s'il a effectivement dormi, c'est peu de temps.

Elle a bien failli repartir ce soir-là. Découragée par tous ces uniformes, ces barbes d'une nuit et ces regards condescendants, il s'en est fallu de peu qu'elle ne se remette au volant et file en direction du Nevada. Elle frissonne.

Les Beatles rendent l'âme et Elton John leur succède, les accords honky-tonk de son piano annonçant *Crocodile Rock*. Celle-là, elle s'en souvient : les bals sur le parquet décoloré du gymnase du lycée de Pittman, et les garçons incapables de se montrer à la hauteur de son sens de la fête dans ces occasions. Trop occupés qu'ils étaient à essayer de coincer une main entre deux boutons de vos vêtements. Taylor aimait bien Elton John, ses énormes lunettes et ses chaussures ridicules, riant de lui-même – tellement aux antipodes des autres stars du rock, avec leurs longs cheveux raides et leurs yeux fermés, et leurs airs de Christ sur la croix.

La musique a complètement changé aujourd'hui. Jax n'appartient à aucune des deux races, les Jésus ou les Elton John. Maintenant ils ne se contentent pas de se moquer d'eux-mêmes, ils incluent le public et l'univers en général.

Taylor n'irait pas le crier sur les toits, mais Jax est un problème dans sa vie. Elle se sent même déloyale de penser une chose pareille. C'est le premier de tous ses petits amis qui soit effectivement plus drôle qu'il ne le pense. Il fait preuve à l'égard de Turtle d'une telle gentillesse que c'en est presque gênant. Jax est si décontracté qu'il a fallu des mois à Taylor pour comprendre ce qui se passait : il est fou amoureux d'elle. C'est sans doute là qu'est le problème. L'adoration de Jax, c'est comme si on mettait à portée de sa main un immense lapin blanc. Ou des vacances en Europe. Elle ne pourra jamais lui rendre la pareille.

À la minuscule bourgade de Kingman, elle oblique vers le sud-ouest pour rejoindre le Colorado, ou ce qu'il en reste après tous ces barrages, un cours d'eau pillé qui a du mal à atteindre la frontière. Des montagnes violettes tapies derrière le fleuve évoquent les tableaux de cabinet de médecin. Elle suivra ensuite la rivière vers le sud et traversera Lake Havasu City, où, dit-on, une personne fortunée, après avoir acheté le Pont de Londres, l'a fait transporter pierre à pierre pour une vie de solitude au milieu du désert. Enfin ils arriveront à Sand Dune, où Angie Buster attend son fils. C'est de là que Taylor appellera Jax pour l'informer du tour nouveau qu'ont pris leurs vacances.

Elle a perdu le fil de ce qui se passe à la radio. Maintenant c'est Otis Redding qui chante *Dock of the Bay*. La chanson la remue toujours autant. On se représente très bien le pauvre Otis, le regard perdu sur cette étendue d'eau, et la terrible tristesse de sa voix laisse entendre qu'il sait déjà qu'il va finir gelé dans un lac du Wisconsin alors que ses fans attendent fébrilement l'arrivée de son avion et le début du concert.

Il ne faut pas trop penser à la chance, bonne ou mauvaise. Taylor en a décidé une fois pour toutes, et

51

elle renouvelle à présent son serment. Lucky Buster a de la chance d'être en vie, mais n'en a pas d'être né avec cette cervelle d'oiseau qui l'a conduit au désastre. Ou alors sa chance est de ne pas voir plus loin que le bout de son nez. Dans l'ambulance qui le conduisait à l'hôpital, il voulait aller chez McDonald's.

Au téléphone, Angie Buster lui a confié que Lucky s'était déjà sauvé maintes fois. Elle a demandé à Taylor de ne pas le répéter aux docteurs, de crainte que cela ne pose des problèmes avec l'assurance. « Il ne se sauve pas vraiment, a expliqué Angie, c'est juste qu'il ne comprend pas très bien où s'arrête sa maison et où le reste du monde commence. »

Taylor lui a accordé que c'était parfois une question difficile à trancher.

Il y a plus de poussière que de sable à Sand Dune. Tout ce que voit Taylor dans le parking est couvert de poussière : des régiments de *mobile homes* balafrés, des drapeaux de cellophane qui flottent dans le vent au bord des quais, et des bateaux qui dansent sur l'eau du fleuve comme des canards, avec leurs ronds de crasse autour du ventre. Une fine couche de vase colle même à la surface du Colorado, preuve qu'il n'a plus la moindre velléité de se battre.

La ville n'est qu'une suite de toits de tuiles affaissés et de cours affublées de ces petits palmiers rabougris qui abritent des foules de moineaux. Des pans entiers de murs crépis délabrés se succèdent au bord de la route comme des panneaux publicitaires, noircis de graffiti mexicains. Aucun risque de se perdre dans le quartier, les abords du restaurant d'Angie sont pavoisés de rubans jaunes et un drap de lit en guise de bannière souhaite : JOYEUSES PÂQUES LUCKY BUSTER. Taylor s'arrête devant le motel qu'Angie lui a indiqué, le Casa Suerte, juste à côté du restaurant.

« Réveillez-vous, les mômes », dit-elle doucement. Elle craint que Lucky ne se sauve, mais non. Lui et Turtle se frottent les yeux. « On est arrivés », dit-elle en aidant Turtle à sortir de la voiture. Elle ne sait pas trop comment s'y prendre avec Lucky. Il traverse la cour du Casa Suerte sans hâte particulière et se dirige vers le restaurant. À l'entrée principale du bâtiment, au milieu d'une niche, trône la Vierge de Guadalupe, constellée de nœuds autocollants comme si elle était affligée de la varicelle. De l'autre côté de la porte, un bouledogue sans couleur confortablement calé dans un fauteuil rembourré aspire l'air conditionné. Il se lève et aboie deux fois. Une grande femme en short et T-shirt jaune moulant apparaît, bras ouverts, pour envelopper Lucky comme une étoile de mer.

« Entrez donc », crie-t-elle à Taylor, balayant l'air de son bras robuste. Taylor, qui est restée en arrière pour les laisser se retrouver, s'occupe de Turtle, mais apparemment c'est de la routine. Quelques femmes sont sorties en masse pour marquer brièvement le coup, tandis qu'un vieil homme commence à débarrasser la Vierge de ses nœuds, les rangeant dans un sac en plastique pour la prochaine fois.

Le restaurant d'Angie a été décoré de banderoles en papier et de bannières pour célébrer le retour de Lucky. « Entrez donc, répète Angie, alors qu'elles sont déjà à l'intérieur. Il y a un photographe qui veut prendre en photo la petite fille qui a sauvé la vie de mon fils. C'est elle ?

– Elle s'appelle Turtle », répond Taylor. Turtle lui écrase les doigts, compromettant gravement sa circulation.

« Oh, mon Dieu », soupire Angie en étreignant Taylor à l'étouffer. « Ce coup-ci j'ai bien failli perdre la boule. Un jour, il a été kidnappé près de la frontière par des mulets, un cauchemar, mais cette fois-ci c'était le pire. Asseyez-vous, je vais vous chercher un morceau de tarte. Vous avez déjeuné ? Red, viens donc par ici ! »

Le comptoir est couvert de bibelots en porcelaine, et Angie est si énergique, et si plantureuse dans son T-shirt jaune qu'on a l'impression qu'elle va renverser quelque chose. Un homme au visage plein de taches de rousseur, armé d'un appareil photo, se présente : « Red, du journal. » Il tend à Taylor un exemplaire du *Sand Dune Mercury* et tente d'arracher Turtle à son autre main.

« T'inquiète pas, je reviens tout de suite », promet Taylor à ses yeux implorants. Elle frotte ses doigts engourdis et fixe distraitement le journal pendant que Red fait poser Lucky et Turtle devant le présentoir des salades. Elle est abasourdie quand enfin elle enregistre le gros titre : LUCKY BUSTER SAUVÉ PAR DEUX FEMMES PERVERSÉRANTES.

Elle doit s'y reprendre à deux fois pour comprendre « perversérantes ».

« Dis donc ! s'exclame-t-elle.

– Ça a fait la une de tous les journaux de l'état, l'informe Angie. Vous ne voulez pas vous asseoir et manger quelque chose ? Vous devez être affamés, mes pauvres. »

Taylor se laisse guider à une table près de la vitre givrée de poussière. Les cheveux teints d'Angie sont d'un noir si profond qu'elle a le crâne légèrement violet, comme certains des chanteurs de Jax. Elle se retourne brusquement et dit à Taylor d'une voix plus calme : « Je vous dois beaucoup. Vous ne pouvez pas comprendre, ce garçon est toute ma vie. »

Désarçonnée par les larmes dans les yeux d'Angie, Taylor ne trouve pas autre chose à répondre que : « Merci. » Rien dans son allure ne l'explique, et pourtant Angie lui rappelle sa mère. Ce n'est sans doute rien de plus que la force de son amour. Angie retourne arracher Turtle et Lucky aux mains du photographe pour les installer tous deux à table. Lucky a l'air radieux, et étonnamment, Turtle aussi.

« Tout le monde est très fier de toi, lui dit Taylor.

– Je sais. J'ai sauvé mon ami Buster. » Elle balance les jambes contre les pieds de sa chaise. Lucky tend la main et caresse deux fois l'épaule de Turtle. Taylor songe à la prédiction du reporter selon laquelle la vie de Turtle est changée pour toujours.

Angie ne prend pas les commandes. Elle apporte de la nourriture, c'est tout. Lucky se jette avec une telle avidité sur sa purée de pommes de terre que Taylor détourne instinctivement la tête. C'est sans doute cela qui déplaît chez les attardés : ils n'y vont pas par quatre chemins, le côté animal de la vie apparaît au grand jour. Taylor s'avoue qu'elle est affamée elle aussi.

Angie réapparaît avec d'autres clients. Elle présente les hommes mais Taylor ne saisit pas leurs noms, elle se contente de leur serrer la main alors qu'ils prennent place à la table. L'un d'eux, coiffé d'un chapeau de cow-boy blanc à taches brunes, ne cesse de passer le bras autour de la taille d'Angie. « Vous avez vu le fameux Pont de Londres au lac Havasu ? » demande-t-il.

C'est alors que Lucky trouve son alibi. « Maman, je suis allé me promener par erreur sur la voie ferrée en direction de Havasu. »

Angie et tous les hommes ouvrent la bouche et se mettent à rire. Lucky se joint à eux, amusé par sa plaisanterie, puisqu'ils ont décidé que c'en était une. Angie se frotte les yeux et tout le monde se tait.

« On ne s'est pas arrêtés ce matin pour voir le pont, poursuit Taylor. Mais j'en ai entendu parler. Alors, c'est vrai qu'un type l'a acheté et l'a fait transporter ici ? »

Lucky chante doucement : « Les ponts de Londres tombent. »

« Un type plein aux as, dit l'homme au chapeau de cow-boy. Et en plus, après l'avoir acheté, il a décidé de le faire nettoyer. Il raconte que ça lui a coûté plus cher de le faire nettoyer que de l'acheter.

– Il m'est arrivé la même chose avec une veste un jour, commente Taylor, sentant qu'il faut meubler la conversation.

– Assieds-toi », fait le chapeau de cow-boy à Angie. Donner des ordres semble être la règle dans le restaurant d'Angie. « Raconte-leur la fois où Lucky est parti avec les Anges de la mort.

– Il n'est pas parti avec eux. » Angie croise les bras et ne s'assoit pas.

« Moi j'aimerais bien en savoir plus sur les mulets qui l'ont kidnappé au Mexique », dit Taylor. À peine a-t-elle prononcé ces paroles qu'elle regarde Lucky d'un air gêné, mais il est rayonnant. Il est dans son élément. La fenêtre illumine son visage et ses yeux virent au bleu électrique.

« Oh, ma belle, c'était incroyable, raconte Angie. Ils ont menacé de le descendre. » Taylor essaie d'imaginer des quadrupèdes têtus armés de fusils, jusqu'au moment où Angie explique que les mulets sont des hommes qui sont impliqués dans le trafic de drogue. « Si vous vous trouvez près du Mexique, n'importe où, et que quelqu'un vous tire dessus sans raison apparente, dit-elle d'un ton bien informé, alors c'est un mulet. »

Taylor est soulagée de se retrouver saine et sauve à la maison. Elle et Jax sont assis dans leur lit. Ils ont mis en sourdine sa cassette de *They Might Be Giants*, de façon à entendre Turtle dans la pièce à côté. Pour s'endormir, elle parle presque tous les soirs dans une langue paisible que personne ne comprend. Depuis des années, Taylor et Alice ont de longues conversations téléphoniques sur leur rôle de mère. Alice lui avait dit de ne pas s'affoler alors qu'à l'âge de trois ans Turtle ne parlait toujours pas, et sa réaction était restée la même quand Turtle, s'étant mise à parler, se contentait de réciter de longues et étranges listes de légumes. Alice continue à dire qu'il n'y a pas lieu de s'inquiéter, et elle a toujours eu raison jusque-là. Elle prétend que Turtle discute de sa journée avec ses anges gardiens.

Ils entendent Turtle soupirer et entonner à voix basse une chanson monotone. Puis c'est le cliquetis de son objet favori, une lampe-torche qu'elle a prénommée Mary, sans laquelle elle ne dort jamais depuis le jour où elle l'a trouvée, il y a des années, dans la camionnette de la patronne de Taylor.

« Tu m'as manqué, dit Taylor à Jax. Comparé à ce que j'ai vu ces jours derniers, tu as l'air normal. »

Il embrasse ses cheveux, qui sentent l'orage, et son épaule, qui a l'odeur d'un galet sur la plage. « Le sexe t'aidera à traverser les périodes sans argent beaucoup mieux que l'argent les périodes sans sexe, lui dit-il.

– Ce qui m'a le plus manqué c'est ton humour.

– Moi, c'est tes facultés cognitives qui m'ont manqué. Et ta syntaxe. Franchement, c'est tout. Pas ton corps. Je me fiche complètement de ton corps. » Il traîne la voix délibérément, exagérant son accent du Sud, sans parvenir à trouver la musique à la fois anguleuse et douce du Kentucky de Taylor.

« Me voilà libérée d'un grand poids », répond-elle en riant, rejetant en arrière sa chevelure sombre avec un parfait naturel. De toutes les femmes que Jax a connues, Taylor est la première qui se moque éperdument de l'allure qu'elle a, ou qui s'en satisfait complètement, ce qui revient au même. Il aurait aimé être présent le jour où elle est née, pour savoir comment s'est fabriqué un être tel que Taylor. Il est étendu en travers du lit, la tête sur ses genoux, mais quand il se rend compte qu'elle observe son profil, il se détourne. Il sait qu'il a un profil inhabituel qui étonne les gens : il n'y a pas le moindre angle entre le front et l'arête du nez. Taylor dit, et ça lui ressemble tout à fait, qu'il a l'air d'un pharaon égyptien. Peu lui importe de n'avoir jamais vu aucune véritable œuvre d'art égyptienne.

Elle n'est pas la première femme au monde à lui répéter qu'il est beau ; ce n'est pas la raison pour laquelle il est amoureux d'elle. Jax a de larges épaules et des mains pleines de promesses. Il est fier d'atteindre une octave et demie au piano comme Franz Liszt. Tout chez lui est grand, voilà son atout dans la vie. Quand son groupe est en concert, les femmes ont tendance à lui faire passer des sous-vêtements avec des numéros de téléphone inscrits sur l'élastique.

58

« Tu crois qu'elle dort ? »

Taylor secoue la tête. « Pas encore. Elle a du mal à se détendre. J'ai beaucoup appris sur sa respiration pendant ce voyage.

– Est-ce que c'est le bon moment pour te faire part des coups de téléphone ?

– Quels coups de téléphone ? demande Taylor avec un bâillement qui vient du fond du cœur.

– Les quelque quatre mille appels que j'ai reçus depuis lundi, où tu as atteint une stature nationale.

– Oh, vas-y.

– Tu vas voir si je plaisante. » Jax sort du lit et fouille sur son bureau dans le désordre de partitions et de paroles de chansons. Parfois, dans ses cauche-mars, tout ce qui se trouve sur son bureau se met à chanter en même temps. Il revient avec un bloc-notes et ses lunettes à monture d'écaille, et lit.

« Lou Ann : veut savoir si tu as pensé à prendre de la dramamine pour Turtle, elle avait vomi une fois dans la voiture. Encore Lou Ann : te dit que c'est une erreur, c'est son fils qui avait vomi dans la voi-ture.

– Lou Ann m'appelait régulièrement avant que je devienne célèbre.

– D'accord, dit-il. Je saute les Lou Ann. » Son doigt parcourt la page. « Charla Rand de la *Phoenix Gazette*. Marsh Levin de l'*Arizona Daily Star*. Larry Rice, photographe au *Star*. Helga Carter du *Fresno Bee*.

– Du quoi ? C'est incroyable. Qu'est-ce qu'ils veulent ?

– L'histoire de l'année. Un scénario de film à sus-pense, des personnages attachants, un lieu touris-tique célèbre et un dénouement heureux.

– Merde. Il y en a encore beaucoup ?

– Quelques-uns. Encore cinq pages.

– Laisse tomber les *Queen Bee News,* etc.

– D'ac'. Passons sur les *Queen Bee News* et les Lou Ann. » Il tourne une ou deux pages, puis revient en arrière. « Oh, ta mère. Elle a appelé avant que je me mette à tout prendre en note. Elle pensait t'avoir vue aux informations.

– Dans le Kentucky ? C'est impossible.

– Tu sais, la saison de basket est terminée.

– Mon Dieu, elle a dû prendre une sacrée panique.

– T'inquiète pas, les situations de crise, ça me connaît. Je lui ai dit qu'elle avait des hallucinations. Puis j'ai vu les informations et je l'ai rappelée pour lui dire que Turtle et toi vous en étiez sorties sans le moindre bobo.

– C'est tout de même pas nous qui sommes tombées dans un trou.

– Elle n'en sera vraiment convaincue que lorsqu'elle l'aura entendu de ta propre bouche. »

Taylor sourit. « Je l'appellerai demain matin.

– Elle veut une nouvelle photo de Turtle. Elle dit que sur celle que tu lui as envoyée, le Père Noël ressemble à Sirhan Sirhan.

– Non, à Lee Harvey Oswald. »

Il la regarde, ôte ses lunettes et balance son bloc-notes par terre. « Comment as-tu deviné ?

– J'ai vécu vingt ans avec elle. Je la connais.

– Vous auriez votre place dans le *National Enquirer* toutes les deux. COUPLE TÉLÉPATHIQUE MÈRE-FILLE REÇOIT DES MESSAGES PAR LES PLOMBAGES DE LEURS DENTS.

– Nous sommes très proches, c'est tout.

60

– Couple mère-fille *perversérant*.

– Tu veux bien arrêter ? Tu es jaloux de tout, même de ma mère.

– Est-ce que toi et Turtle vous avez réellement persévéré perversement ?

– Tu vas me faire regretter de te laisser tenir une revue de presse.

– Mais ils sont passionnants ces documents. Oh, une autre grande nouvelle : elle quitte son mari. »

Taylor le regarde bouche bée. « Qui ? Ma mère quitte Harland ? Pour aller où ? Elle vient ici ?

– Tes plombages ne t'ont pas informée ?

– Elle le quitte ? Mais où va-t-elle aller ?

– Je ne sais pas. » Il ferme les yeux. « Pas ici. Elle m'a paru un peu triste.

– Il faut que je l'appelle tout de suite. »

Elle écarte la tête de Jax de ses genoux, mais Jax la saisit par la taille et la ramène sur le lit. « Il est deux heures du matin là-bas, ma chérie. Laisse-la dormir.

– Merde. Je déteste les fuseaux horaires. Pour quoi est-ce qu'il ne peut pas être la même heure partout en même temps ?

– Parce que si c'était le cas, il y aurait des endroits sur la terre où de pauvres musiciens seraient obligés de dormir la nuit et de travailler le jour. »

Taylor se laisse un peu aller contre Jax, qui l'entoure de ses bras. Il pose les mains sur le clavier de ses côtes, avide de la musique qu'elles renferment. « Tu es amoureuse de notre ramasseur de poubelles ?

– Danny ! Pouah ! Son camion pue.

– Tu veux dire que tu serais amoureuse de lui, si son camion sentait moins mauvais.

– Jax, pourquoi est-ce que tu fais ça ?

– Je me dis que tu vas me quitter, maintenant que tu es célèbre.

– Employée de renommée mondiale dans un magasin de pièces détachées !

– Tu es gérante. Ne te dévalorise pas. Tu n'as pas besoin de moi. »

Elle lui caresse le genou. Il est dur et anguleux comme une carapace de tortue. « Jax, mon chéri, je n'ai jamais eu besoin de toi.

– Je sais.

– Ni de Danny, ou de Bruce Springsteen, ou qui que ce soit d'autre. Cela n'a rien à voir avec toi.

– Je sais. C'est à cause des principes de ta mère.

– Qu'est-ce que c'est cette histoire ?

– Elle dit que les femmes de ta famille n'ont besoin des hommes que pour résoudre leurs petits problèmes de plomberie.

– Ma foi, c'est peut-être vrai. Et je suis ici dans ton lit, qu'est-ce que tu dis de ça ? » Le lit appartient à Jax, en effet ; elle s'est débarrassée du sien dans une vente le jour où elle et Turtle se sont installées dans la minuscule maison de Jax aux abords de la ville. Elle renverse la tête en arrière, jusqu'à ce qu'elle repose contre le menton de Jax. « Alors cesse de répéter que je vais te quitter. C'est tout ce que tu as à me dire d'intéressant pour ce soir ?

– Je vais te montrer quelque chose d'intéressant », dit-il en lui mordant délicatement la nuque. Il soulève ses seins, qui remplissent juste ses mains, même si cela ne veut pas dire qu'il va les garder. Il y a des millions de choses qu'on ne possédera jamais et qui peuvent tenir dans une main d'homme. Il la libère doucement. « Non, ce n'est pas tout. Il y a autre chose, mais on en parlera demain. »

Le pouls de Taylor s'accélère. « Quoi ?

– Je ne crois pas que tu aies envie de le savoir maintenant.

– Ce n'est pas à toi de me dire ce dont j'ai envie.

– Bon. Oprah Winfrey a appelé. »

Elle rit, soulagée. « Ah bon ? Je me suis vraiment très peu occupée d'elle, je me sens terriblement coupable.

– Ce n'est pas une plaisanterie. Oprah Winfrey a appelé. Pas Oprah en personne, mais un de ses producteurs, ou de ses reporters, je ne sais pas. Ils font une émission qui s'appelle *Les enfants qui ont sauvé des vies*. Ils veulent vous faire venir à Chicago, Turtle et toi. »

Taylor se rend compte brutalement qu'il n'a pas inventé Oprah Winfrey. « Et pourquoi est-ce que nous irions à Chicago ?

– C'est une ville où il se passe beaucoup de choses. Tu pourrais emmener Turtle au Musée de la science et de l'industrie. Puisqu'elle a loupé le Grand Canyon.

– Qu'est-ce que je dirais à la télé nationale ?

– Ce n'est pas tellement ton genre d'être à court d'idées. Qu'est-ce que tu aimerais dire à la télé nationale ?

– Tu crois qu'on me laisserait dire ce que je veux ?

– Elle te demandera sans doute de t'en tenir au sujet de l'émission, les enfants qui ont sauvé des vies.

– Drôle de sujet, fait remarquer Taylor. Va savoir combien il y aura d'enfants.

– Les Chinois disent que si l'on sauve la vie d'une personne, on en est responsable pour toujours.

– Quelqu'un m'a dit ça l'autre jour. J'ai cru qu'il me faisait marcher. Tu crois que la vie de Turtle est changée pour toujours ?

– Ce n'est pas impossible, reconnaît Jax. Et pas nécessairement en pire.

– Je l'aimais bien telle qu'elle était. »

Ils restent un grand moment silencieux, les yeux baissés, l'oreille tendue.

« Tu sais ce qui m'a le plus frappée ? dit Taylor tranquillement. Personne ne la croyait. Ils ont toisé cette petite Indienne toute maigre et ils ont dit : " Madame, nous n'avons pas vraiment de témoin. "

– Mais toi tu l'as crue. Et Lucky Buster vit toujours.

– C'est normal, Jax. Je suis sa mère. Le reste ne compte pas. »

Ils tendent l'oreille à nouveau. Turtle a cessé de converser avec les anges.

5

Le secret de la télé

Taylor inspecte d'un œil revêche la calvitie de l'homme assis devant elle. Il a incliné son siège et se trouve à vingt centimètres de son visage, plus près qu'une assiette. Le sommet de son crâne est couvert d'un fin duvet presque invisible qui s'est aplati en un dessin compliqué, comme une prairie balayée par une tornade. Elle repense à une théorie que Jax lui a un jour exposée, selon laquelle les humains descendraient d'une espèce de singe aquatique et auraient vécu l'aube de la civilisation dans un marécage. Le partage des cheveux au milieu est censé en témoigner, mais Taylor a des doutes. Cela signifie-t-il que nous avons plongé dans l'eau tête la première ? Peut-être. C'est ainsi que les enfants affrontent les choses, avec le sommet de leur crâne. À cet endroit l'homme porte une cicatrice, sans doute oubliée au fil des années jusqu'à aujourd'hui, où elle se trouve exposée au grand jour.

Le pilote parle à nouveau à l'interphone. C'est un bavard ; tout de suite après le décollage il s'est présenté en tant que « votre capitaine », et Turtle a ouvert grand ses yeux. Elle a demandé à Taylor s'il n'avait qu'une seule main. Après y avoir réfléchi tout l'après-

65

midi, Taylor comprend enfin que le seul capitaine dont Turtle ait entendu parler jusque-là est le capitaine Crochet. Elle ne va peut-être plus pouvoir monter dans un avion sans imaginer un pirate à la barre.

Le capitaine Crochet explique qu'ils survolent le Mississippi et que s'il peut en quoi que ce soit leur rendre le voyage plus agréable, les passagers n'ont qu'à le lui faire savoir. Franchement, bien qu'elle ne pense pas que le capitaine y puisse grand-chose, Taylor ne trouve pas particulièrement agréable cette intimité avec la calvitie d'un inconnu. Même le crâne de Jax, elle ne le connaît pas aussi bien. Elle l'a regardé, mais pas pendant trois heures et demie.

Turtle a fini par s'endormir. Fatiguée par un rhume, elle avait vraiment besoin d'une sieste. Mais elle était dans un tel état d'excitation qu'elle est restée assise des heures entières le visage collé contre le hublot. Quand le hublot est devenu glacé, même quand il ne restait plus rien d'autre à voir qu'un vaste champ de nuages gelés, creusé de sillons réguliers comme s'il venait d'être labouré, Turtle regardait toujours.

Taylor n'a jamais pris l'avion non plus, et au cours des premières heures elle a été dans le même état que sa fille. Surtout au moment du décollage, et juste avant, pendant qu'elle attachait sa ceinture tout en regardant l'hôtesse montrer comment mettre un masque à oxygène jaune sans se décoiffer. Et encore avant, en quittant l'aéroport, quand elle a suivi Turtle dans le couloir en pente conduisant à la porte de l'avion, quand elle est passée de la terre ferme à quelque chose d'inconnu tout en jetant un coup d'œil furtif aux rivets autour de la porte, mais que faire ? Elle n'a pas d'autre choix que de suivre sa fille dans cette nouvelle vie qui leur est tombée du ciel.

D'un côté de l'autoroute se dresse Chicago, tout en hauteur, de l'autre, rien que du ciel, à cause du lac. Taylor n'a jamais pensé à Chicago comme à une ville de plages, et pourtant ils sont là, des centaines de gens en maillot de bain qui lancent des Frisbee dans le vent. C'est la première semaine de juin. Elle et Turtle avancent sur l'autoroute dans une longue limousine blanche à vitres fumées et capitonnage de velours bleu pâle. Alors qu'elles s'éloignent de l'aéroport, des gens dans d'autres voitures tournent la tête pour essayer de voir à l'intérieur de ce véhicule mystérieux. Le chauffeur les appelle « Miss » toutes les deux, comme si elles étaient du genre à ne se déplacer qu'en limousine.

Taylor se dit que ça doit faire partie de son boulot, conduire les invités d'Oprah Winfrey : des membres de la famille royale peut-être ou de grands criminels, ou alors des hommes qui ont une femme dans chaque État. Et quand on est simplement chauffeur, comment savoir à qui on a affaire ? Autant ne pas prendre de risque et être poli avec tout le monde.

« C'est la ville la mieux conçue de tout le pays », explique le chauffeur. Turtle est collée à la vitre, immobile. « Elle a entièrement brûlé dans le grand incendie du 8 octobre 1871. Tout a été détruit. Deux cents millions de dollars de dégâts. C'est ce qui a permis de tout reprendre à zéro.

– J'ai entendu parler de cet incendie, dit Taylor. On raconte que c'est une vache qui en est à l'origine.

– Non, ce n'est pas vrai, c'est une légende. Le grand incendie de Chicago n'est pas dû à une vache. » Il hésite un instant, et Taylor se rend compte qu'elle s'est trahie : le bétail les situe plus près des criminels que de la famille royale.

« Eh bien, ça fait tout de même une bonne histoire », dit-elle. Peu importe s'il pense qu'elles sont des tueuses en série. De toute façon il est obligé de les conduire à leur hôtel.

La ville a beau être bien conçue, la circulation est épouvantable. À peine s'éloignent-ils du lac en direction des grands immeubles de verre qu'ils sont pris dans un troupeau de voitures beuglantes. Le chauffeur en a manifestement fini avec son apologie de la ville. Il se contente de frapper de temps en temps son klaxon du poing.

Turtle éternue. Elle est enrhumée, pas de doute. Taylor sort un kleenex de sa poche et le lui tend. « Comment ça va, mon lapin ?

– Bien », répond-elle en se mouchant avec application, sans cesser de regarder à travers la vitre. Turtle ne se plaint presque jamais. Taylor est bien consciente que ce n'est pas courant. Si on ne connaissait des enfants que ce que nous montrent les feuilletons à la télé, on ne pourrait jamais imaginer qu'il existe sur terre des gosses comme Turtle.

« Maman, regarde. » Elle tire le doigt de Taylor et lui montre un camion d'éboueurs de la ville de Chicago, bloqué à côté d'eux dans l'embouteillage. Un superbe phoque doré peint sur le côté lui donne un air de magnificence. De son perchoir, le chauffeur leur adresse un sourire. Puis il lève un sourcil et fait un clin d'œil.

« Pourquoi est-ce qu'il a fait ça ?

– Il te trouve mignonne, répond Taylor, et il

pense que j'ai de jolies jambes. Il croit peut-être aussi qu'on est riches.

– Mais c'est pas vrai, si ?

– Non, c'est pas vrai.

– Son camion est plus beau que celui de Danny.

– Ça, c'est sûr. »

Taylor porte une jupe, ce dont elle n'a pas l'habitude, mais Lou Ann a tenu à lui prêter son joli tailleur beige pour l'émission d'Oprah Winfrey sous prétexte qu'il était interdit de porter des jeans à la télé. Jax en a bien ri, mais, et c'est tout à son honneur, il est plus gentil avec Lou Ann que la plupart des hommes ne le seraient.

Taylor a mal au ventre quand elle pense à l'enregistrement de demain matin. Elle est sûre que ces émissions servent uniquement à faire un spectacle avec les malheurs des gens. Mais Turtle voulait vraiment y participer. Elle n'avait pas compris jusque-là que c'étaient des vraies personnes qu'on voyait à la télévision. Elle doit s'imaginer qu'elles vont faire la connaissance des tortues Ninja.

Le type du camion les regarde toujours. Il a des cheveux frisés et un sourire d'enfer. Taylor croise les jambes et lève très légèrement la main. S'il voit vraiment ce qui se passe à l'intérieur de la voiture, il prendra cela pour un signe.

C'est le cas. D'un petit mouvement du menton, il leur fait comprendre qu'elle et Turtle devraient abandonner leur limousine pour son camion. Taylor envisage la question, mais décide de ne pas faire faux bond à Oprah.

« Elle a une tenue adorable, dit l'habilleuse à Taylor. Pourrais-je toutefois vous suggérer quelque chose d'un peu plus féminin ? Nous avons dans notre garde-robe cette charmante robe, vous voyez ? La couleur serait du plus bel effet sur le plateau. »

C'est donc Lou Ann qui aura le dernier mot : les gens d'Oprah Winfrey ne veulent pas que Turtle garde sa salopette pour passer à la télé. Une salopette toute neuve, d'un vert vif, tout ce qu'il y a de plus correct. « Cette robe est dix fois trop grande pour Turtle, hasarde Taylor.

– Aucune importance. Nous l'épinglerons dans le dos. Personne ne voit le dos. C'est ça le secret de la télé – vous n'avez à vous soucier que de ce qu'on voit de face, votre dos peut être une vraie catastrophe. Et nous lui mettrons ce nœud dans les cheveux, d'accord, ma chérie ? Elle va être extra.

– Elle aura l'air plus jeune, remarque Taylor. Si c'est ce que vous voulez. Elle aura l'air d'une petite poupée qui a sauvé une vie. »

La femme croise les bras et fronce les sourcils. Ses courts cheveux noirs paraissent mouillés et huilés, comme une loutre de mer. On voit les traces du peigne. « Ça va être difficile, ajoute-t-elle. On va être obligés de faire tenir le fil du micro dans le dos.

– Vous y arriverez bien », dit Taylor, sachant que le problème n'est sûrement pas là. À la télé, on voit des hommes en pantalon tous les jours de la semaine. Les autres invités n'ont manifestement pas été harcelés avec des problèmes de garde-robe. Taylor les a rencontrés ce matin dans le hall de l'hôtel qui attendaient leur limousine. Il y a un louveteau qui a appelé à l'aide quand son chef scout s'est effondré au cours d'une marche destinée aux nouveaux ; une gamine de CM1 qui a sauvé sa sœur, alors qu'elle était attaquée par un pitbull, en frappant celui-ci avec l'assiette du chien ; enfin une petite fille de onze ans qui a conduit la voiture jusque chez elle après que sa baby-sitter se fut évanouie dans un parc à la suite de multiples piqûres de guêpes. Taylor trouve que, franchement, la fille de onze ans a fait preuve de manque de jugement du début à la fin et que les deux autres ont sans doute simplement agi sans réfléchir. C'est Turtle la plus jeune et c'est elle qui a la meilleure histoire. Elle ne voit pas pourquoi il serait nécessaire d'en rajouter en déguisant Turtle en petite sœur de Barbie.

La petite pièce verte dans laquelle elles attendent est remplie de monde. La tension est extrême. Turtle gigote, et l'habilleuse, imperturbable, continue à leur tourner autour.

« Comment tu veux être habillée ? » demande Taylor à Turtle.

Turtle s'entoure de ses bras. « Ça », dit-elle.

Taylor sourit à la femme loutre. « On dirait qu'elle a pris sa décision. »

La femme place la robe violette contre la poitrine de Turtle et s'exclame. « Je crois vraiment... Regardez. Ça fait tellement plus d'effet.

– Ma fille a dit non, merci. » Turtle a un mouvement de recul, et Taylor jette un regard féroce à la femme qui ne semble pas se décourager pour autant. Un maquilleur arrive en trottinant. Il porte ce type de mocassins avec des lacets à petits nœuds qu'on appelle « chaussures de bateau », même si la plupart ne quitteront jamais la terre ferme. Taylor se demande pourquoi tout le monde ici semble habillé en tenue de sport – les secrétaires en caleçon, les cameramen en baskets, tous affairés et le sourcil froncé, alors qu'il n'y a pas une once de sport à l'ordre du jour. On dirait qu'ils attendent d'un instant à l'autre une annonce soudaine : « Les vacances commencent *maintenant*. »

« Vous avez de très jolies pommettes », dit le maquilleur à Taylor, et d'un ample mouvement de sa houppe il dépose de la poudre sur sa joue.

6

Voleurs d'enfants

Annawake Fourkiller, intriguée, lève les yeux de ses dossiers. « Tu pourrais monter le son ? »

La secrétaire, Jinny, tend machinalement la main pour baisser le volume du petit poste de télévision installé à l'extrémité de son bureau.

« Non, monte, s'il te plaît. » Annawake relève la tête, attentive. Ses cheveux noirs sont coupés si près du crâne qu'ils se dressent comme une fourrure exotique, et sa grande bouche a les courbes compliquées d'un point d'interrogation dans une langue étrangère, si bien qu'il est difficile de savoir si elle sourit ou pas. Ratatinée derrière ses lunettes, Jinny se demande s'il s'agit d'une plaisanterie qu'elle ne comprend pas. « C'est juste Oprah Winfrey, dit-elle.

– Je sais. Ça m'intéresse. »

Jinny hausse les épaules. « Bon, d'accord »

Elle lance une jambe en arrière pour faire contrepoids et atteindre à travers des montagnes de papiers le bouton du son, puis elle se laisse retomber lourdement vers sa machine à écrire. Mr. Turnbo n'est pas au bureau cet après-midi, elles sont donc seules. Jinny ne sait trop que penser de ses relations avec Annawake. Jinny est employée ici depuis plus longtemps – elle a débuté comme secrétaire-réceptionniste de Franklin Turnbo quand elle a quitté le lycée l'année dernière ; il n'y a qu'un mois qu'Annawake a terminé ses études de droit à Phoenix, et elle est revenue dans l'Oklahoma faire un stage pour devenir avocate chez les Indiens. Dans la mesure où Jinny fait son travail, Mr. Turnbo ne voit aucun inconvénient à ce que son petit poste de télé bavarde gentiment sur son bureau. Elle n'est pas une intoxiquée des feuilletons télévisés, elle aime bien Oprah, c'est tout, et Sally Jessy et à l'occasion *General Hospital*. Annawake ne dit pas non plus que ça la gêne, mais elle fait des grimaces à Sally Jessy et la traite de Portoricaine blonde, si bien que Jinny se sent coupable de permanenter ses cheveux, d'essayer d'avoir l'air *yonega*, comme dit sa grand-mère.

Par la fenêtre elle aperçoit une file de voitures et de camionnettes poussiéreuses qui sortent du parking de l'immeuble administratif de La Nation Cherokee, et s'engagent sur l'autoroute en direction de Kenwood et de Locust Grove ; la session d'après-midi de la Cour tribale est terminée. Mr. Turnbo ne va pas tarder à revenir et elle a toujours du travail en retard, mais ce n'est pas la faute d'Oprah Winfrey.

« Cette petite gamine en salopette ? » fait Annawake, la main sous le menton et les yeux fixés sur l'écran. « J'ai entendu quelqu'un qui disait qu'elle était adoptée.

– Ouais. Juste avant la première publicité, Oprah les a présentées, madame Untel et sa fille adoptive Turtle.

– Je te parie un Coca qu'elle est cherokee.

74

« – Non, fait Jinny. Navajo, à mon avis. Elles viennent de l'Arizona. C'est le portrait craché de la petite fille de la copine de mon frère, ils sont d'Albuquerque.

– D'où viennent-elles exactement ?

– Tucson. »

Annawake fixe l'écran de télé comme s'il venait de l'insulter. Jinny trouve Annawake complètement fascinante. Sa tenue vestimentaire semble vraiment être le cadet de ses soucis : jean, mocassins et chemise blanche achetés au rayon homme de chez J.C. Penney, et elle se balade avec, en guise de serviette, un sac à dos rafistolé avec des morceaux d'adhésif. Mais elle a cette bouche de mannequin marquée au centre de la lèvre supérieure d'un profond sillon qu'on a du mal à cesser de regarder. Les hommes doivent tout le temps avoir envie de l'embrasser, pense Jinny. Quand la musique guillerette se fait entendre et qu'Oprah fait place à une nouvelle publicité, Annawake ôte ses lunettes et se frotte les yeux. « Fatiguée, dit-elle. Pas toi ?

– Oui. Ma grand-mère est en colère contre mon frère Woody parce qu'il a quitté l'école. On n'a pas beaucoup dormi à la maison ces derniers jours, à part Woody. Il a transporté son lit dans la cour.

– Robert Grass n'a toujours pas appelé ?

– Robert Grass ! Ce crétin. Pas depuis la dernière fois qu'on est allés au cinéma ensemble, il y a déjà deux semaines.

– Il appellera, dit Annawake. Mon frère Dellon le connaît du chantier de Muskogee Highway. Il dit que Robert Grass ne tarit pas d'éloges sur sa nouvelle copine.

– Peut-être que c'est quelqu'un que je connais pas du tout.

– Si c'était pas toi, tu en aurais entendu parler. Tahlequah n'est pas si grand que ça.

– C'est vrai. Le pays cherokee tout entier n'est pas si grand que ça. Il y a quelqu'un de Salisaw qui a dit à ma grand-mère qu'elle m'avait vue dans le camion du Grass le plus crade de toute la famille. »

Annawake sourit. « Pas moyen d'échapper aux gens qui vous aiment. » Elle remet ses lunettes et prend son crayon derrière son oreille pour marquer la page qu'elle est en train de lire. Jinny pense : *Tu n'en sais rien. Personne n'irait cancaner sur ton compte, les gens t'aiment trop, et en plus que fais-tu d'extraordinaire, à part ton travail ?* Elle souffle sur sa frange et tourne une nouvelle page du « Procès de la rivière Arkansas ». Qu'on puisse faire tant d'histoires pour décider à qui appartient le gravier de l'Arkansas, ça dépasse Jinny Redcrow.

« Aujourd'hui, l'émission d'Oprah est consacrée aux enfants qui ont sauvé des vies », explique-t-elle à Annawake à retardement, en se disant qu'il y a peut-être un aspect légal qui lui a échappé. Annawake et Mr. Turnbo se parlent tout le temps dans une langue que Jinny tape à la machine mais ne comprend pas.

« Mmm-hm », fait Annawake sans lever les yeux. La publicité la laisse de marbre. Elle a cette mimique mi-sourire mi-renfrognée qui lui est habituelle quand elle lit. Annawake est connue pour être un cerveau. Jinny a fréquenté le lycée de Tahlequah sept ans après elle et les professeurs parlaient encore d'Annawake Fourkiller comme d'une comète qui ne touche l'Oklahoma qu'une fois par siècle. Un soir, lors de la danse rituelle, le chef l'a citée en exemple de bonne conduite de vie. Il n'a pas voulu mettre la famille dans l'embarras en précisant son nom, mais tout le monde savait évidemment de qui il s'agissait. Pourtant on dirait qu'Annawake elle-même ne l'a pas encore compris. Elle vit avec l'une de ses belles-sœurs dans une petite maison minable de Blue Spring Street, et elle plonge la tête dans ses dossiers quand les beaux mecs viennent faire des réclamations sur les droits de propriété. Elle pousse même la gentillesse jusqu'à demander des nouvelles de ce pauvre Robert Grass. Le seul vrai problème chez elle, c'est cette coiffure bizarre. Autrefois elle avait de longs cheveux dignes d'une Pocahontas – Jinny l'a vue en photo dans l'album du lycée – mais elle les a sacrifiés quand elle est partie étudier le droit. Maintenant ils sont courts et hérissés comme ceux des petits frères de Jinny. Elle ne voit pas de quel droit Annawake se permet de montrer du doigt Sally Jessy Raphaël.

« Puis-je poser par terre le dossier de la rivière Arkansas ? » demande Annawake brusquement. Oprah est de retour. Annawake fait valser les papiers pour se faire une place au bout du bureau de Jinny.

« Tu peux la jeter à l'eau ta rivière Arkansas », répond Jinny. Annawake éclate de rire, et Jinny se sent coupable d'avoir eu de mauvaises pensées sur ses cheveux. La vérité, pense Jinny, c'est que si elle avait le visage d'Annawake, elle se couperait les cheveux elle aussi, en tout cas elle ferait quelque chose.

« Alors, quelle est l'histoire de cette petite fille ? »

Il y a quatre enfants : un petit frimeur en uniforme de scout qui n'arrête pas de tapoter la main de son immense père ; deux fillettes grandes et maigres avec des appareils dentaires qui pourraient être sœurs ; et la petite Indienne en salopette.

« Cette fille blanche à côté d'elle, c'est sa mère. Sa mère adoptive. »

La mère a l'air jeune, jolie, elle porte un élégant tailleur beige, mais elle n'arrête pas de balancer ses jambes croisées comme si elle en avait marre de jouer à Nancy Reagan. Elle raconte comment sa petite fille a vu un homme tomber dans un trou au barrage Hoover.

Annawake a une mimique exaspérée. « Tu parles. Elle a inventé cette histoire pour participer à l'émission.

– Non, on en a parlé aux informations. Tu étais à Phoenix quand c'est arrivé, tu l'as pas vu à la télé ?

– C'est vrai ? Peut-être. Si je l'ai vu, j'ai oublié. Tu sais, quand j'étais à la fac, j'étais incapable de m'intéresser aux informations, si elles étaient sans rapport avec la justice.

– Oprah a des gens qui vérifient toutes les histoires », dit Jinny sur la défensive. Passant presque tous ses après-midi en compagnie d'Oprah, elle sait qu'on peut lui faire confiance.

« Tu crois que c'est vrai ? »

Jinny hausse les épaules. « Écoute. Tu verras bien. » La femme explique qu'elle n'a pas vu de ses propres yeux l'homme tomber dans le trou, Turtle était le seul témoin. Pendant deux journées entières, personne, à part elle, n'a cru l'enfant. Mais elles ont continué à chercher de l'aide.

« Ça, c'est du *National Enquirer* tout craché, dit Annawake. Elle a lu ça au supermarché. »

Oprah parle à la mère à présent, qui s'appelle Taylor quelque chose. « Je vois qu'il y a un lien merveilleux entre votre fille et vous. Vous ne le voyez pas ? » lance-t-elle au public du studio, en faisant

78

tournoyer son ample veste de rayonne, et les spectateurs de répondre « Ouiiii ». Elle poursuit : « Vous l'avez adoptée quand elle avait quel âge, deux ans ?

— Elle en avait probablement trois, répond la mère. Nous ne le savons pas exactement. Elle avait été maltraitée et n'avait pas grandi normalement jusque-là. C'était une situation un peu particulière. Quelqu'un me l'a donnée.

— *Vous l'a donnée ?*

— L'a laissée dans ma voiture. »

Oprah se tourne vers la caméra et ouvre grand ses yeux, une de ses mimiques favorites. « Vous entendez ça ? » demande-t-elle d'une voix plus grave, complice. « Ne quittez jamais un parking sans avoir vérifié le contenu de votre voiture. »

Annawake lève ses sourcils vers Jinny, et demande au poste de télévision. « Où ça ?

— Je m'étais juste arrêtée pour prendre un café », répond la mère, un peu surprise que les spectateurs se mettent à rire. *Impossible qu'elle ait inventé cette histoire*, pense Jinny. « Il se trouve que je traversais le pays, je venais de partir de chez moi, je roulais vers l'ouest. Le plus drôle c'est que pendant mon adolescence je n'avais qu'une ambition : ne pas tomber enceinte. Toutes mes copines avaient des bébés à ne plus savoir qu'en faire.

— Mais ça n'allait pas vous arriver à vous, dit Oprah.

— Non, madame.

— Et le premier jour, quelqu'un vous donne un bébé.

— Le deuxième jour », corrige-t-elle, et la salle rit à nouveau. Le public a vraiment le rire un peu facile. En présence d'Annawake, Jinny est un peu gênée.

« Vous auriez très bien pu partir. Pourquoi l'avez-vous prise ? demande Oprah dans un élan de sincérité.

– D'autant plus que c'est contre la loi, ajoute Annawake.

– Quelle loi ? demande Jinny, surprise.

– La Charte des droits de l'enfant indien. On ne peut pas adopter un enfant indien sans la permission de la tribu. »

Franklin Turnbo est entré et a suspendu sa veste. Toujours concentrée sur l'écran noir et blanc, Annawake lui fait signe de s'approcher. Ils regardent tous trois la mère, qui écarte de ses yeux une mèche de cheveux. Elle réfléchit. Elle ne semble pas avoir conscience qu'elle passe à la télévision – contrairement au louveteau qui n'arrête pas de gigoter sur le rebord de sa chaise et de lever la main comme un écolier qui connaît la réponse.

« J'ai eu le sentiment que je n'avais pas le choix, je ne pouvais pas faire autrement que de la prendre, répond finalement la mère. Cette femme l'a carrément posée sur le siège de ma voiture, elle m'a regardée et elle m'a dit : " Emmenez-la. " J'ai répondu : " Où est-ce que vous voulez que je l'emmène ? " J'ai cru qu'elle me demandait juste de la conduire quelque part. »

Les spectateurs se sont enfin tus.

« Emmener qui ? demande Turnbo.

– Cette enfant cherokee », répond Annawake en désignant l'écran du menton. La mère baisse les yeux vers la fillette, puis les relève vers Oprah. « La femme m'a expliqué que la mère de Turtle était morte, et que quelqu'un lui faisait du mal. Cette femme était la sœur de sa mère, et apparemment elle avait été brutalisée elle aussi. Puis elle est montée dans une camionnette sans lumières, et elle a disparu. C'était en pleine nuit. J'ai eu le sentiment à ce moment-là qu'il n'y avait vraiment rien d'autre à faire que garder ce bébé. Il y avait quarante-huit heures que je conduisais. Je ne devais pas avoir une juste appréciation des choses. »

Le public rit, mal à l'aise. La fillette ne lâche pas Oprah des yeux. Elle serre dans son poing la jupe de sa mère qui doucement lui prend la main et l'emprisonne dans la sienne. « L'été suivant, je l'ai adoptée légalement.

– Impossible, fait Annawake. Pas légalement.

– Où tout cela s'est-il passé ? demande Oprah.

– Dans l'Oklahoma, en pays indien. Turtle est cherokee. »

Comme un juge qui rappelle à l'ordre l'assistance, Annawake frappe du poing le bureau.

Le ciel est gris comme une eau sale. Ce vent d'ouest pourrait bien amener de la pluie, pense Annawake. Mais c'est le troisième samedi, le soir de la danse rituelle, et les vieux aiment à raconter que la pluie attend toujours la fin de la cérémonie. En gros, ils ont raison. Elle gare sa camionnette, rassemble la liasse de papiers bleus et blancs qu'elle a ramenés du bureau, et se demande brièvement que faire du revêtement d'aluminium qui est en train de se gauchir sur la façade nord de la maison. Avec deux doigts elle soulève le guidon d'un tricycle abandonné dans l'allée et le pose à l'abri sous la véranda.

« *Siyo* », lance-t-elle, en tirant le loquet de la porte-moustiquaire destiné à empêcher les enfants de sortir et les chiens d'entrer. Son frère et sa belle-sœur, agenouillés sur le sol de la cuisine, lui retournent son salut sans lever les yeux. Apparemment c'est une semaine où ils se parlent : ils sont occupés à remettre en place les pieds de la vieille table en pin, et il n'est pas facile d'entreprendre ce genre de tâche quand on n'échange pas un mot.

Annawake les observe tous les deux, unis pour une fois alors qu'ils se concentrent pour maintenir le pied de table bien droit pendant que Dellon enfonce le clou. À chaque mouvement du marteau, sa lourde natte se balance comme une corde de clocher et leurs têtes se touchent presque. « Ça y est ? » demande-t-il. Millie lui fait signe que oui et ses frisettes effleurent doucement le crâne noir et brillant de Dellon. Ils sont restés mariés moins d'un an, et sont divorcés depuis cinq, mais cela n'a en rien modifié le rythme auquel ils fabriquent des enfants. Quand le pied de table tient bien, Millie roule sur le côté et attrape le bord de l'évier. Annawake l'empoigne par l'autre main et l'aide à se relever.

« On dirait qu'à chaque bébé il te faut un mois de plus », remarque Dellon, et Annawake rit parce que c'est vrai : le premier était prématuré, le deuxième est arrivé à la date prévue, le troisième avait trois semaines de retard, et celui-ci semble bien décidé à s'établir définitivement dans le vaste ventre de sa mère.

« Ne parle pas trop fort, il va t'entendre. » Millie se penche vers son ventre et lui dit : « Tu vas sortir d'ici ce week-end, tu m'entends ? Sinon, tu rentreras de l'hôpital par tes propres moyens. »

Annawake prend un soda dans le réfrigérateur et s'assoit dans un fauteuil, mocassins rapprochés, face à la table. Dellon, accroupi sur ses talons, rejette sa natte par-dessus la miche ronde de son épaule et donne au pied de table quelques coups de marteau pour le tester. Il sourit à sa petite sœur. « T'as trouvé quelques cow-boys à scalper aujourd'hui ?

– J'ai fait de mon mieux.

– Te moque pas du travail d'Annawake, Dell », dit Millie, le dos tourné, occupée à remplir d'eau la grosse bouilloire d'aluminium. Le soleil qui brille à travers ses cheveux ébouriffés révèle le globe parfait de son crâne.

« Je ne me moque jamais d'Annawake. Elle me donnerait une raclée.

– Papa, on y va ? » Baby Dellon, qui a presque six ans et déteste qu'on l'appelle Baby Dellon, a fait irruption dans la cuisine, casque de footballeur sur la tête.

Dellon se lève, prend le bras d'Annawake et le retourne par-derrière. « Quand est-ce que tu te maries, ma beauté ?

– Quand Gabe décidera de venir à mon mariage. » Elle sent le corps de Dellon peser contre son dos, et elle comprend qu'elle a dit cela juste pour sentir cette tristesse diffuse chez une autre personne. Elle est la seule à ne pas avoir renoncé à prononcer le nom de leur frère Gabriel.

« Laisse-la tranquille », intervient Millie, posant la lourde bouilloire sur le poêle. « Le mariage, c'est pas son genre. À quelle heure tu ramènes Baby Dellon ?

– Demain à midi, si on a pas trop la gueule de bois.

– Je vais te tuer un de ces jours.

– Je suis pas Baby Dellon, je suis Batman », dit Baby Dellon, et ils sortent.

« Je vais le tuer un de ces jours.

– C'est un bon père, dit Annawake. Je crois qu'il aimerait que tu lui fasses un peu plus confiance avec les gosses.

– Je lui fais confiance. Mais il faut quand même être là pour lui dire ce qu'il a à faire. »

La plus jeune enfant de Millie, Annie, grands yeux noirs et ventre en avant, se tient sur le pas de la porte, nue comme un ver, avec un ours en peluche deux fois plus gros qu'elle. Annie laisse tomber l'ours sur la tête d'Annawake et grimpe sur ses genoux. Annawake croise les doigts sur le ventre nu de l'enfant, ferme et caoutchouteux comme un œuf dur.

« Dellon ne supporte pas que je parle de Gabe, confie-t-elle au dos de Millie.

– Dell n'a jamais été aussi proche de lui que toi. Tu es sa jumelle. Dell était déjà grand quand vous êtes nés tous les deux.

– Ils sont quand même frères.

– Mm », fait-elle. Elle plonge un paquet de macaronis dans la casserole d'eau bouillante. « Mais maintenant il a ses propres gosses pour l'occuper.

– Qu'est-ce que ça change ? »

Millie traîne son corps jusqu'à la table et s'assoit précautionneusement. « Rien, c'est ça le problème. Il a horreur que tu parles de Gabe, parce qu'en tant qu'aîné il pense qu'il aurait dû faire quelque chose pour empêcher la famille de partir en morceaux. »

Annawake observe le visage fatigué de Millie. Sous ses yeux la peau semble meurtrie, comme à chacune de ses grossesses. Ce que les gens peuvent supporter par amour ! « Ce n'est pas sa faute, ce qui est arrivé.

– Ni la tienne, Annawake, et regarde-toi. C'est formidable que tu sois allée étudier le droit et tout ça. Mais tu n'arrêtes jamais. »

L'œuf dur glisse entre les mains d'Annawake : Annie s'est sauvée.

« Je ne me sens pas responsable de ce qui est arrivé à Gabe.

– Si tu le dis. Il me semble quand même que vous vous en sentez tous responsables. Comme si vous étiez tous mariés avec lui d'une certaine façon. »

Elles écoutent les petits bruits paisibles des enfants qui jouent dans le reste de la maison.

« Qu'est-ce que tu ferais, demande Annawake à Millie, si tu découvrais que quelqu'un essaie d'enlever un enfant cherokee à son peuple ?

– Tu me demandes ça aujourd'hui. C'est pas comparable. Tu étais toute petite quand ils ont pris Gabriel. Moi, je ne suis pas petite.

– C'est exactement ce que je te demande. Si ça arrivait aujourd'hui, que ferais-tu ? »

Millie tire du bocal au centre de la table une pâquerette flétrie et tortille la tige entre son pouce et ses doigts. « Ce genre de chose ne pourrait plus se produire aujourd'hui. C'est à ça que servent des gens comme toi, non ? À protéger les enfants. »

Annawake sent peser sur elle cette confiance comme si Millie s'était abandonnée contre son épaule.

Au coucher du soleil Tahlequah est quasiment une ville morte. Annawake est bien placée pour savoir à quoi se résume la vie nocturne – les chiens perdus qui marquent furtivement les chênes au bord des trottoirs, et la musique qui s'échappe des voitures garées devant les débits de boissons clandestins, comme si elle voulait emplir l'air du soir d'une présence invisible. Ces rues, elle les connaît depuis les années de lycée ; soir après soir elle y a arpenté le territoire de sa solitude, Annawake admirée de tous, intouchable. Elle arrive au bout de la route circulaire qui la mène chez elle. Sa fébrilité est restée sans but jusqu'à cet instant. Mais elle vient de penser à une boîte à chaussures, remplie de vieilles choses, qu'elle a remisée dans le garage de Millie il y a des années, avant de partir pour Phoenix. La boîte semblait vide à l'époque ; le seul objet de valeur était le porte-bonheur de sa mère, un médaillon en or qu'elle ne quittait jamais. Ce soir Annawake ne dédaigne pas la compagnie des secrets de famille. Elle s'engage dans Blue Spring Street, le clair de lune guidant ses pas.

Elle pousse la porte de métal qui se met à gémir. La boîte à chaussures est bien là, calée sous une pile d'affaires de bébé qui attendent leur heure. Assise en tailleur sur le sol, la boîte sur les genoux, Annawake trie ses trésors. Elle trouve le médaillon et du bout des doigts fait jouer le fermoir. À l'intérieur il y a une photo de sa mère et de son père devant un bâtiment de brique, le palais de justice cherokee. C'est le jour de leur mariage. Les cheveux de sa mère flottent devant ses yeux, et elle a l'air inquiet. Elle porte déjà en elle la promesse d'un garçon dont le nom sera Soldier, et qui mourra avant d'avoir appris à se défendre.

Annawake referme le médaillon et le fourre dans sa poche. Elle n'irait pas jusqu'à le jeter, mais elle doute sérieusement de son pouvoir, alors que sa mère, qui l'avait autour du cou le jour où elle a rencontré son mari, croyait si fort en cet objet qu'elle l'emmenait systématiquement avec elle dans les grandes occasions – un baptême, un enterrement, et même quand il lui fallait aller quémander à son propriétaire un délai pour le loyer. Pourtant, Annawake a du mal à imaginer comment la vie de sa mère aurait pu être pire.

Si seulement sa mère lui avait laissé quelque chose qui l'accompagnât dans ses choix : un petit sac de sorcier en perles rempli de feuilles de chêne, ou de la cendre du feu cérémonial. Mais il ne faut pas y compter, c'est de son père qu'elle tient tout ce qui est lié aux cérémonies. Tout objet de cette nature, sa mère l'aurait qualifié de « saloperie ». Elle entend encore son fort accent de l'Oklahoma. Malgré tous ses efforts, Bonnie Fourkiller n'avait jamais réussi à devenir cherokee, comme la plupart des gens de sa génération, qui ont choisi l'Église baptiste indienne et n'ont jamais porté de mocassins de leur vie. De son vivant, elle n'a jamais possédé qu'une seule paire de bas à la fois, qu'elle pliait soigneusement dans le même morceau de papier de soie qui avait abrité toutes les précédentes.

Annawake passe en revue les autres souvenirs de la boîte. Une photo de Redbird, son chien, prise devant leur maison de Kenwood. Quelques autres clichés de la vieille péniche de son oncle Ledger sur le lac Tenkiller, où elle et ses quatre frères ont passé la plupart de leurs étés en attendant d'utiliser leur temps de manière plus productive. Elle découvre une photo d'elle et de Gabe sur le bateau ; ils portent des jeans coupés très large et arborent des sourires bêtes. On aperçoit même une maigre lessive qui se balance entre le mât et les saules, et des seaux de lard suspendus très haut à des poteaux, hors d'atteinte des armées de ratons laveurs, notoirement chapardeurs, qui rôdaient la nuit sur les berges de la rivière. L'oncle Ledger prétendait que les ratons laveurs étaient capables de voler n'importe quoi, même un enfant, mais, à l'époque, Annawake n'en voyait pas l'intérêt. Les enfants, on n'en manquait jamais. Elle ne savait pas.

Pour Gabriel et elle, tous ces mois sur le bateau de l'oncle Ledger se passaient le cœur serré, à redouter la fin de l'été. Pauvre Gabe, qui a été volé à sa famille et ne trouve pas le chemin du retour. Elle tient la photo aussi près que possible de ses yeux et s'abreuve à la redoutable liqueur de la mémoire : les deux jumeaux, appuyés l'un à l'autre, forment comme une arche. Lorsqu'elle court, Annawake sent le long de son flanc la cicatrice là où une blessure invisible s'est refermée, là où son frère a été arraché à elle. Comment cela aurait-il été de traverser les années de lycée en compagnie de Gabe ? D'entrer dans l'age adulte ? D'avoir eu toujours ce compagnon, au lieu d'être seule ? Le parfait cœur solitaire. Deux cœurs, voilà ce qu'ils sont devenus, séparés par la profonde enclave du Texas et une immense plaine d'absence.

Elle pose les photos à l'envers et jette un coup d'œil à d'autres choses. Des lettres de ses frères et de son oncle Ledger, la photo d'un nouveau-né. Et l'héritage de la famille : un très vieux livre d'incantations écrit par son grand-père dans l'alphabet bouclé de la langue cherokee qu'elle aimerait tant pouvoir lire. Il lui arrive encore de parler cherokee dans ses rêves, mais elle n'a jamais appris à l'écrire. Quand elle avait six ans, on n'apprenait déjà plus que l'anglais à l'école.

Du bout des doigts elle déplie délicatement un autre vieux document fragile et froissé, et a la surprise de reconnaître une publicité en noir et blanc qui montre une jeune femme souriante coiffée d'un halo de fleurs. Elle tient dans sa main une boisson gazeuse. Elle est appuyée à la pancarte située à l'entrée de la ville. BIENVENUE À HEAVEN déclare la pancarte, pour que toute l'Amérique puisse rire, suppose-t-elle, à l'idée de trouver le paradis dans l'est de l'Oklahoma. La publicité est plus vieille qu'Annawake – la femme était une amie de sa mère, Sugar Hornbuckle, que la photo avait rendue célèbre pendant un certain temps.

Elle range la photo. Elle aurait dû emporter ces choses à Phoenix avec elle. Dans cet univers d'air conditionné, au milieu de ses livres muets, elle était terrifiée à l'idée de se retrouver un jour étrangère à sa propre vie. Annawake a passé des années à se former, elle sait tout de l'injustice, mais elle craint tout de même d'oublier le vrai visage de la réalité.

7

Déjeuners gratuits à volonté

Sur la page que lit Franklin Turnbo les mots se
sont évanouis. Par la porte d'entrée de son bureau, il
aperçoit une petite forêt de violettes du Cap,
feuillues et tout en tiges, qui cherchent la lumière
comme si elles voulaient s'échapper de leur pot et se
mettre à marcher. Un œil jaune vif cligne au centre
de chaque fleur mauve. La partie du bureau où tra-
vaillent Annawake et Jinny regorge de plantes plus
vigoureuses les unes que les autres : un immense
caoutchouc qui touche le plafond baisse la tête
comme une fille trop grande, et une plante étale ses
petites feuilles contre la vitre qui donne sur la rue.
Ce doit être Jinny qui s'en occupe, se dit Franklin. Il
a la certitude de ne jamais avoir vu ces plantes avant
cet instant, mais comment savoir, il y a peut-être des
mois qu'il suspend son chapeau et son manteau à ce
caoutchouc. Comme d'habitude, ce sont les femmes
qui doucement ont pris possession des lieux, sans
qu'il y prenne garde.

La porte d'entrée se met à tinter et Pollie Turnbo
apparaît dans un bruissement de violettes. Elle
pénètre dans le bureau de son mari et pose un
panier sur la table. « J'ai fait du pain à la farine de

haricots, il est encore chaud », annonce-t-elle essoufflée, comme si elle-même sortait du four.

Franklin ne rentre jamais dîner chez lui le lundi soir, mais ils ont leur rituel : lui promet qu'il fera son possible, et elle fait mine de passer par hasard devant son bureau avec un panier de nourriture. Il se lève pour embrasser Pollie. Ses cheveux flottent sur sa nuque et ses yeux brillent, pressés. Elle ressemble aux violettes du Cap. Franklin aimerait bien que Pollie reste un moment à bavarder mais elle en a décidé autrement.

« Bon, je me sauve. Faudrait pas que les garçons passent sous une voiture », dit-elle, comme si ses enfants n'avaient que ça en tête.

Il attend qu'elle parte pour inspecter le panier. Du pain à la farine de haricots, des côtes de porc, il ne mangera jamais tout ça. Il sait que Pollie ne le voit pas assez ces derniers temps, il travaille trop, et elle est ainsi faite qu'elle remédie à tous ses problèmes en s'attelant à la cuisine. Elle fait encore tous ces plats traditionnels auxquels les femmes n'ont plus de temps à consacrer depuis des dizaines d'années. Elle tient cela de sa mère, une pure Cherokee, qui a grandi près de Kenwood et n'a jamais appris l'anglais. La mère de Franklin est une vraie Cherokee elle aussi, mais son père est blanc, et Franklin a passé son enfance à Muskogee. Sa mère ne cuisinait vraiment qu'à Noël et quand venait son tour de fournir en pâtisseries les ventes de l'association parents-professeurs. Franklin n'a jamais accordé la moindre pensée au fait d'être cherokee jusqu'au moment où il a commencé à étudier le droit des Indiens – et comme beaucoup de gens de son âge, c'est un converti de fraîche date. Il se met à rire. Il

91

plairait sans doute davantage à Annawake s'il avait sur son bureau une petite plaque avec ce titre.

Penser à Annawake le ramène à ses inquiétudes. Il se penche à sa porte et lui demande de venir. Franklin sait déjà ce qu'elle va faire, mais se sent obligé de tenter de l'en dissuader.

« Est-ce que tu veux manger quelque chose ? C'est Pollie qui fait ce pain. »

Annawake secoue la tête. « Merci. Jinny vient de me ramener un Big Mac, et comme une imbécile je l'ai mangé. J'aurais dû patienter.

– Pas encore de bébé chez toi ? »

Annawake sourit. « Pas encore. Nous pensons qu'il attend un nouveau président. »

Elle rompt tout de même un morceau de pain, et Franklin profite du silence pour combattre ses doutes. L'université paie Annawake pour qu'elle apprenne de lui le métier, mais il se fait l'effet de ne pas être un article authentique – une nouvelle voiture bricolée avec les pièces d'un tas de vieilles guimbardes, et une bonne couche de peinture par-dessus. Un avocat indien flambant neuf. Tandis qu'Annawake, son idée de la vérité elle la tient de son vieil oncle qui, d'après ce qu'on lui a dit, descend d'une famille de sorciers, vit dans une péniche sur le lac Tenkiller et tue les écureuils à la sarbacane.

Franklin garde un grand moment la bouche ouverte avant de parler, puis commence lentement, comme il pénétrerait dans de l'eau glacée s'il ne pouvait pas faire autrement.

« Cette affaire dans laquelle tu t'es lancée. Il te faut des renseignements sur l'un des parents naturels. »

Annawake se débarrasse de ses miettes du revers de la main et se penche en avant, les yeux brillants.

« D'accord, mais regarde. Dans l'affaire Holyfield, c'est de son plein gré que la mère a donné ses enfants au couple blanc. Les enfants n'avaient même pas vécu dans la réserve. Et la Cour suprême a malgré tout rendu nulle l'adoption. » Apparemment Annawake est suffisamment rompue aux us et coutumes des avocats blancs pour sauter dans l'eau glacée sans broncher.

« En quoi est-ce que ça nous concerne ? Dans ce cas-là les deux parents naturels étaient connus et ils ont joué un rôle. »

Elle redresse légèrement le menton. Annawake énonce toujours chaque mot comme si, sachant qu'il ne reste plus rien à manger, elle prenait la peine de les savourer un à un. « La mère naturelle a abandonné ses enfants, mais il n'a pas été tenu compte de son choix.

– Ça veut dire ?

– Cela montre bien l'esprit de la loi. La Charte des droits de l'enfant indien est destinée à protéger les intérêts de la communauté indienne en lui conservant ses enfants. Elle ne doit en aucun cas être remise en question par les actions de membres individuels de la tribu. »

Franklin attend que surgisse une question, et Annawake la trouve. « Alors pourquoi avons-nous besoin d'un parent naturel ?

– La Cour suprême a reconnu que la décision de la Cour tribale était souveraine dans cette adoption, tu as raison », dit-il, la corrigeant avec la délicatesse d'un couteau qui taille la mine d'un crayon. Il n'y a que quelques semaines que la décision dans l'affaire Holyfield a été rendue publique, et elle n'est pas tombée dans l'oreille d'un sourd. Mais si mes souvenirs sont bons, la mère naturelle était domiciliée dans la réserve Choctaw, faisant ainsi de l'enfant un membre de la tribu. Dans le cas qui nous occupe, nous ne savons pas si l'enfant tombe sous notre juridiction. Tu n'as pas de parent domicilié dans la réserve, ni de parent qui soit membre de la Nation parce que tu n'as pas de parents.

– J'ai un parent mystère. Deux, en fait. Le transfert de la garde de l'enfant a été authentifié par un notaire d'Oklahoma City, qui a outrepassé ses droits en agissant ainsi. Les parents figurent sous le nom de Steven et Hope Two Two, soi-disant cherokees mais pas membres officiels de notre peuple, pas plus qu'ils ne sont des citoyens américains. »

Les sourcils de Franklin se dressent. « Tu as découvert tout ça ?

– Ça a été un grand moment dans la vie de Jinny Redcrow. Elle a eu le privilège d'appeler Oprah Winfrey pour raison officielle. Ses collaborateurs ont été d'un grand secours : identité, renseignements divers. Et le gouvernement des États-Unis est toujours désireux de vous aider, naturellement. »

Il ne sourit pas. « Cela dit, tu n'as toujours rien qui te permette d'en faire officiellement notre affaire. »

Annawake joint le bout de ses doigts, faisant de ses mains un petit panier de pêcheur, qu'elle fixe intensément. Elle est si rapide qu'on la dirait guidée par des chevaux de course ou par le lièvre qui fonce devant les chiens.

« Tu as entendu la mère à la télé, non ? Elle a dit qu'elle a hérité de ce bébé alors qu'elle quittait l'Arizona. Ça ne pouvait être qu'en territoire cherokee. Il s'agit d'un enfant indien qu'elle a reçu des mains de la sœur de sa mère morte. Mais dans les registres officiels nous trouvons les formulaires d'une adoption librement consentie déposés par deux parents vivants avec des noms inventés de toutes pièces. C'est donc à la mère qu'il incombe de prouver que cela ne nous concerne pas.

– Tu as l'air en colère. »

Elle paraît surprise, puis elle dit : « Eh bien, oui. Peut-être. Toutes les ménagères qui ont regardé la télévision vendredi dernier ont pu constater qu'on peut emporter nos enfants comme de vulgaires souvenirs.

– Comme ton frère. »

Ses yeux ne trahissent aucun changement. Elle se contente de dire : « Je te demande si nous pourrions entamer un procès pour faire annuler une adoption qui a été conduite de manière incorrecte.

– Et ensuite ?

– Ensuite nous pourrions travailler avec les services de protection de l'enfant de la Nation cherokee pour trouver un placement adéquat.

– Tu ne vas pas un peu vite en besogne ?

– Ou alors évaluer le placement existant, d'abord. Mais tout cela devrait être une décision de la tribu. Cette enfant n'aurait jamais dû en partir. »

Franklin Turnbo s'adosse à son fauteuil et soupire comme un matelas gonflable qui vient de crever. Annawake attend respectueusement qu'il ait évacué tout son air.

« Annawake, j'admire ton énergie. J'aimerais en avoir autant. Mais des problèmes d'enfants, nous en avons à revendre. Il y a assez de dossiers entassés dans ce bureau pour nous occuper jusqu'à la fin de mes jours. Sans parler des controverses sur les terres, des problèmes de droits civiques, des divorces, des alcooliques, des maisons de débauche. Et de tous ces gens qui essaient de s'accrocher au peu qui nous reste. »

Annawake forme à nouveau un panier de ses mains, et attend la suite.

« Tu es partie faire tes études, et maintenant tu es revenue te battre pour ta tribu. Qui va faire ce travail si tu pars sur ton cheval blanc à la recherche des enfants perdus ?

– Tu ne crois pas qu'il y a un trou dans le cœur de quelqu'un parce que cette enfant a disparu ? As-tu déjà vu un enfant cherokee dont personne ne voulait s'occuper ?

– Mais il y a quelqu'un qui s'en occupe maintenant. Cette mère qui l'a trouvée. »

Les yeux d'Annawake se voilent d'un nuage de doute, mais elle poursuit : « Les choses appartiennent à celui qui les trouve, c'est ça ? Tu trouves ça juste ?

– Pas en ce qui concerne les portefeuilles. Peut-être pour les enfants.

– Toi et moi aurions pu être des enfants perdus. J'ai failli l'être. Que serais-tu sans la tribu ? Et qu'est-ce que tu entends par s'accrocher au peu qui nous reste ? Crois-tu que nous soyons à ce point pitoyables ? »

Franklin est embarrassé. « Autrefois j'avais les mêmes sentiments que toi sur tout cela. Je pensais que la Nation était spirituellement indestructible, parce que les oiseaux dans les bois ne s'inquiètent pas de savoir qui possède le droit à la terre. Et je suis d'accord avec toi, le fait d'appartenir à cette tribu m'a donné une raison d'arrêter de courir après les filles et d'assister à des cours de droit. Mais je suis avocat depuis si longtemps. Et qu'est-ce que je vois ? Les gens continuent à se battre et il ne nous reste presque rien. »

Annawake a les yeux fixés sur lui, et Franklin se prend à regretter qu'elle soit si belle. Pensée traîtresse, pour des tas de raisons. « Nous avons si peu de chances de réussir, dit-il. Il se peut qu'il n'y ait rien du tout, pas de parents, pas de preuves.

– Je sais », répond Annawake avec douceur, comme le ferait Pollie, comme les femmes parlent aux hommes : Je sais, chéri. Calme-toi.

« Tu perdras sans doute tout ce que tu as investi dans cette affaire, lui dit-il. Je suis prêt à te lâcher la bride, mais c'est moi qui suis responsable de la gestion de ce cabinet, et le temps compte aussi.

– La conférence sur le droit des Indiens commence le 15, il me faudra donc être à Tucson de toute façon pour faire mon exposé. C'est là qu'elle habite, Tucson. Je peux y faire un saut et parler à la mère, voir ce qu'elle a à dire. Ça n'engage à rien.

– Quoi qu'elle ait à dire, il y a beaucoup de sentiments en jeu.

– Je sais », répète Annawake ; mais Franklin n'est pas sûr qu'elle sache vraiment. Elle n'a pas d'enfant.

« Peux-tu me dire pourquoi tu penses que c'est la meilleure chose à faire ? »

Elle presse ses lèvres l'une contre l'autre, pensive. « Quand j'étais à la fac de droit il m'arrivait souvent de dormir dans la bibliothèque. Il y avait un divan dans la pièce réservée aux femmes. Le jour où j'aurai réussi au barreau, ils vont sans doute poser une plaque à cet endroit. Le divan d'Annawake Fourkiller. »

Franklin sourit. Il voit très bien le tableau.

« Les gens trouvaient que ma vie était tellement sinistre. Et je crois que c'était vrai, si loin de chez moi, à entendre toute la nuit les ambulances qui se dirigeaient vers l'hôpital, un dépressif, un vieux, quelqu'un qui s'était fait agresser, larguer par sa famille, et les lois qui dansaient dans ma tête. Mais je n'ai jamais cessé de rêver à l'eau de Tenkiller. Toutes ces perches qu'on pouvait attraper n'importe quand, tu sais ? Des déjeuners gratuits à volonté, qui vous attendaient pour vous aider à entamer la journée. Je n'ai jamais vécu sans ça. Et toi ?

– Non », reconnaît-il. Consciemment ou non, il a toujours été cherokee. Les poissons étaient là, pour lui comme pour Annawake.

« Qui va dire à cette petite fille qui elle est ?

– Très bien, dit-il, je te fais confiance sur la question de savoir comment mener cette affaire. »

La bouche d'Annawake prend sa moue la plus irrésistible, l'étrange sourire inversé. Ses yeux rient, pas de lui, mais de quelque chose d'autre. Les mystères du hasard. « Merci, patron », dit-elle en se levant, la main posée sur son bureau. « Pendant que je serai dans l'Arizona, je verrai si je peux me trouver un grand cheval blanc. »

8

Une union plus parfaite

Assise sur les marches, les bras autour des genoux, Taylor jette un regard noir à l'abricotier indifférent. C'est un vieil arbre noueux planté il y a longtemps, quand la maison était neuve, et il ne produit plus guère. Mais cet été il se déchaîne, et le quartier est envahi d'abricots – et d'oiseaux.

« Si au moins ils se rassemblaient d'un même côté de l'arbre pour manger les fruits, je ne leur en voudrais pas, dit-elle à Lou Ann. Mais ils font un petit trou dans chaque fruit et les saccagent tous. »

Lou Ann a une tête d'enterrement. Sa tenue en lycra citron-vert n'y change rien. Elle doit partir dans dix minutes assurer son cours d'« abdominaux avancés » du samedi matin à Fat Chance. Elle a rejoint Taylor en attendant la voiture qui la conduit au travail. « Je croyais que Jax allait fabriquer un épouvantail, dit-elle.

– Il l'a fait », répond Taylor en désignant au sommet de l'arbre un grand duc en carton. L'oiseau a des yeux très réalistes et Jax n'a pas lésiné sur les plumes, mais il est difficile à reconnaître à cause de tous les pinsons qui sont perchés dessus.

« Pauvre Turtle, fait Lou Ann tristement.

– Ça me tue. Est-ce que tu l'as déjà vue faire la moindre histoire pour la nourriture, avant ça ? Et voilà que d'un seul coup elle se met à adorer les abricots. Mais pour peu qu'il y ait un trou dedans elle refuse d'en manger.

– Je la comprends, Taylor. Qui aimerait manger après un oiseau ? Ils sont sans doute pleins de maladies. »

Dans les fourrés autour de la maison les cigales crient à qui mieux mieux. L'air a des reflets miroitants, il va faire très chaud. Taylor ramasse une pierre et vise le centre de l'abricotier, créant un bref désordre de plumes brunes qui retrouvent aussitôt leur place. Les oiseaux tournent la tête sur le côté, leurs becs humides et brillants, leurs yeux de perle fixés sur Taylor. Puis ils retournent à leur tâche : se gaver.

« Quand j'étais petite, grand-mère Logan disait qu'elle allait prendre ma photo d'école et la mettre dans le champ de maïs pour faire peur aux corbeaux.

– On devrait la fusiller ta grand-mère, fait Taylor.

– Trop tard, elle est morte. » Lou Ann place ses mains derrière la nuque et, vite fait bien fait, exécute quelques abdos sur le sol. Son rideau de cheveux blonds coupés au carré claque contre son bandeau citron-vert. « Je devrais demander à Cameron... de venir se mettre... sous l'arbre. » Elle gonfle les joues entre chaque abdo. « Ils moisiraient pas ici. »

Cameron John est le copain épisodique de Lou Ann, et elle a raison, par bien des côtés il ferait plutôt peur. Il a des tresses africaines qui lui arrivent à la taille, et un doberman pinscher qui a des boucles en or à une oreille. Mais Taylor se dit que les oiseaux auraient tôt fait de percevoir la nature véritable de

Cameron et se rassembleraient autour de lui comme s'il était saint François d'Assise. Elle voit très bien ses tresses couvertes de moineaux. Au moment où elle lance une nouvelle pierre, son voisin, Mr. Gundelsberger, sort de sa maison de l'autre côté de la rue. Lou Ann s'empare de son sac et descend au pas de course les marches de pierre dans ses tennis à semelles gaufrées. Alors qu'elle et Mr. Gundelsberger sortent de l'allée dans la Volvo, elle fait un grand signe à Taylor. C'est souvent Mr. Gundelsberger qui conduit Lou Ann en ville, sa bijouterie étant située à deux rues de Fat Chance.

Mr. G. n'est installé ici que depuis quelques mois. Sa fille, artiste locale qui porte le nom de Gundi, est depuis des années propriétaire de cette petite colonie de maisons de pierre délabrées bâties dans le désert aux abords de la ville. Autrefois c'était un ranch ; c'est un endroit où il fait bon vivre. Taylor en avait entendu parler avant même de connaître Jax. Les gens s'inscrivent sur des listes d'attente pour venir habiter ici, à condition d'avoir reçu au préalable l'approbation de Gundi.

Gundi habite la grande maison située au sommet de la colline. Elle y expose ses grands tableaux abstraits sur les murs de pierre de ce qui était autrefois la salle à manger des ouvriers du ranch. Toutes les autres maisons sont petites et étranges : certaines n'ont ni chauffage ni air conditionné ; l'une d'elles possède une salle de bains extérieure. Celle de Jax, minuscule, est flanquée à l'extrémité sud d'une curieuse tour de pierre. Les loyers sont insignifiants. Taylor a remarqué qu'une grande partie des locataires sont musiciens, ou titulaires de doctorats dans des domaines bizarres.

101

Avant de s'installer à Rancho Copo, Taylor et Turtle vivaient en ville avec Lou Ann et son bébé dans une vieille maison plus conventionnelle. Lou Ann les avait accueillies à leur arrivée à Tucson, et Taylor a toujours le sentiment d'avoir une dette envers elle. Elle a attendu pour s'installer avec Jax que Lou Ann ait ses entrées à Rancho Copo.

Taylor pénètre dans la maison et farfouille dans l'atelier d'enregistrement que Jax a aménagé dans sa tour. Il prétend que l'acoustique y a une dimension religieuse. La surface au sol est réduite mais les quatre murs étroits sont couverts d'étagères jusqu'au plafond. Elle déplace l'échelle de mur en mur, certaine que dans ce fouillis d'électronique doit bien se cacher un transistor, mais elle n'en trouve pas. Faute de mieux, elle descend un magnétophone portable, ainsi qu'une cassette de démonstration de Jax. Elle a décidé d'essayer *The Irascible Babies* sur un nouveau public : les moineaux.

La voiture de location d'Annawake cahote le long de l'allée de graviers et s'immobilise à la vue d'une femme perchée dans un arbre. Les jambes ne lui suffisent pas à affirmer que c'est la personne qu'elle a vue chez Oprah Winfrey, mais l'adresse semble être la bonne. Elle se gare et sort de sa voiture. Le sol est jonché de fruits abîmés et de noyaux qui lui blessent la plante des pieds à travers ses mocassins. « Bonjour, je cherche Taylor Greer, crie-t-elle en direction des branches.

– Vous l'avez trouvée, au sommet d'un arbre. » Taylor est en train de fixer son magnéto à une branche haute au moyen d'une corde. « Restez où vous êtes. Pour vous dire la vérité, je préfère encore la terre ferme. »

102

Une basse tonitruante se met à vibrer parmi les feuilles. Annawake regarde les tennis de la femme descendre l'échelle de branches entrecroisées, s'arrêter un instant, puis sauter. Une fois par terre, elle a quelques centimètres et sans doute quelques années de moins qu'Annawake, des longs cheveux châtains et des yeux confiants. Elle claque plusieurs fois les mains sur son jean, inspecte la paume de sa main droite, et la lui tend.

« Annawake Fourkiller, annonce Annawake, en serrant la main de Taylor. Je suis de l'Oklahoma, je suis à Tucson pour raisons professionnelles. C'est un bien joli pays que le vôtre. »

Taylor sourit en direction des montagnes, qui à cette heure matinale sont d'un violet parfait. « N'est-ce pas ? Avant d'arriver dans cette région je ne m'attendais pas à trouver autant d'arbres. La seule différence avec le reste du pays c'est qu'ici tous les arbres ont des piquants.

– La vie est dure dans le désert, j'imagine. Sans piquants on se fait bouffer. »

Taylor doit à présent élever la voix pour rivaliser avec Jax, qui chante à tue-tête au sommet de l'arbre. « Si vous voulez me parler, nous ferions bien de rentrer. Je fermerai la porte pour qu'on puisse s'entendre. »

Annawake s'engouffre à la suite de Taylor dans un étroit couloir de pierre où tient tout juste un piano droit devant lequel elles s'effacent pour pénétrer dans la cuisine. Les murs d'ardoise inclinés sentent la fraîcheur. Annawake s'assoit à une table de bois dont les pieds sont peints de quatre couleurs différentes ; elle a une pensée pour Millie et Dell, en train de réparer leur table, et pour leur nouveau-né, qui maintenant doit faire la loi. Taylor met de l'eau à chauffer pour le café.

103

« Alors, vous avez tué quatre quoi, si je puis me permettre ? »

Annawake sourit. C'est bien la femme qu'elle a vu à la télé – elle retrouve cette même assurance. « Fourkiller est un nom cherokee assez courant.

– Ah oui ? Quelle en est l'origine ?

– Quand mon arrière-grand-père a rencontré pour la première fois des gens qui parlaient anglais, c'est le nom qu'il a reçu. Étant père de quatre enfants, il avait taillé quatre encoches dans le canon de son fusil – ça se faisait à l'époque. Par fierté, je suppose, ou peut-être pour se rappeler la quantité de gibier qu'il devait ramener à la maison chaque jour. Mais les Blancs ont cru que cela voulait dire qu'il avait tué quatre hommes. » Annawake jette un coup d'œil à Taylor. « Je suppose que grand-père ne les a jamais détrompés. »

Taylor sourit. Entre elles vient de passer quelque chose de furtif, dangereux presque. Les tasses à café s'entrechoquent dans ses mains. Elle verse la poudre noire dans le filtre. « Votre accent me donne le mal du pays. Je sais que c'est un accent de l'Oklahoma, mais pour moi ce n'est pas si loin que ça du Kentucky.

– C'est exactement ce que je pensais. J'ai l'impression que nous sommes du même pays. Presque. Il y a une différence, mais je ne pourrais pas la nommer. »

Taylor est debout près du poêle et pendant un moment elles ne parlent ni l'une ni l'autre. Taylor enregistre les traits d'Annawake : sa masse de cheveux noirs semble irradier d'un unique point au milieu de son front. Sa peau a une belle couleur de poterie que l'on a envie de toucher, comme celle de

Turtle. Elle porte une chemise de coton bordeaux avec des rubans de satin bleu cousus à l'empiècement et aux épaules. Taylor tripote le brûleur du gaz. Elles écoutent un long solo de guitare, puis la voix de Jax qui leur parvient de l'extérieur.

« *Les grands garçons... jouent à des jeux. Les grands garçons jouent à des jeux...* »

Annawake lève un sourcil.

« C'est le groupe de mon copain. » Taylor jette un coup d'œil par la fenêtre. « Hé ! ça marche. Plus d'oiseaux.

– Vous faites une expérience ? »

Taylor rit. « Vous devez penser que je suis cinglée. J'essaie de chasser les oiseaux de l'abricotier. Ma petite fille aime les abricots plus que tout au monde. Vous savez, c'est le genre de gosse qui ne demande vraiment pas grand-chose. Alors je me suis creusé la cervelle pour trouver un moyen d'empêcher ces oiseaux de manger les fruits.

– Ma grand-mère plantait des mûriers à côté des pêchers. Les oiseaux préféraient les mûres. Ils s'installaient dans les mûriers et ils se marraient. Ils se disaient qu'ils se régalaient et nous laissaient toutes les pêches.

– Sans blague, fait Taylor. Si seulement je l'avais su il y a vingt ans.

– Votre fille. C'est Turtle, la mangeuse d'abricots ?

– C'est ça. »

Après une longue minute de silence, la bouilloire se met à chanter. Taylor la soulève et verse de l'eau sifflante sur les grains de café. « Elle n'est pas ici pour l'instant. Elle va être vraiment surprise à son retour de voir que les oiseaux sont partis. » Taylor baisse les yeux vers le plan de travail et a un sourire qui surprend Annawake parce qu'il a quelque chose de presque craintif. Intime. Ça ne dure pas. Taylor regarde à nouveau Annawake. «Jax l'a emmenée avec une petite voisine voir les rhinocéros qui sont arrivés récemment au zoo. Ils ont entrepris, lui et Turtle, d'écrire une chanson sur les espèces menacées.

– Il a une histoire ce nom ?

– Quoi, Turtle ? Pas aussi intéressante que la vôtre. C'est juste un surnom, que je lui ai donné à cause de sa personnalité. Turtle est... enfin, elle s'accroche. Depuis qu'elle est toute petite elle s'agrippe à moi et ne veut plus me lâcher. Dans le Kentucky, là où j'ai grandi, les gens disaient que si une tortue vous mord, impossible de lui faire lâcher prise. Vous prenez de la crème dans votre café ou autre chose ?

– Rien, merci.

– Voilà l'histoire, conclut-elle en servant Annawake et en s'asseyant face à elle. Il n'y a pas grand-chose à notre sujet qui n'ait pas déjà été publié dans les journaux. Pour vous dire la vérité, je crois qu'on est à bout d'anecdotes. J'ai rien contre vous, mais nous aspirons à retrouver une vie normale. »

Annawake secoue légèrement la tête.

« Vous êtes journaliste, n'est-ce pas ? J'ai supposé que vous nous aviez vues à la télé. Vous disiez que vous étiez ici pour un quelconque colloque de journalistes ? »

Annawake tient sa tasse de café à deux mains et avale une gorgée. « Je suis désolée, je vous ai induite en erreur, avance-t-elle avec précaution, une phrase après l'autre. C'est vrai que je vous ai vue à la télévision, mais je ne suis pas reporter. Je suis avocate. Je suis à Tucson pour une conférence sur le droit des Indiens.

– Avocate ? Ça ne me serait pas venu à l'idée.

– Eh bien, merci, je suppose. Je travaille dans un cabinet qui fait un travail considérable pour le peuple cherokee. C'est précisément ce dont je veux vous parler. Il se peut que l'adoption de Turtle ne soit pas valable. »

La tasse de Taylor s'immobilise à deux centimètres de ses lèvres, et pendant près d'une minute elle semble avoir cessé de respirer. Elle pose enfin sa tasse. « Je ne vais pas recommencer avec ça. L'assistante sociale a dit que j'avais besoin de papiers d'adoption, je me suis donc rendue à Oklahoma City et j'ai obtenu des papiers. Si vous voulez les voir, je vais vous les chercher.

– J'ai déjà consulté les registres. C'est là qu'est le problème, les papiers n'ont pas été faits dans les règles. Il y a une loi qui accorde aux tribus la décision finale en ce qui concerne la garde de nos enfants. C'est la Charte des droits de l'enfant indien. Le Congrès l'a votée en 1978 parce que de trop nombreux enfants indiens étaient séparés de leur famille et placés dans des foyers non indiens.

– Je ne comprends pas quel rapport cela a avec moi.

– On ne vous reproche rien personnellement, mais la loi est incontournable. Il s'agit d'un phénomène à grande échelle.

– Eh bien, c'est le passé.

Je ne vous parle pas du général Custer. Ce dont je vous parle date des années 70, pas plus, quand vous et moi étions au lycée. Un tiers de nos enfants étaient encore enlevés à leur famille pour être adoptés par des familles blanches. Un sur trois. »

107

Les yeux de Taylor semblent s'agrandir étrangement. « Ma famille n'a rien à voir avec votre tragédie », dit-elle. Elle se lève, se poste devant la fenêtre et regarde au-dehors.

« Je ne suis pas ici pour vous faire peur, dit Annawake calmement. Mais je veux que vous soyez informée du problème. Nous devons nous assurer que nos lois sont respectées. »

Taylor se retourne vivement et fait face à Annawake. « Je n'ai pris Turtle à personne, on me l'a fourguée. *Fourguée.* Elle avait déjà perdu sa famille, et elle avait subi des violences dont je ne pourrais vous parler sans pleurer. Des violences sexuelles. Les gens de votre race l'ont laissée passer entre les mailles du filet et elle était dans un sale état. Elle ne parlait pas, elle ne savait pas marcher, et elle avait la personnalité de – je ne sais pas quoi. D'une pomme abîmée. Personne ne voulait d'elle. » Les mains de Taylor tremblent. Elle croise les bras sur sa poitrine et s'affaisse légèrement à la manière d'une femme sur le point d'accoucher.

Annawake n'a pas bougé.

« Et maintenant que c'est une petite fille adorable, qu'elle devient célèbre et passe à la télévision, maintenant vous voulez la récupérer.

– Ça n'a aucun rapport avec le fait qu'elle soit passée à la télévision. Sauf que cela l'a signalée à notre attention. » Annawake détourne les yeux. Elle se demande si elle a trouvé le ton juste. Ce ne sont pas des mots d'homme de loi qui auront gain de cause dans cette cuisine. Elle n'est pas si loin que ça de l'Oklahoma. « Ne paniquez surtout pas. Je vous dis seulement que vos papiers d'adoption ne sont peut-être pas valables parce que vous

108

n'avez pas reçu l'approbation de la tribu. Ce qui est nécessaire. Vous auriez peut-être intérêt à le faire.

– Et s'ils me la refusent ? »

Annawake ne trouve pas de réponse à cette question.

Taylor reprend : « Qu'est-ce qui vous fait penser que vous agissez dans l'intérêt de Turtle ?

– Et qu'est-ce qui vous fait penser qu'il est bon pour une tribu de perdre ses enfants ? » Annawake est surprise par sa propre véhémence – elle a tiré sans même viser. Taylor secoue la tête, interminablement.

« Je suis désolée, je ne vous comprends pas. Turtle est ma fille. Si vous entriez dans cette maison et me demandiez de me couper la main pour une bonne cause, je serais peut-être prête à le faire. Mais vous n'aurez pas Turtle.

– Il y a l'intérêt de l'enfant et il y a l'intérêt de la tribu. J'essaie de penser aux deux.

– Foutaises. » Taylor se tourne vers la fenêtre.

Annawake s'adresse à son dos avec douceur. « Turtle est cherokee. Il est important qu'elle le sache.

– Elle le sait.

– Sait-elle ce que cela signifie ? Le savez-vous vous-même ? Je parierais qu'elle voit des Indiens à la télé et qu'elle pense : *Yaiii !* Des arcs et des flèches. Nous sommes autre chose que cela. Nous possédons une langue écrite aussi subtile que le chinois. Nous avons eu le premier système scolaire public du monde, le saviez-vous ? Nous avons une constitution et des lois.

– Très bien », fait Taylor, dont le regard balaie le jardin sans s'accrocher nulle part. *Nous aussi avons*

109

une constitution, pense-t-elle, et *elle est censée empê-cher les injustices graves*, mais elle ne se rappelle rien d'autre qu'un chapelet de mots appris en classe de quatrième. «Nous le peuple», récite-t-elle à voix haute. Elle se dirige vers l'évier, y prend une louche, qu'elle repose aussitôt. La voix dehors chante : «*Je ne le sens pas. Tu sais qu'ils me le volent.* »

Annawake se remémore le ventre de sa nièce sous ses mains. «Je suis sûre que vous êtes une bonne mère. Ça se sent.

– Comment pouvez-vous le savoir ? Vous débar-quez ici, vous... » Taylor s'interrompt, balayant l'air de la main. «Vous ne savez rien sur nous.

– Vous avez raison, je ne fais que des supposi-tions. Vous semblez l'aimer beaucoup. Mais elle a besoin de sa tribu aussi. Il y a beaucoup de choses dont elle aura besoin en grandissant que vous ne pouvez pas lui donner.

– Quoi par exemple ?

– Lui dire d'où elle vient, qui elle est. De grandes choses. Et des petites choses, comme le lait, par exemple. Je parie qu'elle refuse de boire du lait. »

Taylor ramasse à nouveau la louche et la frappe contre l'évier de métal, fort, puis la repose. «Vous avez un sacré culot, de venir me dire qui est mon enfant. J'aimerais savoir où vous étiez il y a trois ans quand elle était à deux doigts de la mort.

– Je faisais des études de droit, j'essayais d'ap-prendre comment améliorer le sort de ma Nation.

– Nous le peuple, créons une union plus parfaite. »

Annawake ne trouve rien à répondre.

«Vous êtes ici dans *ma* nation et je vous demande de la quitter. »

Annawake se lève. « Je suis désolée qu'il n'ait pas été possible d'avoir un échange d'idées plus amical. J'espérais qu'il n'en serait pas ainsi. J'aimerais tout de même voir Turtle. » Elle laisse sa carte sur la table, un petit rectangle blanc avec des lettres rouges en relief et le sceau de la Nation cherokee. « Je pense qu'il serait bon pour elle de parler de son héritage. »

Taylor garde le silence.

« Très bien. Je suis à Tucson jusqu'à lundi. J'aimerais la rencontrer. Est-ce que je peux revenir demain, peut-être ? Après le dîner ? »

Taylor ferme les yeux.

« Merci pour le café. »

Taylor se dirige vers la porte d'entrée, la tient ouverte, et regarde sa visiteuse avancer précautionneusement parmi les fruits tombés dans la cour. Annawake prend ses clefs dans sa poche et reste une seconde la main sur la portière de la voiture.

Taylor crie : « Elle adore le lait. Nous l'achetons par bidons entiers. »

La voiture de location d'Annawake, une Chrysler bleue très basse, lui pose quelques problèmes pour reculer. Elle oscille et fait crisser le gravier en descendant l'allée ravinée en direction de la ville.

Depuis la galerie, Taylor, bras croisés, la regarde battre en retraite. Les mots « échange d'idées plus amical » claquent comme des abeilles nerveuses contre les parois de son crâne.

Au-dessus d'elle dans les branches de l'abricotier, la cassette est arrivée à la fin, et s'est tue. Un par un les oiseaux émergent du désert et reviennent prendre possession de leur arbre.

9

Les cochons au paradis

L'oncle Ledger disait toujours : « Une fois qu'on a monté un cheval, on devrait savoir ce que c'est qu'un cheval. » Annawake est donc perturbée, alors qu'elle se trouve pour la deuxième fois face à la petite maison de pierre où habite Turtle, de découvrir des choses qu'elle jurerait ne pas avoir vues la première fois. Par exemple une curieuse tour de pierre à l'extrémité du toit pentu, qui fait penser à ces espèces de donjons où les Blancs dans les livres d'enfants enferment leurs prisonniers, ou leurs tantes folles.

Il est vrai que la dernière fois elle était nerveuse. Et occupée à regarder une femme perchée dans un arbre. Maintenant il n'y a personne d'autre qu'un homme maigre en jean noir assis sur les marches. Il est en contemplation devant ses mains, qui semblent sommeiller sur ses genoux, deux araignées colossales, comme engourdies.

« Salut », tente Annawake. Ses mains à elle sont au fond de ses poches. Elle attend un signe de sa part. « Je suis Annawake, ajoute-t-elle.

– Oh, croyez-moi, je le sais. » Il semble émerger de ses pensées, très lentement, avec beaucoup d'effort, comme s'il sortait d'hibernation. « Où donc ai-je la tête ? » dit-il enfin avec un accent désespéré. À moins que ce soit un accent du Sud. « Prenez place sous cette vieille véranda minable. »

La marche de pierre est large et affaissée comme si on allait pénétrer à l'intérieur d'un temple datant de temps très anciens. Quand elle s'assoit, elle ressent une sensation de fraîcheur et d'humidité au contact de la pierre. « C'est vous le musicien ?

– Jax, fait-il, en hochant la tête plusieurs fois, comme s'il n'était pas tout à fait convaincu que c'est bien là son nom.

– J'ai entendu votre musique hier. Elle sortait de cet arbre.

– Apparemment elle a terrifié les oiseaux. On dirait que j'ai trouvé un marché. » Jax ramasse un abricot vert de la taille d'une balle de golf et vise le hibou en carton au sommet de l'arbre. Raté.

« Je n'avais pas pensé à ça. En tout cas, moi je l'ai bien aimée votre musique », dit-elle. Elle lance un abricot et toc, elle touche le hibou qui se met à frissonner et à gîter sur sa branche.

« Ça alors », fait-il. Jax fait un nouvel essai, visant l'arbre cette fois-ci, dont il écorne le flanc. Annawake lance à la suite et touche l'endroit où l'abricot de Jax a ricoché.

Il lui jette un regard en biais. Avec ses sourcils noirs et la boucle en or qui brille à son oreille, il ressemble à un pirate. « Suis-je en train de vivre une sorte de Visitation ? Allez-vous me révéler le sens de ma vie ? »

Annawake ne rit pas. Elle n'est pas là pour ça. « Autrefois j'étais plutôt douée au jeu de lancer que nous pratiquons, le *sgwalesdi*. C'est juste une coïncidence, je ne suis pas aussi douée dans tous les domaines.

– Si vous l'êtes, je ne veux pas le savoir.

– Je ne connais pas le sens de votre vie.

– Parfait. Parce que je ne suis pas prêt à l'entendre. Ça enlève une partie du plaisir, vous comprenez. C'est comme lorsqu'on lit un livre et quelqu'un vient vous dire : Oh, j'adore, est-ce qu'il est déjà passé sous le train ? »

Annawake sourit. Selon les critères des services sociaux, la maison serait vraiment jugée en piteux état, pire que certains endroits qu'elle a vus chez les Cherokees. C'est un argument dont elle pourra éventuellement tirer parti. Vers l'ouest, le désert monte à la rencontre des sommets déchiquetés des montagnes de Tucson. Annawake met sa main en visière pour contempler le soleil déclinant. Elle doit faire un effort pour ne pas précipiter le cours de la conversation. « Je comprends qu'on ait plaisir à vivre ici, loin de la ville.

– Oh, ça c'est une histoire très triste. On m'a chassé de la ville de Tucson. Un arrêté municipal contre *The Irascible Babies*.

– Qui ça ?

– Mon groupe. Nous habitions tous ensemble dans un poulailler, au centre-ville. Mais selon certaines estimations nous avons été jugés trop bruyants.

– Pourquoi un poulailler dans le centre-ville ?

– Il ne fonctionnait plus en tant que tel. On l'avait fermé à cause de l'odeur. Je vous assure, cette ville ne se distingue pas par sa tolérance. »

Annawake n'avait pas compté avec ce type. Elle est surprise de le trouver si serein et si aimable, mais les apparences sont parfois trompeuses. Il est peut-être tout simplement un peu sonné. « Jacks, c'est le diminutif de Jackson ?

114

– Non, ça s'écrit avec un X. » Il forme une croix avec ses index merveilleusement longs. « C'est le diminutif de rien du tout. Ma mère était l'une des alcooliques les plus célèbres du quartier français de La Nouvelle-Orléans. Elle m'a donné le nom d'une marque de bière vénérable.

– Vous voulez parler de Jax Beer ? »

Il fait un signe de tête morose. « Quelque part dans ce monde, j'ai une sœur qui s'appelle Hurricane. Je vous jure que c'est la vérité.

– Vous ne savez pas où elle est ?

– Pas plus ma mère que ma sœur. Si tant est qu'elles soient encore de ce monde.

– Zut alors. Et moi qui pensais qu'il suffisait d'avoir la peau blanche pour avoir une vie facile.

– Moi, j'ai eu envie d'être Indien. À une époque je me suis rasé le crâne et j'ai porté des bijoux en perles. Tout le monde m'appelait Élan Bondissant. »

Annawake le regarde, et cette fois-ci elle rit pour de bon. « Vous n'avez rien d'un Élan Bondissant. »

Jax contemple ses tennis. « Je me verrais bien avec un nom plus parlant que Jax, qu'en pensez-vous ? Quelque chose de sportif. Pourquoi pas Red Ball Jets. »

Ils restent un moment à contempler leurs quatre chaussures alignées sur la marche. Les baskets pourries de Jax paraissent énormes et tragiques, alors que les mocassins d'Annawake sont parfaits ; en daim cousu à la main, de ce rouge des sols ferreux de l'Oklahoma.

« Extra, les mocassins, observe Jax. Ils ont l'air tout neufs.

– Ils le sont. Je suis obligée de venir les acheter ici. Plus personne dans l'Oklahoma ne porte de mocassins.

115

– Ah bon ? »

Elle secoue la tête. « Ceux qu'on vend aux touristes au Cherokee Heritage Center sont fabriqués par un hippie à Albuquerque. »

Jax soupire. « Tout fout le camp. »

Soudain, assez nettement, la lumière faiblissante du soleil prend une teinte dorée, bienfaisante. Les cactus, éclairés par-derrière, sont entourés de halos de fourrure dorée, et les membres de Jax et d'Annawake semblent touchés par une même grâce. Une minute plus tard, la lumière a de nouveau changé, c'est le crépuscule.

« Elles sont parties, n'est-ce pas ? demande finalement Annawake.

– Ouais.

– Parties comment ? »

Jax considère la question. « Elle a fourré tous les vêtements de Turtle dans une valise. Tous ses livres. Elle a cueilli environ deux cents abricots verts qu'elle a étalés sur la plage arrière de la voiture dans l'espoir de les faire mûrir. Quand je les ai vues démarrer, on aurait dit les Joads. »

Annawake doit réfléchir quelques instants pour situer les Joads, puis elle se souvient : *Les Raisins de la colère,* cours de littérature au lycée. Des Blancs qui ont fui le désert de l'Oklahoma, pour finir cueilleurs de fruits en Californie. Ils s'imaginaient qu'ils n'avaient pas de chance. Les Cherokees, on leur a fait quitter leurs terres de force pour les emmener dans l'Oklahoma.

« Parties sans laisser d'adresse, je suppose ? »

Jax sourit.

« Elle travaille dans un garage en ville, c'est ça ? Pour une femme qui s'appelle Mattie, et qui doit être son amie parce qu'elle n'a pas été en mesure de répondre au téléphone quand j'ai appelé. Vous avez de la chance d'avoir un mécanicien dans la famille.

– Beau travail, Sherlock, seulement, petit *a*, même si Taylor était mécanicienne elle me dirait sans doute de réparer ma voiture moi-même. Et petit *b*, elle ne l'est pas. Il y a quelques années c'était juste un magasin de pneus, mais Taylor déteste les pneus, alors quand ils se sont lancés dans les pièces détachées, Mattie l'a laissée prendre en charge le rayon silencieux et courroies de ventilateurs.

– Je suppose qu'elle avait des jours de congé à rattraper.

– Ce garage, c'est pas vraiment le genre où on vous demande de pointer, dit Jax. C'est un endroit plutôt sympa. Style Amish des années 60. Ils recueillent les chiens perdus.

– Comme Turtle ?

– Comme des réfugiés d'Amérique centrale. Puis-je me permettre de vous rappeler que vous êtes l'auteur du désastre dans lequel je me trouve aujourd'hui ? Suis-je en train de subir un interrogatoire en règle ?

– Je suis désolée. Non. Je peux trouver mes informations ailleurs. Je crois que je vais partir et vous laisser seul.

– C'est exactement ce qui vient de m'arriver, on m'a laissé seul. » Il garde le silence. Annawake entend l'air se déplacer autour d'eux.

« Mattie aime Taylor comme si c'était sa propre fille, alors si vous y allez, vous risquez de vous retrouver en train de parler aux compresseurs. Ne perdez pas votre temps.

– Vous ne pouvez donc pas me dire où elle est partie, je suppose.

– Vous supposez correctement. »

Ils lèvent les yeux à l'instant même où le soleil touche les montagnes. L'horizon est légèrement affaissé comme si le paysage avait été érodé, telle une vieille dalle de marbre, par les pas répétés du soleil. La boule rouge bascule, et silencieusement ensanglante les nuages alentour.

« Il se peut qu'elle me donne un coup de fil à l'occasion, pour me rassurer sur leur sort. Mais il n'y aura pas d'adresse.

– Eh bien, merci d'avoir été honnête. »

Jax croise les doigts derrière la nuque et ses articulations font un bruit sonore. « Je fais beaucoup de misères à mon corps, mais jamais de faux témoignage.

– C'est plus sage. Cela dit, nous ne sommes pas au tribunal.

– Elles ont vraiment des ennuis ? Dites-moi, ça va être une situation à la James Dean où les Cherokees se lancent à leur poursuite, les traquent au bord du fleuve et leur braquent des torches en plein visage jusqu'à ce qu'elles se rendent.

– Non, dit Annawake.

– Vous pourriez me mettre ça par écrit ?

– Vous ne m'avez rien dit, mais vous y avez mis du vôtre, alors je vais être honnête avec vous. Ce n'est pas la Nation cherokee qui a pris cette affaire en main, c'est moi. Et il y a beaucoup d'obscurités. Je ne vois pas comment on peut prouver que Turtle est cherokee, à moins que sa famille ne se manifeste. Et même si c'était le cas, je ne suis pas certaine que le Département des droits de l'enfant l'enlèverait à Taylor. Ni même si cela serait souhaitable.

118

– Que dit la loi ?

– La loi dit que nous pouvons la prendre. Il y a des enfants qui sont restés cinq ans, dix ans avec des parents adoptifs et que la Charte des droits de l'enfant indien a rendus à la tribu, parce que les adoptions étaient illégales.

– Formidable.

– Je conçois que quelqu'un d'extérieur à notre culture ait du mal à comprendre cela, à voir qu'il existe des choses plus sacrées que la trinité papa, maman et leur bébé peau-rouge.

– Comment est-ce que vous voyez la situation ? »

Annawake hésite. « L'idéal ? J'aimerais la voir vivre dans un foyer cherokee, dans sa famille, c'est toujours ce qu'il y a de mieux. Mais l'idéal n'est pas toujours possible. Et maintenant qu'elle a vécu ailleurs, c'est extrêmement compliqué. Mon patron pense que je suis sur le sentier de la guerre.

– Il a raison ?

– Oui, bien sûr. Taylor avait besoin de la permission de la tribu. Et Turtle devrait avoir des liens avec les siens. Elle devrait savoir... » Annawake rectifie son tir. « Il y a des façons de lui faire savoir qui elle est. Ma position est essentiellement neutre. J'ai des informations qui pourraient être utiles à Taylor.

– Neutre, vous dites ? Vous connaissez l'histoire de celui qui s'interpose entre maman ours et le petit ourson ? Chère Annie, vous vous imaginez peut-être que vous êtes simplement en train de cueillir des myrtilles, mais maman ours, elle, ne l'entend pas du tout de cette oreille.

– Message reçu. »

Une légère brise qui semble sortir du sol soulève les branches de l'arbre en tous sens. Depuis la grande maison de pierre, des voix dévalent la colline, des fragments de rires ; et un chœur de chants d'oiseaux s'élève du fourré de prosopis. Annawake dresse l'oreille et identifie certains des chanteurs : le roucoulement monotone de la colombe, le rire d'un pic, et en filigrane au milieu de tout cela, le cri intermittent des grillons. Mais elle cesse bien vite d'écouter d'aussi près, elle préfère la chanson tout entière à n'importe laquelle des voix solo.

Jax se frappe soudain le genou. « Quel merdier !

– Je suis bien d'accord.

– Écoutez, vous n'en savez pas la moitié. Taylor est le genre de femme contre lequel ma mère m'avait mis en garde. Je vous jure, il m'arrive de lui donner raison. Avez-vous déjà éprouvé cela pour quelqu'un ?

– Pas pour une personne en particulier, non, répond Annawake, sans même avoir besoin de réfléchir.

– Alors vous ne pouvez peut-être pas comprendre ce qui m'arrive. Si j'allais vous le jouer au piano, vous comprendriez. Vous vous diriez, pauvre Jax, il va s'allonger par terre et se laisser mourir si cette femme ne revient pas avant le 4 juillet. »

Au couchant, les nuages ont encore le ventre brillamment éclairé, comme des poissons jaune argenté, mais dans le ciel des étoiles sont apparues. « Tiens, fait Jax, voilà Vénus, la déesse de l'amour. Ne me demandez pas pourquoi elle sort à huit heures alors que les gens sont encore occupés à faire la vaisselle.

– Heure de grande écoute », répond Annawake. La compagnie de Jax est propice aux associations d'idées.

120

« Allons donc.

– Est-ce que vous savez ce qui a attiré mon attention dans cette affaire ?

– La hauteur impressionnante du barrage Hoover.

– Non, croyez-le ou pas, j'ai raté cette partie de l'émission. Ce qui m'a intéressée est que cette histoire ne tient pas debout. À la télé elle a dit que Turtle était plus ou moins une enfant abandonnée. Qu'une femme cherokee lui a remis cette enfant dans un café. Mais les registres montrent deux parents qui ont abandonné Turtle de leur plein gré.

– Vous a-t-on déjà dit que la vitesse de la lumière ne saurait rivaliser avec votre beauté ? »

Elle le regarde un instant, puis éclate de rire. « Pas dans ces termes, non.

– Je me demandais. Puis-je vous embrasser ?

– Est-ce une manœuvre de diversion ?

– Oui, plus ou moins. Mais ce serait sans doute plutôt agréable.

– Vous n'avez pas le cœur à ça, Jax. Bel effort tout de même.

– Merci.

– Donc, apparemment, d'après les renseignements que j'ai pu obtenir, l'histoire de l'enfant trouvée dans le café est la vraie. Étrange mais vraie. Ils ont combiné cette adoption, n'est-ce pas ?

– Exact.

– Pourquoi ?

– Eh bien, vous savez, on a besoin de papiers dans le monde qui est le nôtre. Une assistante sociale ici à Tucson en est arrivée à la conclusion que côté légal, c'était fichu, il n'y avait aucun espoir de trouver les parents naturels. Alors elle lui a indiqué un fonctionnaire à Oklahoma City qui apparemment n'est pas obsédé par la légalité. Taylor y est allée avec deux amis qui se sont fait passer pour les parents de Turtle.

– Steven et Hope Two Two, c'est donc une supercherie. »

Jax passe la main dans ses cheveux en broussaille. « Vous le saviez déjà. Ne jouez pas les Little Bo Peep. Cela dit, vous ne trouverez jamais Steven et Hope. C'étaient des Guatémaltèques sans papiers et ils se sont évanouis dans notre belle Amérique. Quand au type qui a authentifié l'adoption, il était vieux, d'après Taylor. Il doit avoir pris sa retraite. Le coincer maintenant ne vous rapporterait pas beaucoup de points de bonne conduite. »

Elle comprend soudain ce que Jax est en train de faire, et l'en admire. Ce n'est ni de l'amabilité ni de l'indifférence, il protège les gens qu'il aime. Il a soutiré d'elle plus d'informations qu'elle de lui. Sa fierté d'avocate en prend un coup. « Je ne cherche pas systématiquement à coincer les gens.

– Vous êtes un bon tireur, Miss Fourkiller. Vous devriez peut-être seulement vous assurer que votre fusil n'est pas chargé.

– J'essaie d'agir au mieux, dans l'intérêt de tous.

– Elle aime Turtle, c'est une chose que vous devez savoir. Elle sauterait du barrage Hoover pour cette gosse, tête la première. Moi, le grand Jax, je lui plais, mais c'est Turtle qu'elle aime. Elle n'a pas exactement eu à réfléchir avant de partir d'ici. La question ne s'est même pas posée. » Il la regarde, les yeux lumineux et durs, puis il revient aux montagnes. Pour la première fois Annawake remarque son étrange profil : une ligne parfaitement droite du front à l'extrémité du

122

nez. Elle le trouve beau et troublant. Elle coince ses mains entre ses genoux et frissonne légèrement. La température a incroyablement chuté, comme cela se passe quand le soleil abandonne le désert.

Jax se lève. Il entre dans la maison et y reste un bon moment. Elle se demande si cela signifie que leur rencontre est arrivée à sa fin. Elle l'entend se moucher bruyamment, plusieurs fois, puis chanter doucement : « Attention à ce que tu prends Anna Wake, attention à ce que tu casses Anna Wake. » Elle décide que s'il se met au piano, elle part, mais le voici qui revient, tenant par le goulot deux longues bouteilles de bière.

« Tenez, fait-il. Faisons la fête. Kennedy et Khrouchtchev trinquent à un monde meilleur. » Il prend place près d'elle, très près, elle sent la chaleur de son corps à travers son jean. Curieusement, elle se sent plus réconfortée que menacée, comme si Jax était l'un de ses frères. C'est peut-être parce que ses frères sont les seuls hommes, avant Jax, à lui avoir avoué leur amour absolu pour une femme.

Jax prend appui sur un coude et se met à lui montrer des constellations : La Grande Ourse, qu'Annawake connaît depuis qu'elle a appris à marcher, et les Pléiades.

« Les quoi ?

Pléiades. Les sept sœurs »

Elle avale une longue gorgée de bière et grimace en direction du ciel. « Vous autres, vous devez avoir de meilleurs yeux que nous. En cherokee, il n'y en a que six. Les six mauvais garçons. *Anitsutsa.*

– *Anitsutsa ?*

– Oui. Ou *disihgwa*, les cochons. Les six cochons au paradis.

– Désolé, mais vous me faites marcher.

– Pas du tout. C'est l'histoire de six garçons qui ne voulaient pas faire leur travail. Ils refusaient de récolter le maïs, de réparer le toit de leur mère, de s'occuper des préparatifs des cérémonies – il y a toujours des choses à faire pour les cérémonies, ramasser du bois, réparer les abris, des choses comme ça. Ils n'avaient pas l'esprit communautaire, si vous voulez.

– Alors ils ont été changés en cochons.

– Attendez, ne brûlez pas les étapes. C'est eux qui se sont changés en cochons. Vous comprenez, la seule chose qui les intéressait, c'était de jouer à la balle et de s'amuser. Toute la journée. Alors leurs mères en ont eu assez. Un jour elles se sont réunies et elles ont rassemblé toutes leurs balles de *sgwalesdi*. Ce sont des balles de cuir grosses comme ça. » Annawake soulève un abricot vert. « Avec du poil à l'intérieur. Animal ou humain, je ne sais pas trop. Et elles ont mis les balles dans une marmite et les ont fait cuire.

– Miam-miam ! » fait Jax.

Elle jette l'abricot, en faisant attention de ne rien viser. « Bien. Les garçons rentrent donc pour déjeuner après avoir joué toute la matinée, et leurs mères leur disent : " Voici votre soupe ! " Et elles versent les vieilles balles cuites toutes trempées dans leurs assiettes. Les garçons se mettent en colère. " C'est tout juste bon pour des cochons ", et ils s'en retournent au lieu de cérémonie, et se mettent à courir autour du terrain de jeux, en demandant aux esprits de les écouter, leur criant que leurs mères les traitent comme des cochons. Et les esprits les ont écoutés, je suppose. Ils se sont sans doute dit : " Une mère sait

124

ce qu'elle fait ", et ils ont changé les garçons en cochons. Ils ont continué à courir de plus en plus vite jusqu'à ne plus être que des ombres. Puis leurs petits sabots ont quitté le sol, ils sont montés au ciel, et ils y sont toujours.

– Bonté divine ! fait Jax. Est-ce que votre mère vous disait ça quand vous ne vouliez pas faire votre lit ?

– Pas ma mère, mon oncle Ledger. Il y a des tas de versions différentes de toutes les histoires, c'est une question d'humeur. Mais vous avez raison, en gros, c'est ça. Les cochons, et aussi Uktena, le gros serpent à cornes – ce sont nos pères Fouettard. J'avais un sens aigu de la communauté quand je vivais chez mon oncle.

– C'est donc ça le sens de vos mythes. Soyez bon envers votre peuple ou vous serez un cochon au paradis. »

Annawake réfléchit. « Oui. J'avais une centaine de mythes dans mon enfance, et ils se résumaient tous à peu près à ceci : Soyez bon envers votre peuple. Est-ce si mal ?

– Les mythes sont les mythes. Ils sont bons s'ils marchent pour vous, sinon ils sont mauvais.

– Quels sont les vôtres ?

– Oh, vous savez, rien que de très américain. Si vous êtes travailleur et si vous n'avez pas de mauvaises pensées, vous deviendrez vice-président de Chrysler.

– Soyez bon envers vous-même, c'est ça ? »

Jax liquide la deuxième moitié de sa bière en une seule gorgée. Elle regarde sa pomme d'Adam avec stupéfaction. « Vous pensez que Taylor est égoïste », déclare-t-il.

Annawake hésite. Il y a tant de réponses à cette question. « Le mot égoïste est tellement sujet à caution. J'ai vécu en dehors de la réserve, je ne vais pas me laisser piéger. Je sais qu'on peut très bien justifier le fait d'agir pour son propre bien. »

Jax joint les mains sous son menton et lève les yeux au ciel. « Honore le temple, car le Seigneur y a logé ton âme. Offre à ce temple un bon massage des pieds et une montre Rolex.

– Comment faire autrement ? Votre culture n'est qu'une interminable publicité qui vous invite à vous payer la vie que vous méritez. Que vous la méritiez ou non.

– Vrai, dit-il. On devrait tous nous changer en cochons. »

La bouche d'Annawake se crispe avec un sourire figé. « Certains de mes meilleurs amis sont blancs. »

Jax s'affaisse brutalement, comme si on venait de lui tirer dessus.

« Nous avons simplement d'autres valeurs que les vôtres, dit-elle. Certains pensent que la religion, c'est se trouver, et d'autres que c'est se perdre dans la foule. »

Jax renaît. « On peut faire ça ? Se perdre ?

– Oh, bien sûr. Dans nos danses.

– Danses ?

– Rien à voir avec votre système à vous, ce n'est pas récréatif, c'est cérémoniel. Ce n'est pas individuel. C'est notre église à nous.

– Je dis noir, tu dis blanc », chante Jax. Il est allongé sur le dos. La bouteille vide, en équilibre sur son ventre, penche légèrement chaque fois qu'il respire ou qu'il parle. « Et jamais nous ne nous com-

126

prendrons. » Il part d'un grand éclat de rire et la bouteille dévale bruyamment les marches de pierre, sans se casser. Il se redresse. « Vous vous comportez un peu en *anisnitsa*, vous savez.

– Ani-quoi ?

– *Anisnitsa*. Ça ne veut pas dire cochon ?

– *Sihgwa*.

– Peu importe. Vous en êtes un. À votre façon.

– J'essaie de voir les deux côtés.

– C'est impossible, dit Jax. Pas plus pour vous que pour Taylor. Vos définitions du bien ne figurent pas dans le même dictionnaire. Il n'y a pas de point d'intersection dans ce dialogue.

– Vous ne pensez tout de même pas que c'est un bien pour la tribu de perdre ses enfants ? Ou pour Turtle de nous perdre ? Elle a droit à son héritage.

– Son héritage à l'heure qu'il est consiste peut-être à manger des abricots verts au dîner.

– Quelle pensée ! Est-ce qu'elles avaient prévu un endroit où aller ? »

Jax ne répond pas.

« Ce n'est pas une question piège.

– Alors, oui. La réponse est oui. Actuellement elles sont quelque part.

– Dites-lui de ma part que si je suis la cause de tout ça, j'en suis désolée.

– Si vous êtes la cause de tout ça ?

– Il faut que vous me croyiez. La dernière chose que je voudrais serait d'ajouter aux bouleversements que Turtle a déjà subis. »

Jax allonge précautionneusement le bras et remet la bouteille de bière debout. « Bouleversements, répète-t-il.

– Vous êtes le seul lien entre Turtle et moi actuellement, et », elle attend de rencontrer son regard, « et ce lien m'est indispensable.

– Ne me regardez pas comme ça, maman ours. Je suis seulement en train de cueillir des myrtilles. »

10

Les chevaux

« Turtle, bois ton lait. »

L'assiette de Turtle est un cimetière de croûtes de sandwich au fromage grillé. Elle soulève son verre et boit tout en observant Taylor du coin de l'œil. À peine Taylor a-t-elle les yeux tournés qu'elle pose son verre.

Le restaurant d'Angie Buster est désert. À quatre heures Angie a déclaré que pas même les Arméniens affamés ne se risqueraient à sortir manger par un temps pareil, sur quoi elle est rentrée chez elle faire une sieste. Taylor, Turtle et Pinky le bouledogue sont assis près de la fenêtre à regarder les longs couteaux de pluie qui attaquent le sol à l'oblique. Venant du Mexique, le premier orage de l'été soulève la poussière et trempe la Vierge de Guadalupe, si bien que ses nœuds jaunes se retrouvent par terre les uns après les autres. Lucky est de nouveau porté disparu. Angie n'est pas inquiète, il n'y a qu'une demi-journée qu'il est parti, et elle prétend que si ça doit durer, elle le sent dans ses os. Ses os lui disent que ce n'est pas pour cette fois-ci.

Angie, en fin de compte, est propriétaire non seulement du restaurant, mais également du motel adjacent, le Casa Suerte. Elle a acheté ce motel il y a dix ans quand l'état a enfin réussi à convaincre le père de Lucky de payer la pension de son fils. Les basses constructions de brique entourent un carré d'herbe douteuse, une piscine vide, et un palmier grandi trop vite qui se balance, ridicule, au-dessus des fils téléphoniques. Devant chaque porte trône une unique chaise en métal, qui inclinerait à penser que les pensionnaires prennent plaisir à se retrouver, sauf que ceux-ci sont plutôt rares. Taylor n'a aperçu qu'une seule personne, une vieille femme aux cheveux ébouriffés. Elle est reconnaissante d'avoir un endroit où se cacher le temps de prendre une décision, mais comme lieu de villégiature on peut difficilement trouver pire.

« Alors, qu'est-ce que tu veux faire maintenant ? demande-t-elle à Turtle.

– Rentrer à la maison.

– Je sais, mais c'est pas possible. Nous sommes en vacances pour un moment. »

Turtle se mord les lèvres, puis desserre les dents. Elle prend sa fourchette et distraitement se met à la planter de-ci de-là : dans son assiette, dans la nappe, dans ses cheveux. Le bouledogue l'observe avec un mol intérêt. Taylor fronce les sourcils malgré elle, craignant vaguement pour les yeux de Turtle, mais s'interdit de lui dire de poser sa fourchette. Turtle sait quand il faut s'arrêter, elle ne se fera pas mal.

De leur table Taylor voit les feuilles de journaux plastifiées suspendues à l'entrée du restaurant : des articles du *Phoenix Republic*, du *San Francisco Chronicle*, et même du *Washington Post*. Tous relatent la grande aventure de Lucky et de Turtle.

130

Savoir que le restaurant d'Angie est célèbre jusqu'à San Francisco et Washington n'est pas fait pour remonter le moral de Taylor.

« Si on regardait la télé, propose Turtle.

– D'accord, on y va. Si les Arméniens affamés débarquent, c'est Pinky qui fera la cuisine et servira à table. D'accord, Pinky ? »

Le chien remue son arrière-train avec son fantôme de queue, et Turtle a un grand sourire, le premier de la journée. C'est déjà ça, pense Taylor, alors qu'elles poussent la porte pour s'élancer à travers la cour mouillée.

La pluie oblique pique les yeux et les bras de Turtle. Elle a jeté un coup d'œil au fond de la piscine en passant mais il n'y a pas de bleu à l'intérieur, rien qu'une flaque d'eau boueuse en forme de pouce. Taylor essaie d'enfoncer la clé dans la serrure de leur chambre. La femme aux cheveux blancs s'avance vers elles, un journal plié en deux sur la tête.

« Avez-vous vu les chevaux ? demande-t-elle.

– Non », répond Taylor. La clé est attachée à un morceau de bois qui ressemble à un bâton glacé. Elle lui glisse entre les mains et tombe dans l'eau le long du trottoir.

« Eh bien, ils étaient ici », continue la femme.

Turtle récupère la clé flottante et la rend à sa mère. Taylor essaie de faire fonctionner la serrure, mais ses mains tremblent, comme ce jour où Turtle, Jax et Dwayne Ray sont rentrés de voir les rhinocéros au zoo et où il a fallu tout fourrer dans une valise.

« Les chevaux ! Vous ne les avez pas vus ?

131

– Désolée, fait Taylor.

– Ah bon, désolée ? Je vous crois. » La femme se sauve, éclaboussant le sol à petits coups de tongs. La porte cède d'un coup et elles sont projetées à l'intérieur. La pièce a une odeur sécurisante qui pique le nez, comme une salle de bains propre. Turtle trouve la main froide de Taylor et sait qu'elles vont rester ici.

Turtle met en marche la télévision et se plante à quelques centimètres de l'écran, essayant de faire son choix parmi les images racoleuses. Elle tranche en faveur d'un documentaire sur la restauration des cathédrales, puis grimpe sur le lit. Bien qu'elle ne le comprenne pas vraiment, Taylor accepte le choix de Turtle. Une voix décrit les produits chimiques utilisés sur les murs anciens alors qu'un homme, assis sur une petite balançoire de bois, monte et descend le long d'un immense clocher au moyen d'un système de cordes, comme une araignée, la grâce en moins. Une araignée mâle avec un siège incurvé et des produits chimiques.

« Où tu crois qu'il est Lucky Buster maintenant ? » demande Turtle.

Taylor s'est mise en soutien-gorge et commence à débarrasser Turtle de ses vêtements mouillés. « Oh, je crois qu'il est chez un copain en train de mâcher du chewing-gum à la banane et de se gaver de toutes les cochonneries qu'Angie ne lui permet pas de manger.

– Comme moi et Jax quand t'es au travail ?

– Très drôle. » Délicatement elle pose un T-shirt sec sur la tête humide de Turtle, qui sent le shampooing pour bébé, et tire ses bras par le trou des manches.

132

Le ventilateur de la fenêtre cogne obstinément, surmené mais inutile dans la moiteur de la pièce. Taylor est soudain agacée par le poids de ses cheveux trempés, elle pense à la respiration de Jax contre son cou. Elle les rejette derrière son épaule et les emprisonne dans une tresse.

« Pourquoi est-ce qu'on est obligées d'être en vacances ? » demande Turtle.

Taylor sent la chair de poule hérisser la peau de ses bras nus. « Eh bien, parce qu'on ne peut pas rester à la maison en ce moment.

– Pourquoi ? »

Taylor examine le bout de sa tresse d'un air désinvolte. Il serait si simple de mentir : Jax a décidé de peindre la maison en violet. « Tu te rappelles la fois où je t'ai emmenée dans l'Oklahoma pour aller chercher tes papiers d'adoption ? »

Turtle fait un signe de tête, et Taylor ne doute pas qu'elle se souvienne. Parfois elle mentionne des événements vieux de plusieurs années. Taylor est toujours émerveillée, et troublée, que Turtle puisse trouver les mots pour décrire des choses qu'elle a vécues avant de savoir parler.

« On avait fait ce voyage parce que l'assistante sociale avait dit qu'on avait besoin de ces papiers pour que tu puisses rester avec moi. Aujourd'hui c'est un peu la même chose. Il faut qu'on fasse un autre voyage, pour pouvoir rester ensemble.

– Et où est-ce qu'on va ?

– Ça, je ne le sais pas encore. Un endroit qui porte chance. Où crois-tu qu'on doive aller ?

– Rue Sésame.

– Bonne idée. »

La télévision montre à présent les tableaux à

133

l'intérieur de l'église. On voit un Jésus triste au visage allongé, composé de petits carrés et de triangles. On dirait qu'il est en verre et a été cassé en mille morceaux qui ont été recollés ensemble. Taylor s'allonge sur le ventre et renifle le cou de Turtle. Elle se sent requinquée par l'odeur de Turtle, toujours exactement la même : shampooing, transpiration, et un doux parfum de noisette, un peu comme du beurre de cacahuète. Elle souffle sur sa joue brune, faisant un bruit sonore, puis lui donne un baiser. « Cette église est déprimante, dit-elle. On pourrait pas regarder quelque chose d'un peu plus palpitant ? »

Turtle se lève et change de chaîne. Elle s'arrête sur un film.

« Merci, camarade. »

Le film raconte l'histoire d'une énorme mégère qui s'efforce de gâcher la vie de son petit lapin de mari entiché d'une riche romancière. Rien dans ce film n'est vraiment crédible, mais Turtle a demandé à Taylor de ne pas parler à la télé, elle fait donc un effort. Elles ont toutes deux un faible pour la méchante dame qui fait des choses plus horribles les unes que les autres, et elles rient. Taylor aime bien le personnage de l'acteur indien, serviteur prétentieux et arrogant de la riche romancière. Celle-ci n'arrête pas de le commander : « Garcia, faites ceci immédiatement ! » et Garcia de tourner les talons en levant les yeux au ciel.

Depuis quelques jours Taylor voit des Indiens partout : un profil de chef indien sur une Pontiac. Une petite fille au regard innocent sur le paquet de margarine à l'huile de maïs. La caricature au nez crochu, mascotte des Indiens de Cleveland. Taylor se demande à quoi pensait Annawake quand elle a dit qu'il ne fallait pas que Turtle perde le contact avec son côté indien. Pas à des plumes tout de même, mais alors à quoi ? Taylor elle aussi est en partie indienne, Alice autrefois lui parlait souvent d'une arrière-grand-mère cherokee. Qui n'a pas un ancêtre indien au fond de ses tiroirs ? Même Elvis Presley en avait un. Où situer la frontière ? Peut-être qu'être Indien n'est pas si facile à définir, pas plus que ne l'est le fait d'être blanc.

Le film s'est changé en publicité sans que Taylor y prenne garde, elle se rend compte brusquement que les femmes en robe du soir en train de siroter leur cocktail n'ont plus rien à voir avec Garcia, le major-dome indien. Taylor n'est pas fâchée d'être distraite de ses propres pensées. Elle se verrait bien finir comme la femme de tout à l'heure, à courir sous la pluie en criant aux gens : « Vous avez vu les Indiens ? »

Comme les os d'Angie l'avaient prédit, Lucky est réapparu avec la fin de l'orage. Il se trouvait chez son ami Otis, à fabriquer des maquettes de trains. « La prochaine fois, réfléchis un peu, Otis, et préviens-moi, l'admoneste Angie quand il dépose Lucky devant le restaurant.

– Mon téléphone est tombé en panne, répond Otis.

– Tu parles », fait Angie.

Otis est très vieux et chauve. Il se tient mal, ses grands pieds plats emprisonnés dans des tennis blanches. Angie lui ordonne d'entrer manger un morceau de tarte, et il obéit. Comme tout le monde, il se transforme en enfant en présence d'Angie. Quelle femme étonnante, pense Taylor. On la dirait douée de superpouvoirs, tel un personnage de bande dessinée.

Taylor aide Angie à ranger les nœuds jaunes trempés de la Vierge de Guadalupe. L'orage les a abandonnés à ses pieds au milieu d'une flaque, tels des nénuphars fripés. « Vous les installez à chaque fois qu'il disparaît ?

– Oh, c'est ma façon de prévenir les gens de la ville. Au moins, si quelqu'un le voit passer, il me le renverra à la maison. »

Angie prononce le mot « passer » comme « penser », si bien que Taylor se demande un moment à quoi Lucky peut bien penser. Il ne semble pas y avoir beaucoup de place pour le doute dans sa vie. Elle l'aperçoit à l'intérieur du restaurant, en grande conversation avec Turtle. Turtle a l'air envoûté. Taylor envie à Lucky son assurance et à Turtle son état de grâce : être capable à cet instant de ne regarder ni devant ni derrière soi, voir en Lucky un ami, tout simplement. Et non un instrument du destin.

Le téléphone sonne. Angie va répondre, mais revient immédiatement : « C'est pour vous. »

Le cœur de Taylor cogne dans sa poitrine quand elle soulève le combiné, elle ne voit pas ce qu'on pourrait lui annoncer de bon.

« N'appartenons-nous pas à la race des êtres pensants ? lui demande le téléphone.

– Jax !

– Oh, pour une surprise c'en est une ! Je suis la seule personne sur cette planète à savoir où tu es.

– Je l'espère. Est-ce qu'elle s'est manifestée ? Elle est revenue ?

– Elle s'avance, belle comme la nuit. » Il marque une pause. « Tu es jalouse ?

– Non. Qu'a-t-elle dit ? »

– Que les sept sœurs sont en réalité six cochons au paradis.

– Les quoi ?

– Les sept sœurs, la constellation. Ce sont en réalité six jeunes mâles qui ont été changés en cochons parce qu'ils étaient égoïstes et n'avaient aucun sens de la communauté.

– Jax, je te jure, c'est impossible de te suivre. Qu'est-ce qu'elle a dit, sérieusement ?

– Qu'elle est de ton côté.

– Parfait. Quoi d'autre ?

– Elle dit qu'elle est sur le sentier de la guerre. Tu imagines cette femme galopant dans la montagne sur un Appaloosa ? Divin. »

Taylor se représente parfaitement la scène. Elle regarde par la fenêtre et voit Otis qui gare sa voiture devant le supermarché de l'autre côté de la rue. « Est-ce qu'elle sait que j'ai quitté la ville ?

– Oui. Et elle vise très bien. Elle est capable d'atteindre un hibou de carton entre les deux yeux à cinquante pas.

– C'est-à-dire ?

– Cette femme est nettement plus intelligente que la moyenne. Avant de passer ici, elle avait déjà discuté avec les gens de chez Mattie, et elle avait tout compris au sujet de l'adoption. Je la crois parfaitement capable de trouver où tu es – retournée sur les lieux du crime. Elle va essayer Oprah, et ensuite Lucky Buster.

– Tu le penses vraiment ? Est-ce qu'elle est encore dans l'Arizona ?

– Non. Elle a pris un avion pour l'Oklahoma ce matin.

– Comment peux-tu en être aussi sûr ?

– Je ne le peux pas, tu as raison. Elle est peut-être en ce moment même en train de manger du kugel chez Mr. Gundelsberger.

– Jax, j'ai peur. Il faut qu'on parte d'ici. Mais je ne sais pas où. Je ne peux même pas me réfugier chez ma mère, elle quitte Harland. Turtle veut aller rue Sésame. »

Jax rit. « Bonne idée.

– Tu sais, je crois que nous avons notre compte de télé. » Taylor balance la tête d'un côté et de l'autre, pour détendre son cou, essayer de conjurer sa panique. Depuis le coin du restaurant, Turtle l'observe. « Comment ça va au ranch ? Comment va Lou Ann ? Et Mr. G. ?

– Lou Ann reste Lou Ann. Quant à Mr. G., c'est un homme perturbé. Il garde ses stores baissés en permanence pour ne pas voir sa voluptueuse fille explorer le désert dans la tenue d'Ève.

– Gundi a repris ses promenades ? Elle est étonnante. Moi j'aurais peur de me faire piquer par un serpent sur une partie intime.

– Gundi n'a pas de parties intimes. Elle est en train de peindre une série de portraits d'elle nue, sur fond de cactus.

– Sois gentil avec elle tout de même. C'est ta propriétaire.

– T'inquiète pas, elle ne va pas me mettre à la porte. Elle s'intéresse beaucoup à moi cette semaine. Ce matin elle s'est prise de passion soudaine pour les cactus juste devant la fenêtre de mon atelier. C'eût été fort instructif pour Turtle.

– En tout cas, paie le loyer. Il est dû cette semaine, d'accord ? Être beau ne résout pas tout dans la vie.

138

– C'est toi qui me dis que je suis beau ? aussi simplement que ça ?

– Écoute-moi, Jax, c'est vrai que tu fais manger n'importe quoi à Turtle quand je suis au travail ?

– Nous faisons des expériences. Du beurre de cacahuète et des sandwichs aux haricots verts. Pas de drogues dures.

– Tu lui manques.

– Vous me manquez toutes les deux. Je suis l'image même du désespoir. »

Taylor sait qu'il veut l'entendre dire qu'elle l'aime, mais elle ne peut pas. Pas quand il attend. C'est un peu triste, comme lorsque les maris envoient leurs femmes acheter leurs propres cadeaux d'anniversaire.

« Écoute, je ne veux même pas savoir où tu vas, parce qu'il se peut que Miss Jaxkiller revienne me séduire, et alors je dirai tout.

– Je crois qu'on va se diriger vers le nord. Je suis tellement sur les nerfs en ce moment que je n'arrive même plus à penser. Je t'appellerai quand j'aurai quitté l'état.

– Est-ce que tu as couché avec un autre homme ?

– Jax ! Il n'y a que quarante-huit heures que je suis partie.

– Tu es en train de me dire que tu as besoin de plus de temps, c'est ça ?

– Merci d'avoir appelé. Tu as été d'un grand réconfort.

– Excuse-moi. Simplement, c'est plus dur que ça ne paraît. Tu rassembles tes abricots verts, tu prends ta voiture, et tu disparais.

– Ce n'est pas toi que nous avons quitté, Jax.

– Je sais.

– On reviendra. Tout va bien se passer.

– Si seulement je pouvais te croire.

– Tu verras. » Taylor raccroche. Elle envie à Angie ce pouvoir qu'elle a de faire asseoir le monde entier autour d'une table pour boire du lait et manger des cookies.

« Quand on part à l'aventure, on doit faire des provisions », insiste Taylor. Elles sont à présent dans une épicerie. Taylor essaie d'intéresser Turtle à la nourriture. Elle a commis l'erreur de paniquer quand elle a arraché Turtle à Lucky pour l'embarquer dans la voiture après le coup de fil de Jax, et maintenant Turtle s'est profondément repliée sur elle-même. Dans les situations où les autres enfants piquent une crise, Turtle a un comportement bizarre, à l'opposé de la colère.

« Regarde, on peut avoir trois livres de poires pour un dollar. On voit qu'elles sont à point parce qu'elles sentent vraiment la poire. Ça nous permettra d'attendre que les abricots soient mûrs. »

Turtle est assise dans le chariot, les yeux fixés sur les boutons de chemise de Taylor. Elle est redevenue la Turtle d'il y a des années, à l'époque où Taylor l'avait trouvée. Pendant des mois elle a semblé observer le monde depuis une maison vide. Mais tout au long de ces périodes de mutisme, Taylor n'a jamais cessé de parler à Turtle, et aujourd'hui encore, c'est ce qu'elle fait, pour tenir sa peur en échec. Dans le magasin, les gens la regardent, puis examinent, dix secondes de trop, cette enfant trop grande pour être assise dans un chariot. Taylor s'en moque.

« Bon, écoute-moi, parce que je vais t'apprendre quelque chose d'important : comment choisir la meilleure caissière quand on est pressé. D'accord ? En règle générale, je dirais, prends la plus vieille. Quelqu'un qui est allé à l'école à l'époque où on apprenait encore l'arithmétique.

– Je connais l'arithmétique », fait remarquer Turtle tranquillement, d'une voix sans expression. « Je sais faire des additions.

– C'est vrai, lui accorde Taylor, en faisant un effort pour dissimuler son soulagement. Mais c'est parce que tu viens d'un milieu privilégié. Je t'ai appris à faire des additions quand tu avais quatre ans. Tu comprends ? Sept et trois, ça fait combien ? »

Turtle est à nouveau dans sa coquille. Impossible de dire si elle a entendu. Tout comme autrefois, avant qu'elle parle, Turtle semble concentrer toute son attention sur un goût qu'elle aurait au fond de la bouche. Ou un bruit secret, un diapason qui vibrerait à l'intérieur de sa tête.

Taylor considère les caissiers : trois adolescentes aux mêmes coiffures poisseuses, et un Hispanique d'âge mûr avec une énorme moustache. Taylor dirige son chariot vers la moustache. Tout en attendant, elle parcourt les journaux à sensation près de la caisse, s'attendant plus ou moins à y lire quelque anecdote au sujet de leur fuite. Elle ne s'est pas trompée pour ce qui est du caissier, leur file avance deux fois plus vite que les autres et le magasin a tôt fait de les expulser sur le parking. Quand elle charge ses provisions et claque le coffre, les abricots volent en tous sens.

« Quelles saloperies ! » fait-elle, et la bouche de Turtle esquisse un sourire. À grand-peine, elle la hisse hors du chariot et la pose à côté de la voiture. Elle se tient immobile, sorte d'enfant en peluche,

141

pendant que Taylor ramène le chariot. Depuis qu'elles ont quitté Tucson, Taylor ne cesse de jurer après ces abricots, ce qui amuse beaucoup Turtle ; les fruits roulent bruyamment sur la plage arrière et basculent en avant comme une bande de petits canards à chaque arrêt un peu brusque. Il y a des abricots verts dans le cendrier, sur le siège, et par terre. Taylor commence à comprendre que l'idée n'était pas très bonne. Au lieu de jaunir, la plupart durcissent et se ratatinent comme de minuscules têtes de momies. Elle soulève Turtle et la pose sur le siège avant. Turtle se glisse sur l'autre siège où elle attache sa ceinture machinalement. Taylor s'installe au volant. « Regarde donc un peu ça. » Taylor tend le bras et extirpe un abricot de dessous la pédale d'embrayage. Feignant la colère, elle le jette violemment par la fenêtre, puis baisse vivement la tête alors qu'il touche une autre voiture. Turtle se met à rire, et Taylor comprend qu'elle est de retour, il y a quelqu'un derrière ses yeux. « Donc, ce qu'on va faire maintenant », dit-elle calmement, en essuyant ses larmes, « c'est chercher un signe. Quelque chose qui va nous indiquer la direction à suivre.

— Là, s'écrie Turtle en désignant un panneau d'affichage.

— Ça dit d'aller acheter des bottes en peau de serpent chez Robby's Western Wear. Tu crois qu'on devrait acheter des bottes en peau de serpent ?

— Non ! fait Turtle, en rejetant violemment sa tête en arrière et en rentrant le menton, tout son corps arc-bouté dans un geste de dénégation.

— D'accord, cherche autre chose.

— Là, fait Turtle au bout d'une minute, en montrant une enveloppe glissée sous l'essuie-glace.

142

« – Mince alors, comment est-ce qu'on peut se retrouver avec un PV dans un parking de supermarché ? » Au stop suivant, Taylor ouvre la portière et se penche pour l'attraper. Elle le tend à Turtle et accélère.

Turtle met très longtemps à déchirer l'enveloppe.

« Qu'est-ce que ça dit ?

– Ça dit : Chère Cad Die...

– Caddie. Fais voir.

– Je suis capable de le lire. C'est pas trop long.

– D'accord. » Taylor se concentre pour rester patiente et ne pas renverser de piétons. Les habitants de Sand Dune n'ont pas l'air d'avoir intégré le principe des feux de circulation.

« Chère Caddie. Désolé de ne pas t'avoir vue chez Miggets...

Miggets ? » Taylor jette un coup d'œil à Turtle, qui tient le papier très près de son visage. « C'est bon. Continue.

– Chez Miggets, comme je l'avais pro, pro-mis.

– Je l'avais promis

– Comme je l'avais promis. Voici les 50 dollars. » Turtle tend à Taylor deux billets de vingt et un billet de dix dollars.

« Qu'est-ce que ça dit d'autre ? Y a-t-il un nom en bas ? » Taylor est à bout de patience, elle s'empare du billet.

« Qui c'est Caddie ? demande Turtle.

– Quelqu'un qui a une grosse voiture blanche comme nous. Un type du nom de Hoops lui devait de l'argent, et ne voulait pas avoir affaire à elle en personne.

– Pourquoi est-ce qu'il nous l'a donné à nous ?

– Parce qu'on a de la chance.

143

« – C'était ça le signe pour nous dire où aller ? demande Turtle.

– Je crois. C'est le signe que notre chance a tourné. L'argent vient à nous sans qu'on ait à lever le petit doigt. Je crois qu'on devrait aller à Las Vegas.

– Qu'est-ce que c'est Las Vegas ?

– Un endroit où les gens vont tenter leur chance. »

Turtle considère cette question. « Ils essaient de faire quoi avec leur chance ?

– Gagner plus d'argent.

– C'est ça qu'on veut, plus d'argent ?

– C'est pas tellement qu'on en veuille. Mais on en a besoin.

– Pourquoi ?

– Pourquoi ? » Taylor fronce les sourcils et incline le rétroviseur pour ne plus avoir le soleil couchant dans les yeux. « Bonne question. Parce que personne ici ne nous donnera quoi que ce soit, sinon par accident. De la nourriture, de l'essence, tout ce dont nous avons besoin. Ces choses, elles s'achètent avec de l'argent.

– Même si on a vraiment besoin de quelque chose, on ne nous le donnera pas ?

– Non. Il n'y a pas de repas gratuit.

– Mais on nous donnera de l'argent à Las Vegas ?

– C'est ce qu'on dit. »

Même une parole en l'air peut avoir un certain volume : une fois introduite dans un vide, elle trouve sa place. Taylor pense à Hughes Walter, le prof de physique qu'elle avait au lycée. Que penserait-il de sa situation actuelle ? Pour se distraire pendant les longs trajets elle s'amuse à réunir des gens qu'elle a

144

rencontrés dans sa vie, et imagine ce qu'ils se diraient : sa mère et Angie Buster. La vieille grand-mère mesquine et pudibonde de Lou Ann et Jax. Mieux encore : Jax et la femme qui cherchait les chevaux.

Aucune autre suggestion n'ayant été faite, à part la rue Sésame, elles roulent en direction de Las Vegas ; une fois introduite dans un vide, l'idée a trouvé sa place. Elles approchent à présent du barrage Hoover. Jax avait sans doute raison, elles retournent sur les lieux du crime. Mais est-elle victime ou coupable, en fuite avec le magot ? Elle ne le sait pas encore. Taylor ferait volontiers l'économie du barrage, mais c'est la seule façon de sortir de ce coin de l'état. Turtle se tient très droite, excitée.

« On va revoir les anges, dit Turtle après cinquante kilomètres de silence.

Ouais.

– On pourra s'arrêter ?

– Pour quoi faire ?

– Aller voir le trou. »

Taylor ne répond pas. Elle gare sa voiture tout près du déversoir. Depuis le spectaculaire sauvetage, ils ont ajouté une nouvelle barrière sur le flanc de la montagne et des projecteurs roses sur le parking. Quand elles sortent de la voiture elles ont l'impression qu'il fait grand jour, mais l'endroit est désert et les couleurs sonnent faux, comme une planète éclairée par un soleil faiblissant. Elles regardent toutes deux en bas, les mains dans les poches.

« Qu'est-ce qu'on pourrait jeter ? » demande Turtle.

Taylor réfléchit. « On a des boîtes de soda vides dans la voiture. Mais je déteste jeter des détritus. Ce n'est pas bien.

– Des pierres ? » suggère Turtle. Mais le parking a été refait et il n'y a pas la moindre pierre. Le personnel du barrage Hoover a vraiment mis le paquet.

« Des abricots verts ! » s'écrie soudain Taylor, et Turtle rit franchement, un rire d'engoulevent. Elles grimpent sur le siège arrière et chargent leurs bras de fruits momifiés.

« Celui-ci est pour Lucky Buster », crie Taylor, en jetant le premier abricot. Elles l'écoutent qui fait : ponk, ponk, alors qu'il rebondit dans le tunnel sans fond.

« Et voici pour les boy-scouts qui ont sauvé des vies, et pour cette ridicule robe violette qu'on voulait te faire porter à la télévision. Et voici pour Annawake Fourkiller ! » Des poignées de fruits dégringolent à l'intérieur du trou.

« Lucky, Lucky, Lucky », chante Turtle, en jetant lentement ses missiles comme de précieuses munitions. Pendant qu'elles crient ensemble en direction du trou, une pluie légère se met à tomber sur le désert.

Turtle a l'air épuisé. Elle est allongée en travers du siège avant, la tête sur la cuisse droite de Taylor. Ses tennis se balancent machinalement près de la portière du passager. Les faibles lumières verdâtres du tableau de bord se reflètent dans ses yeux. Tout près de son visage, Turtle berce Mary, sa lampe-torche carrée. C'est ce style de lampe que les gens emportent avec eux quand ils partent à la chasse au daim, une sorte de cube vert foncé, dont on dit qu'il flotte s'il tombe à l'eau. Turtle ne l'allume jamais ; peu lui importe qu'il y ait des piles à l'intérieur, mais elle en a besoin, c'est clair. Pour Taylor, c'est aussi incompréhensible que de vouloir dormir avec une boîte à chaussures, et tout aussi désagréable – parfois la nuit elle entend les coins creux de la lampe cogner contre le crâne de Turtle. Mais quiconque a essayé de lui enlever Mary a découvert que Turtle est capable de cris perçants.

Taylor cligne des yeux à travers les essuie-glaces. Elle se dirige vers le brasier de lumières qui, elle le sait, ne peut être que Las Vegas, mais elle distingue à peine les bords de la route. L'orage en provenance du Mexique qui se dirige vers le nord les a à nouveau rattrapées.

Turtle se retourne sur les genoux de Taylor et lève les yeux vers elle. « Il va falloir que je te quitte ? »

Taylor respire lentement. « Comment ça ? Tu es ma Turtle, non ? »

Les essuie-glaces font clac, clac, clac. « Je suis ta Turtle. »

Taylor lâche son volant d'une main pour caresser la joue de Turtle. « Et quand une tortue vous a mordu, elle ne vous lâche plus...

– Elle ne vous lâche plus. »

Turtle a besoin de bouger, elle cambre son dos et se pousse à l'aide de ses pieds. Quand elle trouve enfin une position, elle est sortie de sa ceinture de sécurité et elle s'est pratiquement roulée en boule sur les genoux de Taylor, la tête appuyée contre Mary. Elle tend une main et ferme son poing sur l'extrémité de la natte de Taylor, exactement comme autrefois, quand elle ne connaissait pas d'autre langage. Dehors, la pluie opaque s'abat sur la route, et Taylor et Turtle tressaillent quand les sabots du tonnerre piétinent le toit de la voiture.

Été

Comme une offrande
à quelque dieu invisible

Cash Stillwater lève les yeux de son travail et aperçoit une multitude d'oiseaux blancs, comme une gerbe d'eau lancée vers le ciel. Ils plongent en cercles dans la longue lumière du soir, changeant de forme tous ensemble alors qu'ils volent en rangs serrés contre le soleil, décrivent une courbe, et disparaissent, scintillante mosaïque de corps triangulaires.

Cash avait seulement besoin de se reposer les yeux, et voilà qu'il y avait tous ces oiseaux. Ses yeux s'emplissent de larmes qu'il ne comprend pas alors qu'il suit leur envol vers le nord, en direction de la masse noire des Tétons, vers un lieu invisible derrière la caserne des pompiers de Jackson Hole. Ils tournent et tournent encore, faisant parade de leur joie animale. Inconsciemment Cash les compte et les dispose en rangées paires et impaires, comme des perles. Dans la journée il travaille dans un magasin de diététique. Il glisse dans des sacs en papier les maigres achats des touristes. Mais le soir il fabrique des bijoux en perles. Et le lendemain, son amie Rose Levesque apporte au comptoir cheyenne où elle est employée les bijoux qu'il a fabriqués, en disant au propriétaire qu'elle les a faits elle-même. Cash a appris à assembler les perles sans même s'en rendre compte, simplement parce qu'il a toujours vu sa mère et ses sœurs, et plus tard ses filles, le faire à la table de la cuisine. Avant la mort de sa femme, avant que la famille se disloque et qu'il parte avec son camion dans le Wyoming, il avait élevé deux filles dans la Nation cherokee. Il n'aurait jamais imaginé, après leur départ, se retrouver contraint à ces travaux de patience, cette fois-ci pour payer le loyer. Mais depuis que soir après soir il enfile des perles sur son aiguille, il passe son temps à compter des rangs : les pins sur le flanc de la montagne, les planches d'une clôture, les grains des épis de maïs quand il les plonge dans l'eau bouillante. Il ne parvient pas à se défaire de cette habitude qui réduit au silence la douleur qui ronge son cerveau, comme si elle pouvait un jour combler les terribles vides de sa vie. Son esprit aligne des objets, fabrique des bijoux, comme une offrande à quelque dieu invisible.

Rose entre sans frapper dans l'atelier et annonce brutalement : « Et voilà ! Dix-neuf piquants de porc-épic dans le ventre. Je te l'avais dit ? » Elle s'affale sur la table de la cuisine.

« Le ventre de qui ? » demande Cash sans quitter des yeux son aiguille. La peau de ses mains ressemble à du papier en train de brûler dans la cheminée, juste avant qu'il ne se transforme en cendres. Il se demande si l'on s'habitue à se réveiller vieux.

« Le gros ventre d'ivrogne de Willie Levesque, voilà le ventre de qui. » Rose allume une cigarette et tire dessus en soupirant. Willie est le fils aîné de Rose. Bien qu'il ait la moitié de son âge, dix-neuf ans, il est deux fois plus grand qu'elle. « Je les avais mis dans un flacon d'aspirine dans la cuisine. Dans la cuisine, tu te rends compte, c'est pas comme s'il les avait trouvés dans l'armoire à pharmacie. »

Cash jette un coup d'œil à Rose, qui balaie d'un geste maussade la cendre de son chemisier. Parce qu'elle est plus petite et plus grosse qu'elle ne le voudrait, elle se balade en permanence perchée sur des talons hauts et moulée dans un jean, et porte des chemisiers brillants un peu trop échancrés. On voit à dix mètres qu'elle en fait trop.

« Il a pas fait attention à ce qu'il prenait ? demande Cash.

– Non. Mais il a dit qu'il avait eu une drôle de sensation. Comme s'il avait avalé son plombage. » Cash enfonce son aiguille, Rose attend, tire une bouffée, puis ajoute : « Des piquants de porc-épic, tu te rends compte. Et pour vingt dollars. Je te dis qu'il va me payer ça. Il ne pouvait pas s'en prendre à de fausses turquoises ? »

C'est Rose qui apporte à Cash les fournitures destinées à la fabrication des bijoux, mais elle dit à son patron que c'est chez elle qu'elle les emporte. Mr. Crittenden la tient pour responsable de chaque perle. Le matin il chausse ses lunettes de bijoutier et compte une à une les perles de chaque pièce livrée, pour s'assurer qu'il n'en manque pas. Ce doit être fatigant, la méfiance.

« Ces piquants devraient passer sans grand problème, dit-il à Rose. Quand elles étaient petites, mes filles avalaient des pièces de monnaie et toutes sortes de choses invraisemblables. On les retrouvait toujours. Tu devrais dire à Willie de te les rendre quand il aura fini.

– C'est peut-être ce que je vais faire. Les remettre à Mr. Crittenden dans un petit sac en papier. » Cash

153

sent qu'elle sourit ; il connaît la voix de Rose, l'amusement qui pointe et le ressentiment qui s'estompe. C'est souvent qu'il est occupé à autre chose quand elle lui parle.

Le jour où il a fait sa connaissance, ou plus exactement où il l'a aperçue pour la première fois, c'était à travers la vitrine de la boutique. Puis c'est devenu un jeu, il frappait à la vitre et lui adressait un clin d'œil tous les jours en se rendant au travail, ce qui apparemment l'a conquise. Elle dit qu'elle se fait l'effet d'un mannequin en plastique exposé dans cette vitrine. Mr. Crittenden l'oblige à s'asseoir à un vieux pupitre d'écolier sur le devant du magasin, pour que les touristes puissent admirer une authentique Indienne penchée sur ses travaux de perles, qui s'esquinte les yeux dans l'obscurité. Impressionnés, ou pris de pitié, ils entreront dans la boutique.

Le travail de Rose, vu de près, n'a rien d'exceptionnel. Elle n'est pas une vraie Indienne, c'est son excuse, mais elle pourrait très bien apprendre les dessins plus compliqués qu'exécute Cash, si elle le voulait vraiment. C'est un métier qui s'acquiert, comme régler un moteur. Les choses que l'on ne peut pas connaître si l'on n'est pas indien – comment nourrir une famille de plus de soixante personnes avec deux poulets et un jambon, par exemple – sont, Cash le sait, sans intérêt pour le tourisme.

Il se lève pour sortir le pain du four et mettre en route son repas. Cash a découvert les plaisirs de la cuisine sur le tard, depuis qu'il a quitté la maison de ses sœurs et de ses tantes, et à le voir, on dirait que personne n'a jamais cuisiné avant lui. Ce qui n'empêche pas Rose de manger ce qu'il lui prépare – elle dîne plus souvent chez lui que lui chez elle. Pendant

154

qu'elle fume à la table de la cuisine, Cash déballe les légumes qu'il a ramenés du magasin de diététique, et les aligne sur la table : six poivrons écarlates, cinq pommes de terre blanches, six carottes orange. Il se voit en train de réunir toutes ces couleurs sur son aiguille, et se prend à rêver que sa vie soit aussi lumineuse que cet instant.

« Regarde-moi ça, ma belle, s'écrie-t-il en agitant un poivron en direction de Rose.

– Cash, méfie-toi », plaisante-t-elle. Le poivron est difforme, on dirait qu'il a des testicules. Parfois Cash rapporte chez lui des produits qui sont trop naturels même pour les inconditionnels de la nourriture biologique. Dans son minuscule appartement, à l'abri du regard des touristes, Cash se nourrit de ragoûts de poivrons dotés d'organes génitaux et de carottes avec des bras et des jambes.

Il étale des journaux sur la table et s'installe pour peler ses pommes de terre. Le bruit familier de son éplucheur à légumes et les pommes de terre qui s'empilent comme des pierres sèches le réconfortent peu à peu. « Il y a quelqu'un qui est entré dans le magasin aujourd'hui, et qui m'a expliqué comment devenir riche, dit-il.

– Tu sais, à ce qu'on dit, riche tu l'es devenu déjà au moins vingt fois, sauf que t'as jamais eu d'argent, lui répond Rose.

– C'est vrai, mais écoute. Au magasin, on vend ces shampooings au jojoba. Tu sais, ces produits naturels, de nos jours les filles n'achètent plus que ça. Un type est venu aujourd'hui et il me dit qu'il a tout combiné pour cultiver le jojoba sur ses terres en Arizona. Ça pousse sans problème dans le désert, t'as besoin de rien d'autre qu'un lopin de

155

terre et un brin de soleil. Je suis sûr qu'on peut acheter une parcelle là-bas pour trois fois rien.

– Pourquoi est-ce qu'on la vendrait pour rien si on peut faire fortune en y faisant pousser des graines de jojoba ?

– Il faut cinq ans avant que la plante commence à donner, voilà le hic. Les jeunes n'ont pas la patience.

– Et les vieux pas le temps.

– J'ai toute ma retraite devant moi. Et je m'y entends pour faire pousser des choses. Je crois que ça pourrait marcher.

– Comme les renards dorés », fait Rose, l'attaquant sans ménagement. Au mois de janvier, avant le début de la saison touristique, Cash écorchait des renards. De ses doigts gelés il déchirait les membranes délicates qui tiennent la fourrure à la chair. Il avait ainsi gagné un couple de renards qu'il espérait bien voir prospérer. Cela lui semble être un rêve à présent, d'avoir cru qu'il pourrait trouver une ferme à exploiter. Il se croyait encore au pays cherokee, où les parents sont toujours prêts à se serrer pour vous faire une place à leur table.

« Johnny Cash Stillwater », dit Rose en secouant la tête, tout en soufflant un grand panache de fumée comme une baleine. À son ton, on dirait qu'elle l'a connu toute sa vie, et non pas deux mois. « Je crois que tu t'es jamais remis du fait que ta mère t'a donné le nom de son chanteur préféré. »

Cash ne laisse Rose le malmener de la sorte que parce qu'il sait qu'elle a raison. À cinquante-neuf ans, il passe son temps au magasin de régime à mettre des marchandises dans des sacs en papier, sous les ordres d'une fille de dix-huit ans du nom de Tracey qui tient la caisse tout en faisant claquer les élastiques de son appareil dentaire. Et il continue à faire comme si la chance était de son côté. Il a presque sa place parmi les cow-boys.

« Ils vont liquider tout un tas de pigeons qui viennent d'arriver en ville, annonce Rose brusquement.

– Qui ça ?

– Je sais pas. Un type du conseil municipal, Tom Blanny, est venu aujourd'hui au comptoir. C'est lui qui l'a dit à Mr. Crittenden. »

Cash connaît Tom Blanny, il vient au magasin s'acheter des cigarettes à base de laitue destinées aux gens qui se sentent coupables de fumer.

« Tom prétend que c'est une vraie plaie, parce qu'ils ne sont pas de la région et ils embêtent tout le monde. Il y en a des tas et des tas, qui volent partout et envahissent les arbres des gens. »

Cash lève les yeux, surpris. « Je les ai vus ce soir, ces oiseaux. Par cette fenêtre, juste là devant. » Son cœur bat un peu trop fort, comme si Rose avait découvert un nouveau secret qu'elle pourrait utiliser contre lui. Mais elle ne s'intéresse qu'aux conseillers municipaux et à l'information du jour, pas à ce ressentiment indéfinissable qu'il éprouve envers des créatures brillantes dont l'accord est si parfait qu'il se sent seul. Cash se remet à peler ses pommes de terre.

« Tom dit que ces pigeons pourraient chasser les autres oiseaux s'ils restent jusqu'au printemps. Les pigeons ont perdu le contact avec la nature, ils ont passé trop de temps à la ville, c'est comme les rats.

– Il doivent bien être à leur place quelque part. » Cash sait qu'à Jackson Hole, la mode est au retour à la nature.

« À New York », fait-elle en riant. Rose a roulé sa bosse. « Là-bas, il n'y a plus personne à chasser. »

L'éplucheur égrène sa chanson monotone. Cash n'a pas envie de poursuivre la conversation.

« Qu'est-ce qui te tracasse, Cash ? Tu songes à repartir dans l'Oklahoma ?

– Non.

– Quel temps y fait-il en ce moment ?

– Très chaud, comme ça doit l'être en été. Ici il fait jamais vraiment chaud. On va se retrouver sous la neige en un rien de temps. Je suis pas fait pour vivre avec deux mètres de neige.

– Personne n'est fait pour ça. Pas même dans l'Idaho. » Rose fait bouffer ses cheveux. « On pourrait penser qu'ils ont fini par s'y habituer, mais je me souviens, quand j'étais gosse, les gens devenaient fous pendant l'hiver. Les femmes tiraient à bout portant sur leurs maris, puis elles les remettaient debout en les faisant tenir à un balai et recommençaient à leur tirer dessus. »

Cash garde le silence, laissant Rose rêver aux maris assassinés.

« Eh bien, retournes-y, fait-elle. Si le temps ne te convient pas. »

Ce n'est pas la première fois qu'ils ont cette discussion. Et ce n'est même pas une discussion, se dit Cash, juste un moyen pour Rose de savoir ce qu'il pense sans avoir l'air d'y attacher trop d'importance. « J'ai pas de raison d'y retourner, répond-il. Toute ma famille est morte.

– Pas ta fille.

– Ça revient au même.

– Et le bébé de ton autre fille, celle qui est morte ? »

Quand Cash a rencontré Rose, elle a si bien fait sa

place dans son lit qu'il a eu l'imprudence de lui raconter ses histoires de famille. Aujourd'hui il le regrette. « Il a disparu.

– Un bébé n'est pas fait avec de l'encre sympathique.

– On voit ça tous les jours dans les journaux, des enfants qui disparaissent », insiste-t-il, mais il sait que ce n'est pas vrai. Il peut arriver qu'une mère se jette délibérément dans une rivière au volant de sa voiture, mais il y aura, il devrait toujours y avoir, une multitude de mains tendues pour recueillir ses enfants. S'il est dans l'esprit de Cash une pensée qui jamais ne vacille et ne s'éteint, c'est bien celle-là.

« J'ai passé toute ma vie à attendre là-bas dans la Nation, dit-il à Rose, où les gens sont plus pauvres les uns que les autres. Quand ma femme est morte, il m'a semblé que j'attendais quelque chose qui ne viendrait jamais. Au moins à Jackson Hole, les gens ont de quoi vivre.

– Toi et moi, on s'en aperçoit guère.

– Non, mais c'est à portée de la main », dit-il en se levant pour plonger ses légumes dans l'eau bouillante. « Peut-être que ça va nous tomber tout cuit dans la bouche. »

À treize heures précises, Rose retire le foulard imprimé que Mr. Crittenden l'oblige à porter au travail, et du creux de la main déverse dans leurs fioles en plastique des petites cascades de perles chantantes, attentive à n'en laisser échapper aucune sur le plancher. Mr. Crittenden autorise Rose à aller déjeuner avec Cash, à condition qu'ils attendent que soit passée l'heure d'affluence. Il se fait des illusions, l'affluence espérée n'est rien de plus qu'un goutte-àgoutte lent et régulier. Jackson Hole possède une centaine de comptoirs indiens, et la plupart ont dans leurs devantures des gadgets plus intéressants à exposer qu'une mère d'adolescents fatiguée en train de s'abîmer les yeux.

Rose est prête à marcher jusqu'au Sizzler à l'autre bout de la ville, à cause de leur choix de salades, Cash est plus réticent ; un orage menace au sud. Ils optent pour le McDonald's juste à côté, au cas où, et empruntent un raccourci à travers le petit parc fleuri qui borde Main Street. Rose bavarde et Cash n'écoute pas, il compte les pensées et les ageratums : jaune, jaune, mauve, mauve, une magnifique ceinture perlée de fleurs, offerte à la poussière de la route.

« Oh là là ! fait Rose. On se demande comment il peut faire si lourd. » Pendant qu'ils attendent aux feux, Rose se baisse pour ajuster quelque chose au talon de sa chaussure. Rose a trente-huit ans, l'âge qu'aurait aujourd'hui sa fille Alma si elle avait vécu, et Cash se rend compte qu'il traite Rose comme si elle était sa fille et non pas son amie, lui disant de veiller à ne pas se faire surprendre par la pluie, gloussant aux récits des escapades de ses fils. Il se demande ce qu'elle lui trouve. D'accord, il ne boit pas, ne mange pas de perles, mais il sait qu'il vieillit d'une manière qui est difficile à supporter. Il a fait une folie en venant s'installer ici il y a deux ans. Les Cherokees de l'Oklahoma ne quittent jamais l'Oklahoma. La plupart ne partent même jamais s'installer à plus de deux hickories de la maison où ils sont nés.

Tout en faisant la queue au McDonald's, il remarque que des hommes regardent Rose. Pas nombreux, pas longtemps, mais ils regardent. Cash, ils ne le voient même pas ; c'est un vieil Indien que personne ne se rappellerait avoir croisé sur son chemin.

« Juste des frites et une salade du chef aujourd'hui, mon chou, je suis au régime », dit Rose, qui flirte avec l'adolescent à la caisse.

Cash ressent un vide douloureux à l'intérieur de sa poitrine. Sa femme lui manque, et ses sœurs et ses cousines lui manquent, qui l'ont connu quand il était un beau garçon plein de vigueur. Chacun là-bas se souvient, et à ceux qui sont trop jeunes on a tout raconté. Les vieux se raccrochent au passé, quand tout était si parfait. Cash était le meilleur pour grimper aux arbres, sa sœur Letty était celle qui racontait le mieux les histoires. La femme qui a épousé le frère du mari de Letty, une beauté du nom de Sugar, avait été repérée un jour en train de siroter un soda et elle avait eu sa photo dans *Life Magazine*. Nul ne l'ignore. Aujourd'hui ses cheveux se sont éclaircis et elle est bossue, mais elle est toujours Sugar, elle peut se promener dans Heaven, Oklahoma, tout le monde pensera qu'elle est jolie et spéciale. Ce qu'elle est. C'est cela le problème quand on s'éloigne de sa famille, se dit-il. On perd complètement sa jeunesse, il ne reste pour tout bagage que la fatigue que l'on transporte à l'intérieur de son corps.

Cash ne devrait pas être affecté de la sorte. Il lui reste l'essentiel de ce avec quoi il a démarré : l'art de la combine et de se faire des amis, et tous ses cheveux. Il a la bougeotte certes, mais cela dit, de quoi pourrait-on lui en vouloir ? Pendant trente ans, chaque fois que Cash se mettait à parler comme un Blanc, sa femme le resservait gentiment, puis elle tournait les talons. Quand elle est tombée malade,

Cash, brusquement, a décidé qu'ils avaient besoin de faire du cheval et de voir les montagnes Rocheuses. Elle est morte un an après avoir été déclarée guérie : le docteur ne trouvait plus en elle de trace de cancer, elle désirait seulement rester assise à attendre son dernier souffle en regardant son petit-fils grandir, mais Cash la faisait danser dans la cuisine et jurait qu'il lui ferait découvrir le monde. Elle lui répondait, et elle avait sans doute raison, qu'il regardait trop la télévision. Comme ces oiseaux blancs qu'il a aperçus par sa fenêtre, celle-ci déploie ses ailes et vous promet tout ce que vous voulez, alors que vous n'aviez même pas conscience de le vouloir.

Rose leur a déniché une table dans le restaurant bondé. Elle la débarrasse d'un amas de détritus ; les clients précédents étaient sans doute des étrangers qui ne savaient pas que chez McDonald's chacun débarrasse son plateau. « Y'a du monde à Jackson, n'est-ce pas ? » crie Rose par-dessus le vacarme en se laissant tomber sur sa chaise.

Cash approuve d'un signe de tête. Pendant neuf mois il a marché précautionneusement sur des trottoirs couverts de morceaux de glace tranchants comme du verre, la neige grise tristement entassée sur le côté, tel le linge sale de tout un hiver. Maintenant, pour cinq ou six semaines, la lessive est faite. Les rues grouillent de gens qui descendront les rapides en radeaux, feront des photos de prés verdoyants et pourront dire à qui veut l'entendre qu'ils ont passé leurs vacances à Jackson Hole.

Le couple à la table d'à côté parle une langue étrangère. La femme porte des petites chaussures en toile verte dont on se demande comment elles ont

162

pu arriver entières après un aussi long voyage. Cash connaît ces femmes : elles font le tour du magasin, s'emballent pour tout ce qui est à base de plantes, puis elles filent à la boutique de souvenirs et, il le sait par Rose, achètent les boucles d'oreilles de Cash, trois paires à la fois. Tout ce qui est indien fait fureur en Europe. Ils se croient permis de poser à Rose des questions personnelles parce qu'elle est exotique. Avec les Américains c'est différent : ils contournent Rose discrètement, sans la regarder, comme si ses vêtements étaient terriblement tachés et qu'elle ne le savait pas. Parfois ils s'approchent et font une photo. Cash, qui en a été témoin, lui tire son chapeau : elle reste parfaitement immobile, et pour une fois tient sa langue. Les clients empilent leurs achats près de la caisse et dépensent en une minute ce que Cash met trois semaines à gagner.

« Ce gars qui passe la serpillière a un joli petit cul, déclare Rose, en faisant bouffer son épaisse chevelure teinte en noir. J'ai envie de laisser tomber une petite cuillère juste pour le voir la ramasser.

— Rose, va falloir que tu décides si je suis ton petit ami ou ton père. Je peux pas être les deux à la fois. »

Elle lui lance un regard noir : « Tu sais bien que je t'adore, mon chéri. »

Cash s'abstient de répondre. Il est reconnaissant à McDonald's de ne pas fournir de petites cuillères.

« Imagine un peu, poursuit-elle, nous pourrions tout aussi bien être à Paris ou à Hong Kong. Il y a des McDonald's dans tous les pays du monde.

— C'est ce qu'on dit », admet Cash, mais il ne se sent pas à Paris, il se sent chez McDonald's.

« Tu as l'air déprimé », observe Rose, et Cash se demande si ce n'est pas le cas, après tout. Il pense à la manière dont on travaille la pâte : on en prend une bonne grosse boule bien gonflée et d'un coup de poing, on en fait sortir l'air. Oui, pense-t-il. Déprimé.

Cash a enfin terminé sa journée de travail. Juste avant la fermeture un homme et une femme qui attendaient à la caisse ont passé dix minutes à se disputer pour savoir si oui ou non ils devaient acheter des pêches très chères. Cash s'est contenté d'attendre en silence, tout en se disant qu'ils pourraient tout de même aller régler ailleurs leurs démêlés conjugaux. Tracey, elle, les a foudroyés du regard sans la moindre équivoque. En vain. Le T-shirt de l'homme annonçait VIVEZ POUR LE SURF. Cash s'étonne de toutes les professions de foi que les gens peuvent afficher sur leurs T-shirts, comme si les convictions avaient si peu de poids qu'on peut en changer tous les matins après sa douche.

Les oiseaux viennent tous les jours à présent, mystérieusement plus nombreux chaque matin. Cash les observe alors qu'il descend Main Street en direction de la boutique où il doit prendre Rose. Elle lui a rapporté une théorie selon laquelle les pigeons de Salt Lake City migrent ici pour échapper aux faucons qui nichent sur les corniches des grands buildings. L'équilibre de la nature s'est renversé, pense Cash : les prédateurs se déplacent vers les villes et les oiseaux des villes envahissent les territoires des bisons. Il se rend compte qu'il se méfie des pigeons. Ils vous montrent tous ensemble le dessous de leurs ailes argentées, toutes de la même couleur, et soudain c'est leurs dos blancs, se transformant d'un instant à l'autre comme dans un tour de passe-passe.

Ce soir, Mr. Crittenden veut avoir une conversation avec Cash, ce que ce dernier redoute. Il a fini par remarquer que les bijoux que Rose fabrique dans la boutique sont loin d'avoir la qualité de ceux qu'elle apporte le matin. Rose s'est défilée, de peur de perdre son emploi, mais elle a fini par avouer qu'ils étaient faits par un ami cherokee. Mr. Crittenden, bizarrement, ne l'a pas mal pris, mais il veut rencontrer Cash pour lui demander comment il travaille. Cash est déjà passé à la boutique au moins cinquante fois, sans que Mr. Crittenden ait jamais manifesté le désir de faire sa connaissance, avant aujourd'hui.

« Qu'est-ce qu'il fait lourd, dit Rose quand il entre dans le magasin. Si seulement cette pluie pouvait tomber et qu'on en finisse. C'est pas la chaleur qui me tue, c'est la foule. »

Cash sourit. « Ça, c'est bien vrai.

– Monsieur le Patron vient de sortir. Il va revenir. »

Les cloches d'étain au-dessus de la porte tintent dans le dos de Cash, mais c'est simplement un client, un grand homme maigre chaussé de sandales et de chaussettes grises mouchetées. Il adresse un signe de tête à Rose qui se trouve à la caisse.

« Faites donc un tour », lui dit-elle avec un large sourire que Cash comprend, et qui lui déplaît. « On dirait que l'orage va éclater. La pluie serait la bienvenue. Nous n'en avons pas eu depuis longtemps. » Cash sourit. Il préfère Rose dans ce rôle-là, parce qu'elle s'adresse à lui en langage codé : « Tu vas voir, il va admirer tout ce qui se trouve dans le magasin, et finira par acheter des cartes postales. » Quand elle dit : « Vous venez de loin ? » c'est qu'elle s'attend à faire des affaires. « La vitrine de devant est entièrement sol-dée, fouillez donc », signifie : « Tous les bijoux de Jack-son ne peuvent rien pour ce pauvre type. »

Cash se tient près de la fenêtre, il regarde au-dehors. Il ne voit pas les oiseaux blancs mais il sait qu'ils sont toujours là-haut, tout là-haut, à décrire leur somptueuse courbe paresseuse, tenant leur liberté pour acquise. Ce ne sont pas de vrais oiseaux comme ceux qu'il chassait dans son enfance, dont il recueillait les œufs en secouant les branches des arbres, des oiseaux qui capturent des insectes, construisent des nids et nourrissent leurs oisillons. Ceux-ci sont des oiseaux touristes. Comme ses propres rêves tourmentés qui tournent en rond sans trouver où se poser.

L'homme aux sandales part enfin, sans même acheter une carte postale. « Ouais, il n'a pas plu depuis longtemps », dit Cash, et Rose rit. Les cloches tintent à nouveau, et ils lèvent les yeux pour voir le chapeau blanc enrubanné de Mr. Crittenden. Ils s'ar-rêtent de parler, mais le silence qui est entré avec lui est plus lourd qu'une absence de conversation. Il adresse à Cash un signe de tête, puis s'immobilise un instant, les mains posées sur une vitrine de verre, ses coudes maigres écartés. Il a toujours une chemise blanche et une cravate noire. Rose se demande s'il est marié. Il suffit de voir les chemises bien repassées qu'il porte au travail, dit Cash, mais Rose rétorque qu'il aurait les moyens de les envoyer au pressing, ce qui est vrai. On raconte qu'il possède son propre aéroport quelque part, et aussi qu'il a un cancer. Ni Rose ni Cash ne croient à l'histoire du cancer. S'il avait l'intention de mourir bientôt, pourquoi passe-rait-il tant de temps à compter des perles ?

Il fait de nouveau un signe de tête en direction de Cash. La gorge nouée, Cash le suit dans son bureau, petite pièce encombrée de registres, de livres d'anthropologie et d'étranges animaux. Mr. Crittenden y garde sept ou huit oiseaux bruyants, et au fond d'une caisse à bijoux à moitié remplie de sable sec, un python. Rose a prévenu Cash de l'existence du serpent ; c'est ici qu'elle touche sa paye, sous son regard glacé. L'atmosphère saturée d'odeurs d'oiseaux et de solitude assaille Cash. Mr. Crittenden descend deux grands livres qui sentent la poussière. Quand il les ouvre, l'intérieur est brillant comme du verre.

« Ce sont des ouvrages très anciens sur les perles », dit-il à Cash. Il tourne lentement des pages de photographies en noir et blanc. « Reconnaissez-vous les motifs ? »

Oui, Cash les reconnaît, du moins certains, mais il n'ose pas en dire trop, il se contente d'acquiescer ou de secouer la tête à la vue des photographies. Pendant que Mr. Crittenden tourne les pages, dans une cage près de la fenêtre, un oiseau gris très nerveux émet des espèces de claquements et se donne des coups de bec dans le cou comme s'il avait une maladie de peau. De temps en temps il lève la tête et pousse un cri, et les autres oiseaux se mettent à siffler et à faire crisser leurs pattes sur les minces barreaux de métal. Cash garde l'air a l'intérieur de sa poitrine aussi longtemps que possible entre deux inspirations.

« C'est tout un pan de votre science qui se perd », déplore Mr. Crittenden, en passant la main sur la page comme s'il pouvait sentir les motifs. Il penche sa tête blanche en avant, ses yeux bleus fiévreux, bordés de rose.

« Est-ce que ce sont les hommes qui sont les artistes dans votre tribu ? » demande-t-il.

Cash s'efforce de ne pas sourire. « Non, mais les femmes m'ont laissé m'initier un petit peu.

— Est-ce que vos filles savent faire ce genre de travail ?

— Elles le font », lui répond Cash, et c'est vrai, elles le faisaient, avant qu'Alma atterrisse tête la première au fond d'une rivière et que Sue se retrouve à l'hôpital pour la troisième ou quatrième fois avec une pommette cassée et quelques autres cadeaux de son petit ami. Mais même avant toute cette tristesse, elles n'étaient pas les Indiennes occupées à leurs travaux de perles que Mr. Crittenden imagine. Les filles et les nièces de Cash ont des permanentes et sont inscrites aux Weight Watchers. Si elles fabriquent une paire de boucles d'oreilles de temps en temps, c'est tout en discutant au téléphone, en riant de leur rire rauque de fumeuses et en critiquant les amis de leurs maris.

Mr. Crittenden s'aperçoit que Cash a les yeux rivés sur la fenêtre. « C'est un cacatoès à queue grise. Autrefois ils faisaient des ravages en Australie. Les producteurs de blé les tuaient par milliers. Maintenant il n'en reste plus beaucoup de son espèce. »

Cash, en réalité, se disait à quel point c'était triste qu'il n'y ait même pas une plante sur le rebord de la fenêtre. Pas une seule chose verte qui puisse profiter du soleil et vivre sans faire de bruit.

Pendant toute la semaine l'humidité augmente. L'après-midi du vendredi semble de plomb, interminable, comme la fin d'une vie. À six heures, Cash est au bord du désespoir. Il est à nouveau à la boutique, à attendre que Rose termine sa journée. Peut-être iront-ils voir un film, quelque chose qui emporte son esprit loin d'ici pendant deux heures. Mais Mr. Crittenden n'est pas encore venu fermer le magasin et distribuer ses perles au compte-gouttes.

« Quand l'as-tu vu pour la dernière fois ? »

Rose réfléchit. « Il n'était pas ici à midi ?

– Non, nous sommes partis sans le voir.

– Exact. »

Cash, debout dans le bow-window, regarde ces oiseaux détestables qui tournent en ronds serrés, nerveux. Ce soir ils ont l'air de chercher quelque chose – leurs propres désirs perdus. New York, peut-être. Il sourit en lui-même.

« Sa porte est ouverte, remarque Rose.

– Peut-être qu'on devrait la fermer et partir.

– Peut-être qu'on devrait aller voir où il cache son argent.

– Rose, enfin ! Ferme donc la porte. Je sais pas comment tu fais pour supporter ces perruches toute la journée, ça me rendrait fou. » Il regarde les nuages qui s'amoncellent. *Mon pauvre vieux*, pense-t-il, *fou tu l'es déjà, pas besoin qu'on t'aide*. Et à cet instant Rose pousse un cri strident.

Les épaules de Cash se contractent, il se retourne. « Qu'est-ce qui se passe ?

– Il est ici. »

La première pensée de Cash est que Mr. Crittenden a pu écouter leur conversation, les commérages de Rose. Elle a même parlé de lui prendre son argent ! Il essaie de retrouver quelle autre bêtise elle a bien pu dire qui lui ferait perdre son travail.

« Cash », fait Rose, le visage blême, la voix à nouveau haut perchée, et alors il comprend. Mr. Crittenden n'a rien entendu du tout.

169

Cash reste debout très tard, à travailler à une ceinture. Il est fatigué, mais ne se sent pas capable de dormir. Lui et Rose ont passé un long moment à se remémorer la soirée dans les moindres détails, comme s'ils avaient échoué dans un lieu nouveau où rien d'autre que cet événement n'existait : la police a conclu au suicide, pas de doute, il s'était fait prescrire des somnifères et avait laissé ses livres de compte en ordre. Il y a bien une femme, finalement ; elle habite à Rock Springs et n'a probablement rien à voir avec ses chemises. Les instructions qu'elle a dictées au téléphone sont de laisser le magasin ouvert, si possible jusqu'à la fin de la saison. Une compagnie de gestion veillera à ce que Rose soit payée. Cash n'est pas sûr qu'elle aura le cran d'y retourner. Pendant tout le temps où la police a été sur les lieux, elle s'étreignait la poitrine et respirait comme si elle avait couru deux kilomètres avec ses talons hauts.

Cash se pose des questions qui n'ont même pas effleuré Rose : qui viendra récupérer les animaux, par exemple ? Il n'est pas emballé à l'idée qu'elle travaille sous le même toit qu'un serpent affamé. Et combien de temps Mr. Crittenden est-il resté mort dans son bureau ? Il ne parvient pas à chasser de son esprit Mr. Crittenden, sa bouche et le bout de ses doigts bleus, recroquevillé pour toujours alors que trois hommes lui faisaient franchir les portes pour le sortir du magasin comme s'il s'agissait d'un meuble. S'est-il tué au milieu de la nuit, ou à l'aube ? Cash voulait la réponse à tous les « comment », à tous les « qu'est-ce que », pour étouffer la question du « pourquoi ».

Rose a pris le valium que lui a donné le docteur, s'est couchée dans le lit de Cash et s'est enfoncée dans un sommeil paisible, le laissant seul avec l'ampoule électrique nue et le calendrier mural des transports Wickiup. La page de juillet montre des familles sur un radeau jaune. Ils ont des appareils photo, des vêtements aux couleurs vives, et des expressions de surprise, chaque bouche comme une petite déchirure en creux au milieu du visage : ils arrivent dans les rapides. Comme il était naïf avant de venir ici ! Maintenant il les connaît les promesses alléchantes des dépliants touristiques et il sait très bien que quelqu'un a passé la journée au bord de la rivière à tuer des moustiques pour que la photo soit prise, et il sait aussi combien cette personne a été payée pour ça. Les articulations de ses doigts le font souffrir à cause du changement de temps, et par deux fois ce soir il a égaré des perles en plastique dans le linoléum orange, marqué de plis et troué par endroits comme si des volcans menaçaient d'entrer en éruption sous son plancher. « Qu'elles y restent », murmure-t-il à voix haute, mais l'habitude de s'accrocher à la moindre petite tache de couleur ne s'oublie pas facilement.

Lorsque enfin il décide de se coucher, il ne trouve pas le repos. Il rêve de sa femme disparue. Debout dans la cuisine de leur petite maison bancale au fond des bois, elle découpe une poule pour la soupe.

« Pourquoi est-ce que tu ne veux pas te tourner vers moi et me regarder ? lui demande-t-il.

— Tu as abandonné la famille, répond-elle. Je dois te tourner le dos.

— Alors pourquoi me parler ?

— Je te prépare tes repas, non ?

171

« – Oui. Mais je crois que tu me détestes.

– Pourquoi est-ce que je te ferais la cuisine ?

– Je sais pas, répond-il.

– Tu dois le respect à celle qui s'occupe de toi. »

Elle tourne sa cuillère dans l'énorme casserole sur le fourneau. Flottant dans le bouillonnement de l'eau, Cash aperçoit une touffe de cheveux blancs de Mr. Crittenden. Sa femme est très imposante. Il n'y a pas de toit sur la cuisine, seulement une clairière et des jambes qui ressemblent à des arbres. Sa tête sur fond de ciel ressemble à une pierre taillée, une tête qu'il ne reconnaît pas avec précision. Il pourrait tout aussi bien s'agir de sa mère, ou de sa fille. « Il y a des centaines de façons d'aimer quelqu'un, dit sa voix à Cash. Ce qui compte c'est de rester là ensemble dans la même pièce. »

Il se réveille. Sa poitrine est si pleine qu'il a l'impression qu'elle va éclater. Il se demande s'il n'a pas eu une crise cardiaque, ou s'il n'est pas tout simplement en train de mourir de solitude. « Il faut que j'y retourne », dit-il à Rose, qui dort et ne l'entend pas.

Les pluies d'été dans les Rocheuses ont fait tout le chemin depuis le Mexique. C'est du moins ce que s'est souvent dit Cash, pour se convaincre qu'il mène une vie passionnante. Mais Mexique ou pas, la pluie est un désastre pour le tourisme, le magasin de régime est resté vide toute la journée. Tracey, assise à la caisse, lit des journaux à sensation et demande à Cash s'il croit qu'une femme peut donner naissance à des triplés issus de trois pères différents. Cash pense aux folies de ses filles, et n'en doute pas un instant.

Rose n'a pas eu peur de retourner au travail. À l'heure du déjeuner elle lui a rapporté que rien

172

n'avait changé, pas de clients. La nouvelle a fait le tour de la ville et personne n'est prêt à entrer dans un magasin où un homme a mis fin à ses jours. Cash est sceptique. Dans ce pays, les gens se précipiteraient plutôt dans l'espoir de faire des affaires : soldes pour cause de suicide. C'est le temps qui est en cause. Les vacanciers se croient en droit d'attendre un bonheur parfait, un temps parfait, et s'ils ne le trouvent pas ici, ils partiront en direction de Missoula ou ailleurs, là où ils pensent pouvoir le trouver. Des jeunes, comme Rose, qui sont toujours prêts à prendre la route et partir.

Quand Cash entend les premiers coups de feu, il se sent pris d'une étrange allégresse. Il pensait qu'on allait peut-être renoncer à tuer les oiseaux à cause de la pluie, mais le grondement des fusils retentit à nouveau, faisant vibrer la baie vitrée de la devanture. Il abandonne son poste à la caisse et se presse contre la vitre. Il attend. « Ils abattent les pigeons aujourd'hui, dit-il à Tracey.

— Je l'ai lu dans le journal. C'est dégoûtant, tu trouves pas ? Ils ne peuvent pas les laisser tranquilles ces pauvres petits oiseaux ?

— Ce sont des oiseaux nuisibles, dit Cash. Ils veulent vivre ici, mais c'est impossible. C'est pour ça qu'ils n'arrêtent pas de tourner en rond là-haut dans le ciel. »

Il entend une nouvelle détonation, puis son écho subtil. Tout son corps vibre avec la devanture. Soudain les oiseaux sont là dans le ciel, ils ne décrivent pas leur cercle parfait mais s'éparpillent dans toutes les directions en groupes de deux et de trois, dans un vol de panique. Seuls. Il pense au pays, à des mondes d'ici, où il grimpait aux arbres sans autre désir dans sa poitrine que de trouver un nid rempli d'œufs. Cash voit son propre visage reflété dans la vitre, vide, soulagé, alors que les oiseaux touchés replient leurs ailes et disparaissent un à un. Ils ont enfin trouvé le sol.

12

La zone crépusculaire de l'humanité

Les trois générations de la famille d'Alice sont montées dans les airs pour la première fois cet été : pour commencer Taylor et Turtle ont fait un vol aller et retour à Chicago, et en ce moment même se termine la première étape du voyage d'Alice. Son avion s'apprête à atterrir. Il file sous les nuages, tout en bas on aperçoit le Mississippi et Saint Louis ; puis il survole le plus grand cimetière qu'Alice ait jamais vu. Sa voisine assise près du hublot, qui tout le temps du vol est restée murée dans son silence, déclare : « Pour un accueil chaleureux, c'est un accueil chaleureux.

— Je ne trouve pas l'idée si bête que ça, dit Alice, bien décidée à manifester un désaccord cordial à cette femme morose. Quand on fait tant de bruit, autant embêter les morts que les vivants.

— Au moins, nous n'aurons pas beaucoup de chemin à faire s'il nous arrive quelque chose », remarque la femme sèchement. Elle a une tête minuscule et des cheveux auburn qu'on dirait artificiels. Pendant toute la durée du vol au départ de Lexington elle a eu une petite mine chagrine comme si elle avait mis ses chaussures aux mauvais pieds. Alice n'en revient pas. Elle s'attendait à ne trouver dans cet avion que des voyageurs expérimentés, de vrais citadins affalés sur leur siège qui ouvriraient négligemment leurs journaux à la page financière. Et la voilà comme d'habitude à supporter bravement ses voisins. Elle décide de changer de sujet de conversation : « Est-ce que vous vous arrêtez à Saint Louis ? »

La femme acquiesce faiblement, comme si l'effort était incompatible avec sa coiffure.

« Moi, je ne descends qu'à l'arrêt suivant, Las Vegas, annonce Alice. Il y a ma fille et son bébé qui m'attendent. Elles ont eu un coup dur. »

La femme dresse l'oreille. « Elle divorce ?

– Oh non, fait Alice, ma fille n'a jamais été mariée. Elle a trouvé cette petite fille dans sa voiture et elle l'a adoptée. Elle est pas du genre à se mettre la corde au cou. » Alice se flatte de savoir animer une conversation, mais pour cette femme c'est les cimetières et le divorce, ou rien. Elle baisse le rideau du hublot et ferme les yeux.

Alice ôte ses lunettes et pose ses mains sur son visage. Ses yeux sont comme des billes mouillées, pleins d'inquiétude, sous ses paupières. Taylor en difficulté, ce n'est pas une situation qui lui est familière. Jusqu'à présent, même quand elle a fait les choses les plus extravagantes, elle a toujours fini par retomber sur ses pieds. Lorsque Taylor a fait ses premiers pas, ça a été pour se diriger vers la porte de la poste de Pittman et faire irruption dans la rue. Alice se trouvait au guichet, occupée à acheter des timbres et à demander à la postière, Renata Hay, pour quand elle attendait son bébé ; Taylor avait onze mois et elle tirait si fort sur le manteau d'Alice que celle-ci avait l'impression qu'une énorme queue lui avait poussé. Soudain une impressionnante salve d'applaudissements s'était élevée parmi les vieux messieurs qui attendaient pour toucher leur pension, et Alice s'était retournée juste à temps pour voir son bébé sortir fièrement dans la rue. Et le vieux Yancey Todd qui lui tenait la porte comme un gentleman !

D'aucuns diront qu'une enfant téméraire comme Taylor va immanquablement se retrouver tête la première dans le baquet à lessive. Alice ne le croit pas. Au fond d'elle-même elle sait que sa fille aurait regardé des deux côtés avant de s'élancer sur le boulevard pour aller jouer dans la rue. Ou alors Yancey aurait fait signe aux voitures de s'arrêter. Quand on a une enfant brillante, on la polit et on la fait reluire. Le monde veillera au grain. Le jour où Taylor l'a appelée d'une cabine téléphonique à Las Vegas, le cœur en mille morceaux, Alice s'est sentie profondément trahie. Le monde les a laissées tomber.

Le signal *Attachez vos ceintures* retentit et Alice ouvre les yeux. Une hôtesse parcourt lentement le couloir en débarrassant les passagers de leurs tasses en plastique, comme une mère patiente retire à ses enfants les jouets qu'ils pourraient essayer d'avaler. Alice la regarde, émerveillée par sa tenue. Sous son blazer bleu marine, elle porte un chemisier blanc boutonné et une cravate en soie imprimée, retenue par une fine chaîne en or. Quel temps ça a dû lui prendre pour que tout soit impeccable, elle qui a des journées si chargées. Alice est un passager en mal de réconfort, et elle le puise en cela : l'effort attendrissant que certaines personnes fournissent simplement pour s'habiller le matin, en croyant qu'une petite chaîne en or accrochée à une cravate de soie va peut-être changer quelque chose.

Taylor et Alice, penchées au-dessus de Turtle, s'accrochent l'une à l'autre, têtes jointes et jambes écartées, comme un tipi tordu. Elles restent ainsi un long moment au milieu de l'aéroport alors que les gens les contournent sans même les regarder, désireux qu'ils sont d'attraper leur correspondance. Les manches vides du pull blanc d'Alice pendent à ses épaules. Turtle blottit son visage contre Taylor et, faute de mieux, s'agrippe au pan de sa chemise. Elle a déjà rencontré sa grand-mère Alice, mais ce jour-là personne ne pleurait.

« Maman, je te jure que je suis pas comme ça d'habitude, dit Taylor. Je viens juste de craquer, je te jure. »

Alice lui frotte le dos. « Vas-y, craque. C'est pour ça que je suis ici. » Turtle observe la main aux robustes phalanges qui monte et descend sur le dos de sa mère, et attend que quelque chose craque. Enfin, elles se séparent. Taylor essaie de porter tous les bagages d'Alice.

« Qu'est-ce que t'as mis dans cette valise ? demande-t-elle. Des pierres ? Les phares de Harland ?

– Je vais t'en donner des phares », répond Alice en riant, en tapant sur les fesses de Taylor.

Elle se penche vers Turtle pour la serrer dans ses bras. Elle sent le chewing-gum, les Kleenex et les lainages. Turtle pense : c'est la grand-mère qui téléphone. Elle est gentille et ça se voit.

« Turtle, tu veux prendre le petit sac de ta grand-mère ? » Taylor se baisse pour passer l'anse sur l'épaule de Turtle. « Qu'est-ce que tu es costaude ! Regarde, maman, elle marche comme une reine. Voilà quelque chose que je ne lui ai pas appris. C'est inné, elle a un port de tête parfait. »

Courbée sous le poids du sac, Turtle pose les pieds bien à plat sur la longue ligne bleue du tapis.

Alice se mouche à nouveau. « Vous avez mangé ? Moi je suis affamée. Ils m'ont servi des cacahuètes grillées au déjeuner.

– Nous, on a mangé des abricots », dit Turtle, et sa mère recommence à pleurer. Vus de dos, ce sont des pleurs qui ressemblent à des rires, mais Turtle sait qu'il s'agit de vraies larmes. Turtle aimerait pouvoir remettre dans sa bouche les mots qu'elle vient de dire et les manger. Il y a quarante ou cent personnes dans l'aéroport et elle fait attention à bien suivre les jambes en blue-jean et les sandales blanches de grand-mère. Leurs têtes sont grosses et trop loin là-haut, comme celles des dinosaures. Leurs paroles sortent de leur bouche en bulles rondes. Quand elles se retrouvent dehors, le soleil fait un peu mal, on dirait de l'eau trop chaude qui sort d'un robinet.

« Nous pouvons manger dans ce café », dit la voix de sa mère. Les bulles éclatent et Turtle entend les mots qui sortent un par un. Tellement de temps a passé qu'on pourrait être un autre jour, ou le même jour mais le soir. Il ne fait pas nuit. Elles sont dans la voiture, elles avancent. Le siège avant est loin. Un garçon passe à bicyclette, la bicyclette d'or se cabre sur le trottoir encore et encore comme un cheval apeuré. Le garçon a une chemise jaune et des cheveux blonds dans les yeux, il rit, il n'a pas peur. Ses pieds bougent plus vite que son vélo. Turtle s'agenouille sur le siège et regarde derrière, elle regarde ce garçon et sa bicyclette qui ont l'air normaux, jusqu'à ce qu'ils disparaissent. Elle se rassied.

« Ce qu'il y a de bien dans cette ville, c'est qu'on peut trouver une chambre d'hôtel pour onze dollars

179

la nuit. À condition de choisir un endroit miteux avec un casino au rez-de-chaussée. Ils doivent espérer vous soutirer votre argent par d'autres moyens.

– C'est déjà fait, commente grand-mère.

– Cent dix dollars ! J'ai envie de me tirer une balle dans la tête. »

Turtle voit ses mains et pense : *c'est mes mains.*

« Ça, c'est si tu t'étais arrêtée quand tu gagnais. C'est pas avec cent dix dollars que tu as démarré.

– Non, on a démarré avec cinquante.

– Alors, c'est tout ce que tu as perdu.

– Pourquoi est-ce que je n'ai pas arrêté ?

– Parce que tu spéculais. Si tu pouvais gagner cent dix dollars avec cinquante, pourquoi n'en aurais-tu pas gagné mille avec cent dix ?

– Quelle idiote je suis.

– Pas plus idiote que n'importe qui d'autre dans cette ville, ma chérie. Regarde donc tous ces néons, et dis-moi un peu qui paie les notes d'électricité.

– La chance était avec nous.

– Voilà qui paie. Monsieur et Madame Lachance-est-avec-nous.

– Nous avons trouvé les cinquante dollars sur le pare-brise de la voiture. C'est Turtle qui les a vus. » Elle jette un coup d'œil dans le rétroviseur et sourit. Autour des yeux, sa peau est rouge et blanche. « On avait l'impression que cet argent était magique. » Elle a un de ces rires qui signifie qu'il n'y a pas de quoi rire. « Je comprends toujours pas comment on peut mettre deux cents pièces de vingt-cinq *cents* les unes après les autres dans une machine à sous et ne rien gagner du tout. »

Grand-mère rit. « Tu dois tenir un peu de ton père. Foster était un flambeur.

– Maman, tu as un papa ? » demande Turtle. Mais elles n'entendent pas.

« Plus doué que moi, j'espère, poursuit Taylor.

– Oh non, comme joueur il valait pas un clou. Si un orage menaçait il te pariait qu'il ne pleuvrait pas, juste pour pimenter un peu sa journée. Un jour il a parié avec un homme qu'il pouvait courir plus vite que son chien.

– C'était quel genre de chien ?

– Je sais pas, mais il a laissé Foster sur le carreau. Si le chien avait lapé autant de Old Grand Dad que Foster, Foster aurait peut-être eu sa chance. »

Turtle ouvre grand la bouche et dit : « Maman, tu en as un de Old Grand Dad ? » Sur le siège avant, elles éclatent de rire en même temps. Un vrai rire, pas de l'air qui sort. Elles ont des têtes sur leurs corps, des bouches qui rient, et des mains ; elles ont l'air normal. Turtle aussi a des mains. Elle s'allonge et serre ses bras autour d'elle.

« Tu nous as vues ? Trois cinglées dans une ville de paumés. » Taylor presse la main d'Alice posée sur la table. L'hôtel s'appelle le Delta Queen Casino, et le café est décoré sur le thème de l'embobineur : sur le mur sont accrochées des photos encadrées de Clark Gable dans le rôle de Rhett dans *Autant en emporte le vent* et de Paul Newman dans *L'Arnaque*. Les chaises rouges en plastique ont l'air de sortir du marché aux puces. En musique de fond, un chœur de ding-dong réguliers et sonores, le bruit des pièces dans les machines à sous, que Taylor reçoit comme une pluie de petites gifles. Elle ne se remet pas de s'être comportée comme la dernière des imbéciles. La seule chose qu'elle espérait vraiment était de

181

sortir du lot. Elle serre les dents en direction de l'écran de télé perché au-dessus du bar, où clignotent des lettres colorées et des chiffres pour que les gens qui ne veulent pas perdre de temps puissent jouer au Keno tout en mangeant.

Alice fait la conversation à Turtle. « Est-ce que ça te met en colère quand les vieilles dames font des tas de manières et te disent que tu as grandi de trente centimètres ? »

Turtle secoue la tête.

« Eh bien, c'est le cas. » Elle penche sa tête grise vers celle de Turtle et parle avec sérieux, sans condescendance. « Tu es une grande fille avec de longues jambes maintenant, plus un bébé. » Taylor regarde ; sa propre enfance est en train de se rejouer à cette table, comme une partie de cartes. Alice sait toujours ce dont on a besoin.

« Taylor m'a dit que tu savais écrire ton nom. » Alice plonge la main dans son immense sac à la recherche d'un stylo et fait glisser une serviette sur la table en direction de Turtle. « Tu peux me montrer ? »

Turtle secoue la tête à nouveau.

« C'est pas grave. Tu sais quand même le faire, n'est-ce pas ? Si tu as besoin de signer un chèque ou autre chose, on sait qu'on peut compter sur toi. Pas la peine de gaspiller une signature sur une serviette. »

Elle laisse le stylo sur la table. Du casino monte un cri : « Hourra ! », suivi par une pluie bavarde de *quarters* dans le jackpot. Taylor craint de se remettre à pleurer. Elle cache son visage derrière le menu en plastique. « Qu'est-ce que tu veux pour dîner, Turtle. Un verre de lait, et puis quoi d'autre ? »

182

Turtle hausse les épaules. Taylor voit son geste sans même regarder.

« Du fromage grillé ?

– D'accord. »

Taylor quitte des yeux la carte des spécialités du jour et dit à Alice : « On finit par se sentir hypnotisé, assis comme ça à écouter les pièces. Au bout d'un moment on se dit : "Depuis que ça dure, mon numéro va bien finir par sortir." Et on fourre la main dans sa poche et il n'y a rien d'autre qu'un papier de chewing-gum. »

Alice lui serre la main.

À une table voisine, une femme et son mari se disputent. Ils ont des tenues assorties, jeans et chemises à franges que pourraient porter des cow-boys, ou des gens qui tiennent une boutique style western. La femme a des cheveux sans couleur coulés dans un moule de laque, si bien que toute leur masse l'accompagne chaque fois qu'elle tourne la tête. L'homme paraît très vieux. « Cinq cents dollars », ne cesse-t-il de répéter, comme le distributeur de monnaie parlant du casino qui change vos billets en dollars d'argent. La femme dispose de tout un registre de réponses dont « Bordel » et « Tu ferais même pas la différence entre ton trou du cul et la route de Chine ». Soudain elle se lève et se met à le frapper à la tempe avec son sac. Ses cheveux figés remuent frénétiquement. L'homme baisse la tête et accepte les coups comme s'il savait depuis le début qu'ils allaient venir, telle la tarte au moment du dessert. Taylor est soulagée que Turtle tourne le dos à la scène.

« Je ne sais pas ce que j'aurais fait si tu ne m'avais pas dit que tu lâchais tout pour venir, dit-elle à Alice. J'étais vraiment au bout du rouleau.

183

– Il se trouve que ça tombait bien. J'avais épuisé les charmes du mariage et j'avais besoin d'un projet. Est-ce que t'as des nouvelles de... », elle dirige lentement son regard vers Turtle puis revient à Taylor.

« On peut en parler, maman. Turtle est au courant. J'ai appelé Jax hier soir et il m'a dit qu'il n'y avait rien de nouveau. »

Elles regardent toutes deux Turtle, qui tient le menu tout près de son visage et récite doucement les noms des différents plats.

La femme qui tapait sur son mari s'assoit pour reprendre son souffle. Elle tire énergiquement sur sa cigarette, comme si le seul oxygène à sa disposition ne pouvait venir que de cette source.

« C'est la zone crépusculaire de l'humanité, annonce Taylor. Voilà ce que dirait Jax à cet instant : " Nous sommes entrés dans la zone crépusculaire de l'humanité. Inclinons la tête pour quelques instants de prière silencieuse. "

– Si tu veux mon avis, il est en train de faire de toi une cynique », dit Alice. Puis elle ajoute : « Cette serveuse là-bas au fond nous observe avec des petits yeux ronds de cochon.

– Je sais. J'espère qu'elle en a pour son argent. »

Turtle se tord sur son siège pour apercevoir la serveuse en question.

« Au fait, comment il est avec toi ce Jax ?

– Oh, il est très gentil. Trop gentil. Je ne le mérite pas.

– Allons. Tu sais très bien que si. »

Taylor sourit. De sa main gauche, celle qui ne tient pas celle d'Alice, elle pose le menu et se frotte l'os derrière l'oreille gauche. « Oui, je le sais.

« – Tiens, je le vois exactement avec cette tête-là. »
Elle désigne du doigt la photo de Rhett Butler.

Taylor éclate de rire. « C'est son portrait craché.
À condition de laisser de côté les cheveux, le visage,
le corps et les moustaches.

– Eh bien, il parle comme lui, c'est tout. Un gentleman du Sud. Sauf qu'il lui arrive de dire des choses
vraiment bizarres. Il est très marrant au téléphone.

– Je suis contente qu'il te plaise. Mais tu sais, il
me demande tout le temps si je ne serais pas amoureuse de notre éboueur. Il est loin d'avoir l'assurance d'un Rhett Butler.

– Si tu as du mal à rester avec lui, c'est ma faute.
Dans l'éducation que je t'ai donnée, les hommes
n'étaient pas prévus au programme. Je crois que
dans la famille, le célibat c'est héréditaire.

– Tu n'es pas responsable, maman, ça ne m'a jamais
manqué de ne pas avoir de père. Et en plus je pense que
ta théorie ne tient pas debout. Mon amie Lou Ann a
grandi sans père, et elle a l'impression que si elle n'a pas
d'homme à la maison, elle ne vaut pas un pet de lapin.

– En tout cas, toi tu vaux de l'or, ma chérie, ne
l'oublie jamais. Tu mérites le roi de France.

– Peut-être que c'est ça mon problème. Jax n'est
certainement pas le roi de France. »

La serveuse aux yeux de cochon se dirige vers leur
table et se plante devant elles pendant que trois
verres d'eau glacée transpirent dans ses mains. Elle
est bronzée et blonde, d'une beauté presque agres-
sive, avec ses cheveux emprisonnés dans une queue
de cheval ; ses mâchoires et ses pommettes saillent
sous sa peau comme si quelque chose en elle ne
demandait qu'à éclater. Finalement elle dit : « Oprah
Winfrey, c'est ça ? »

Alice esquisse un sourire surpris, sourcils relevés, langue contre les lèvres. Taylor attend une seconde et demande : « C'est tout ce que vous voulez savoir ?

– Je vous ai vue chez Oprah Winfrey, non ? L'émission où la décapotable Barbie Dream a été utilisée pour sauver la vie d'une petite fille ? Je l'ai enregistrée. C'est bien vous, n'est-ce pas ?

– Si on veut. »

Elle plante les verres d'eau sur la table avec conviction.

« J'en étais sûre ! Quand vous êtes entrées, je vous ai vues vous asseoir ici dans mon périmètre. "C'est elles, c'est elles ! " je me dis, et les autres filles qui font "T'es cinglée", mais j'avais raison. J'en étais sûre. »

Elle extrait un crayon et un carnet de la poche de son uniforme échancré, une tenue rouge pleine de fanfreluches. Elle reste là à les regarder. Vue de près, décide Taylor, elle a une place légèrement à part dans l'espèce humaine, avec ses cheveux d'une couleur artificielle, jaune vif, sa petite frange bouclée, et son fard à paupières qui déborde largement de ses yeux. Son corps est de ceux qu'on remarque même si l'on n'a pas une passion pour les top models.

« Je crois que nous sommes prêtes à passer commande, dit Taylor.

– D'accord.

– Un verre de lait, deux Cocas, trois fromages grillés. »

La serveuse n'écrit rien.

« Vous avez l'émission d'Oprah Winfrey sur cassette ? C'est étonnant, remarque Taylor.

– J'ai probablement la plus importante collection privée du monde entier d'objets en relation avec les poupées Barbie. Vous connaissez le musée Barbie à Palo Alto en Californie ? Eh bien, j'y suis allée dix fois, alors je sais exactement ce qu'ils ont, toutes les pièces originales qui doivent bien coûter, dans leur boîte d'origine, je sais pas moi, quelque chose comme mille dollars. Celles-là je les ai pas. Mais j'ai des cassettes vidéo et d'autres choses qu'ils n'ont pas à Palo Alto. Cette gamine qui est rentrée dans le chien avec la décapotable Barbie Dream et a sauvé la vie d'une petite fille, c'est une amie à vous ?

– Non », répond Taylor.

Taylor et Alice se regardent. Turtle se frotte le nez. La serveuse cligne des yeux, deux fois exactement. « Donc un lait, deux Cocas, trois fromages grillés, rien d'autre ?

– Si, j'ai changé d'avis, dit Alice. Je voudrais le sandwich à la dinde. On a tellement attendu que j'ai vraiment faim maintenant.

– Désolée ! » fait la serveuse qui part comme une flèche en direction de la cuisine sur ses talons rouges compensés.

« C'est le comble, fait Alice. Je ne me doutais pas que j'appartenais à une famille célèbre dans le monde entier.

– Maman, ça n'arrive pas tous les jours. Personne ne nous reconnaît jamais à cause de l'émission. C'est pas vrai, Turtle ? »

Turtle approuve d'un signe de tête.

« C'est juste que les serveurs ici sont bizarres. Celui de ce matin était comédien, il n'arrêtait pas de nous raconter des histoires débiles sur la famille Manson.

187

– T'as raison, sinon pourquoi est-ce que les gens viendraient travailler ici ? convient Alice. Ils cherchent à faire carrière dans les night-clubs.

– Ouais, mais celle-ci c'est le pompon. Elle a fait de Barbie son ange gardien. »

13

Un moment de risque et d'espoir

Au Delta Queen Casino on libère les chambres à onze heures ; à onze heures dix-sept Alice a un différend avec le patron. « Tout ce que nous demandons c'est de pouvoir aller manger un morceau, ensuite nous vous débarrasserons le plancher en moins de deux », explique-t-elle. Huck Finn et Tom Sawyer, accrochés au mur derrière le bureau, les observent avec un large sourire.

Le patron a de grosses mains pâles agrémentées de longs poils noirs, et une montre en or sur son poignet qui semble le gêner. « C'est bien volontiers que je vous laisse votre chambre encore une heure, mesdames, mais je vais me trouver dans l'obligation de vous compter une journée entière.

– Pour dix-sept minutes. Parce qu'il y a une foule de gens qui sont là à tambouriner à votre porte et que vous êtes obligé de les renvoyer, c'est ça ? » dit Alice en le regardant droit dans les yeux. L'endroit est désert, peut-être même fermé pour raison sanitaire. Les taches brunes de café sur le registre du patron ressemblent à une carte du monde qu'aurait pu utiliser Christophe Colomb. Sur la porte d'entrée, du carton a été scotché à la place des vitres.

« Très bien, déclare Alice en le regardant dans les yeux, nous partons. Notre chambre est vide. On a laissé la clé en haut dans le cendrier. On a libéré la chambre à dix heures cinquante-neuf exactement. » Elle croise les bras, le défiant de monter vérifier en vitesse qu'elle dit bien la vérité. Ses sourcils broussailleux se chargent de sueur sous le regard d'Alice. Il appartient à cette race d'hommes qui ont un tronc si sphérique qu'on ne peut s'empêcher de se demander comment tiennent leurs pantalons. Il n'y a pas le moindre risque qu'Alice perde son pari. Quand elles auront payé, Taylor pourra tranquillement monter faire les bagages, et redescendre par la sortie de secours.

« On se retrouve en face à la crêperie », murmure Alice à Taylor, avant de prendre la main de Turtle et de se diriger vers la porte d'entrée. Taylor n'a aucun mal à lire dans ses pensées. Tom Sawyer et Huck Finn.

« Las Vegas, c'est plus ce que c'était, dit Alice à Turtle alors qu'elles attendent de l'autre côté de la rue. J'y suis déjà venue, avec le papa de ta mère. Mais avec tous ces jeux vidéo ça a complètement changé. »

À la vérité, Alice pense que Las Vegas était bien plus passionnant la dernière fois. Elle revoit des gens attroupés autour d'une table de feutre vert, chacun apportant à cette pièce enfumée son histoire et ses désirs, tous unis dans un moment de risque et d'espoir. En un sens, c'était comme à l'église, sauf que les vêtements étaient plus intéressants.

Maintenant les tables de feutre vert ont pratiquement disparu ; Las Vegas n'est plus qu'une gigantesque salle de jeux vidéo. Black-jack, poker, on

190

peut jouer à tout, assis devant une machine. Hier soir elles ont fait un tour au Caesar Palace, juste pour s'amuser, et à l'intérieur de l'immense casino il y avait cinq cents personnes affalées devant leur machine, le regard vide, totalement seules, à introduire leurs jetons. Apparemment, pense Alice, les Américains aujourd'hui préfèrent perdre leur argent en privé.

La crêperie « La reine des abeilles », au moins, est propre et ensoleillée. Alice y retrouve sa bonne humeur. Chaque table offre trois qualités différentes de miel dans des récipients en forme de feuilles de trèfle, et les serveuses bourdonnantes portent des serre-tête à antennes avec de longs ressorts terminés par des boules jaunes. Alice et Turtle se sont installées dans un box près de la fenêtre, la tête de Turtle est nimbée de lumière. Alice, qui écrit pour Turtle des mots sur sa serviette, a découvert qu'elle adore les rimes. « Mon ballon rond fait des bonds. » Turtle baisse la tête et rit de bon cœur. Sa peau contre son T-shirt blanc est d'un brun velouté, et quand elle secoue la tête sa frange souple forme sur son front de longs V inversés.

« Un vrai escroc ! déclare Taylor, hors d'haleine, alors qu'elle surgit dans le box près de Turtle. J'ai été obligée de déclencher l'alarme pour pouvoir sortir par la porte de derrière. Ce type va accrocher notre photo dans l'entrée. » Taylor s'assoit, ferme les yeux, et laisse aller sa tête contre le haut dossier. Ses longs cheveux glissent derrière ses épaules comme un rideau qui s'ouvre. Elle expire bruyamment, heureuse. « Maman, il fait déjà une chaleur d'enfer dehors. On va griller dans la voiture. » Taylor est vêtue d'un T-shirt rose pâle, note Alice – couleur

qu'autrefois elle mettait un point d'honneur à détester. Il fallait toujours qu'elle porte des couleurs bien
franches, rouge, violet, orange, parfois les trois à la
fois. Alice prend conscience d'une chose importante
à propos de sa fille : elle est devenue mère, pas de
doute. Elle a changé comme seule la maternité vous
change, on oublie qu'on a un jour eu du temps pour
les petites choses comme détester la couleur rose.

Être assise en compagnie de sa fille et de sa petite-
fille dans un box où brillent au soleil trois variétés de
miel, voilà qui remplit Alice de satisfaction. La peau
de Taylor est beaucoup plus claire que celle de
Turtle mais ses cheveux sont presque aussi noirs, et
elles ont en commun quelque chose de physique,
une belle façon de se tenir immobiles. Alice se
répète que ce n'est pas dans le sang, elles ont appris
ça l'une de l'autre.

« Oh, mon Dieu ! » crie soudain Taylor, les yeux
écarquillés, mais Alice ne voit pas ce qu'elle voit.

« Quoi ?

– La poupée la plus célèbre d'Amérique. »

C'est la serveuse de la veille. Elle se trouve au
comptoir, assise sur un tabouret. On dirait qu'elle a
dormi dans son uniforme rouge, et qu'elle a donné
naissance à un enfant depuis le moment où elle s'est
maquillée. « Seigneur », murmure Alice. Turtle
essaie de voir aussi. Taylor agite la main, avec un
enthousiasme mesuré.

« On devrait l'inviter à se joindre à nous », suggère
Alice. Manifestement la gamine est dans le pétrin.

Taylor lève les yeux au ciel. « Pour qu'elle nous
répète qu'un million deux cent mille paires de
chaussures ont été vendues pour l'usage personnel
de Barbie ? »

192

Alice hésite, mais c'est son instinct maternel qui l'emporte. « Regarde-la donc.

– Bon, d'accord. » Taylor lui fait signe d'approcher, et elle apparaît instantanément, les yeux brillants, un sourire figé dans son visage désespéré.

« Asseyez-vous, mon petit, lui dit Alice. Sans vouloir vous faire de peine, on dirait que vous êtes passée par le trou d'une serrure.

– Non, mais j'ai perdu mon boulot au Delta Queen. » Elle s'empare d'une serviette en papier pour se moucher, puis elle la passe délicatement autour de ses yeux. Alice trouve un miroir dans son sac, ce qui est une erreur. La pauvre enfant y jette un coup d'œil et se met à brailler.

« Je m'appelle Alice », dit finalement Alice en servant du café à la ronde. « Je suis la mère et grand-mère de ces deux célébrités. »

La serveuse a tôt fait de reprendre le dessus : « Moi, je m'appelle Barbie. Pas de nom de famille. J'ai fait des démarches pour changer de nom. Voici ma signature, suivie de la petite marque de fabrique. » Elle s'empare du stylo-bille d'Alice et trace un « Barbie TM » ascendant aux boucles joyeuses sur la serviette de Turtle, juste en dessous de « mon ballon rond fait des bonds ».

« Ma foi, c'est vraiment unique, déclare Alice.

– Je suis née en 1959, l'année où la première Barbie a été conçue et mise sur le marché. Vous trouvez pas que c'est extraordinaire comme coïncidence ? La femme qui l'a inventée a donné à la poupée le nom de sa fille Barbara, et vous savez pas quoi ? Quand je suis née, on m'a appelée Barbara. » Ses grands yeux étonnés font le tour de la table et clignent avec application. Ses cils sont

193

restés extraordinairement longs malgré le désastre qui a ravagé le reste de son visage.

« Pourquoi est-ce qu'on vous a virée ? demande Taylor, histoire de parler d'autre chose.

– Le patron a dit que j'avais passé trop de temps avec vous. Il a dit que je m'occupais pas des autres clients de mon périmètre.

– En tout cas, le couple à la table d'à côté se disputait méchamment, dit Alice pour la réconforter. Je ne crois pas qu'ils étaient pressés d'être servis.

– Je sais. » La bouche de Barbie dessine une moue très particulière. « Cette espèce de mollasson n'arrête pas de me dire des choses stupides. Et les autres serveuses, des lâcheuses ! Elles sont de son côté. Elles disent que j'assomme les gens avec mon dada. Ça me déprime, quoi, qu'elles appellent ça un dada. Barbie, c'est pas un dada, vous comprenez ? »

Alice, Taylor et Turtle ne disent rien, mais Barbie a leur attention pleine et entière.

« C'est une vraie carrière pour moi, d'accord ? J'ai changé de nom et j'ai dépensé tellement d'énergie pour avoir la garde-robe. J'ai treize ensembles complets, à ma taille, que je peux porter. J'étudie les originaux avec beaucoup de soin. Quand quelqu'un a un plan de carrière, je trouve qu'on devrait lui tirer son chapeau, vous êtes pas d'accord ?

– Vous aviez peut-être dans l'idée de jouer le rôle de Barbie dans un night-club ? » demande Alice.

Barbie trempe une serviette propre dans son verre d'eau et la passe à nouveau sur ses yeux. « J'ai pas réfléchi à tous les détails, mais oui, quelque chose dans ce genre. J'ai fait l'anniversaire de Barbie dans un centre commercial à Bakersfield, alors j'ai pensé qu'en étant serveuse dans, je sais pas moi, un casino à Las Vegas, vous voyez ? On rencontre forcément du monde dans des endroits comme ça. La vie est pleine de surprises, pas vrai ? »

Alice songe à la tenue déprimante des filles du Delta Queen. Elle est atterrée par les illusions que se fait cette pauvre fille. Elle est prête à l'adopter sur-le-champ. La serveuse de la crêperie s'approche timidement sur ses semelles de caoutchouc. Elle semble soulagée quand elles commandent toutes le petit déjeuner spécial.

« Il y a une nouveauté très intéressante qui sort à l'automne, annonce Barbie en regardant tour à tour Taylor et Turtle. Le lancement de la nouvelle ligne de poupées Barbie de couleur. Hispaniques et noires. »

Alice comprend avec un choc d'indignation qu'elle examinait la couleur de leur peau. Taylor, qui remue son café, ne semble s'être aperçue de rien. « Tiens, Turtle, tu peux colorier ton set de table, suggère Taylor.

– Je les ai vues en photo, poursuit Barbie en se penchant en avant sur le ton de la confession. J'ai accès en priorité à des informations exclusives sur le sujet. Elles ont l'air identiques au modèle original sauf peut-être qu'ils ont plongé le plastique dans des bains plus foncés. Et aussi, les cheveux sont très particuliers.

– Turtle a une Barbie rasta, dit Taylor. En fait de cheveux particuliers, elle a des tresses blondes. »

Barbie reste bouche bée. « Je croyais que je connaissais tous les modèles qui sont sur le marché.

– Celle-ci n'est pas sur le marché. Il y a trop longtemps qu'elle se balade sous le lit avec les moutons de poussière. »

195

Alice se tourne vers Barbie. « Mon petit, ce qui vous ferait du bien c'est un gant humide et dix minutes dans les toilettes. Prenez donc mon mouchoir et allez vous rafraîchir le visage avant que les crêpes arrivent.

– Oh, merci beaucoup », fait Barbie en s'emparant du mouchoir d'Alice et en se levant comme si elle avait un livre sur la tête.

Sachant très bien ce qui s'annonce, Taylor lève une main : « Maman, je sais que j'ai pas été gentille, mais c'est une cinglée.

– Une cinglée en mal d'affection.

– Elle a trente ans !

-- Et toi tu vas les avoir bientôt. Et en plus, t'as jamais été dans un tel pétrin. »

Taylor boit une gorgée de café. « Je ne vois pas ce qu'on peut faire pour elle.

– Et nous, qu'est-ce qu'on va faire ? demande Alice. Partir d'ici, pour commencer. Cette ville est empoisonnée. Les gens sont tellement obsédés par l'idée de gagner le gros lot qu'ils sont capables de vous écraser sur un passage clouté. On devrait aller en Californie ou à Yellowstone Park. Un endroit sain.

– Tu crois qu'il faut lui proposer de l'aider à quitter la ville ?

– Oui. Si elle est prête à abandonner l'idée de rencontrer un producteur de cinéma au Delta Queen. »

Les crêpes arrivent, suivies de Barbie, étonnamment retapée, mis à part son uniforme froissé. Elles mangent en silence. Alice se demande quelle quantité de maquillage cette femme a sur elle en permanence. Elle décide de laisser l'initiative à Taylor, c'est à elle de voir si elle est prête à prendre un passager supplémentaire. C'est sa voiture, après tout, et c'est sa vie qui a volé en éclats.

« Bois ton lait, s'il te plaît, Turtle », dit Taylor.

Les yeux noirs de Turtle se dirigent vers ceux de sa grand-mère, puis de nouveau vers Taylor. Elle prend le grand verre blanc avec une moue de dégoût.

Au bout de quelques minutes Taylor se lance : « Alors, qu'est-ce que vous comptez faire maintenant ?

– Je prendrais bien une douche, répond Barbie. Mais voilà. Je loge au Delta Queen et je meurs pas vraiment d'envie d'y aller à l'heure qu'il est.

– Je parlais à plus longue échéance.

– Vous voulez dire plus tard dans la journée ? Ou demain ? Saperlipopette, j'en sais rien. Trouver un autre travail, je suppose.

– Vous avez quelque chose en vue ? Parce que si vous voulez mon avis, dans cette ville c'est partout la même chose. »

Barbie regarde par la fenêtre et plisse les yeux. Elle a une expression absolument inédite chez une poupée Barbie. « Merde, fait-elle. Je déteste cette ville. »

Taylor découpe la crêpe de Turtle en petits triangles, et sourit à sa mère.

Après le petit déjeuner elles retrouvent la voiture là où Taylor l'a cachée, dans la ruelle derrière l'hôtel.

« Je monte en vitesse chercher mes affaires, je suis de retour dans dix secondes, dit Barbie.

– Ne dites pas au patron que vous êtes avec nous, fait Alice.

197

– J'y dis rien du tout.

– Maman, c'est de la folie, s'exclame Taylor quand elle a disparu. Nous ne savons rien sur elle, à part qu'il lui manque manifestement une case. Elle pourrait très bien être une tueuse.

– Tu crois qu'elle va nous poignarder avec son crayon à sourcils ? »

Taylor a beau essayer de prendre les choses au sérieux, elle ne peut s'empêcher de sourire. « La prochaine ville, c'est tout, maman. Je sais que t'as un cœur gros comme une maison, mais tu vis à Pittman depuis des années, et le monde a changé. Tu ne regardes pas *Perdu de vue* ? C'est dangereux de prendre des auto-stoppeurs.

– Nous sommes plus ou moins responsables. Elle s'est fait virer parce qu'elle nous parlait.

– Je suis sûre qu'elle saoule tout le monde avec ses histoires de Barbie.

– Ouais. Mais toi et Turtle c'est différent. Elle vous a vues dans une émission d'Oprah Winfrey consacrée presque entièrement à Barbie. » Alice fait un clin d'œil complice.

« Maman, tu me tues. J'aurai jamais le dernier mot avec toi. » Elle regarde sa mère, dans son chemisier ivoire et son pantalon lavande, prête à prendre la route.

« Qu'est-ce que tu veux qu'on fasse d'autre ? S'en aller et la laisser en plan ? »

Elles se tournent toutes deux vers la porte de secours du Delta Queen. Turtle est déjà installée au milieu du siège arrière, son poste habituel, prête elle aussi pour la suite des événements.

« Tu crois qu'on va réussir à caser les treize ensembles Barbie dans la voiture ? demande Taylor.

198

« – On verra bien.

– Jusqu'à la frontière de l'état, pas plus loin, on est bien d'accord ? Peut-être qu'elle aura plus de chance au lac Tahoe. Peut-être que c'est là qu'habite Ken.

– On verra bien », répète Alice.

Barbie a mis plus de dix secondes, mais moins d'une demi-heure. Elle apparaît, dans un ensemble de voyage avec gants blancs et chapeau. Le reste de ses tenues ne remplit que deux valises et un carton à chapeaux, et tient facilement dans l'immense coffre de la Dodge. Pendant que Taylor met de l'ordre dans leurs affaires à l'arrière de la voiture, Barbie serre son sac noir carré d'un geste possessif, nerveuse. Elle bâille et s'étire comme on ne le fait pratiquement jamais dans la vie. « Que je suis fatiguée ! s'exclame-t-elle. Je peux faire un petit somme sur le siège arrière ? »

Turtle acquiesce d'un mouvement de tout le corps et s'installe à un bout du siège pour laisser à Barbie la place de s'allonger. Alice monte à l'avant et tire à elle la portière, pratiquement aussi lourde qu'elle. Même sans destination précise, Taylor, assise au volant, semble détendue.

Depuis un pont autoroutier, Alice aperçoit le désert qui s'étend tout autour d'elles. « Miséricorde ! Regarde donc ce qui nous attend. Du désert et encore du désert.

– Oui. Je crois que c'est pour ça que Las Vegas est ce qu'il est. Ça doit être la seule poubelle à cent miles à la ronde. Alors toutes les ordures finissent forcément ici. »

La ville est maintenant derrière elles. Elles filent à travers les faubourgs, des rangées et des rangées de maisons de brique carrées flanquées de jardinets qui n'essaient même pas de faire semblant : pas de fleurs, tout juste des buissons. Au coin d'un carrefour absolument désert, deux petites gamines à la peau basanée ont installé un stand de citronnade. Ce n'est pas leur jour de chance. Sur leur écriteau de carton les prix ont été barrés les uns après les autres. Le dernier en date annonce : CITRONNADE, VOTRE PRIX SERA LE NÔTRE.

14

Fiat

« Nous franchissons la ligne d'arrivée de la race humaine, entonne Jax en ré majeur. Si vous voulez voir qui gagne, alors n'arrivez pas premier. » Pas très satisfaisant, mais il le note tout de même au dos d'une enveloppe, une facture de téléphone qu'il n'a pas encore eu le temps d'ouvrir.

Jax écrit sa chanson dans la Fiat de Gundi. La voiture, momentanément dépourvue de colonne de direction, stationne dans un terrain vague situé entre Rancho Copo et une ancienne institution pour adultes attardés. Comme beaucoup de musiciens qui se sont essayés à chanter dans des lieux divers, il a le sentiment que c'est à l'intérieur d'une petite voiture que sa voix révèle ses meilleurs atouts. Jax n'a pas de petite voiture, et même pas de voiture du tout, il emprunte donc celle de Gundi. Pour des raisons d'acoustique, il tient les vitres fermées, et comme on est au mois de juillet, il transpire abondamment. Sa peau lui fait penser à celle d'un marsouin. Il baisse la vitre pour respirer un coup. Au dessus de la maison un faucon plane dans l'air. Le dessous de ses ailes est tout blanc. Il est là depuis des heures. Réduits au silence, les moineaux de l'abricotier attendent la mort, chacun espérant survivre à son petit congénère à plumes.

C'est Turtle qui devrait être là avec lui. Elle adore lui tenir compagnie dans la Fiat de Gundi en toutes saisons sauf en été. Souvent même elle lui trouve un ou deux couplets.

Taylor aussi lui manque, terriblement. Il y a douze jours déjà qu'elle est partie, et pas de retrouvailles en vue. L'arrangement de Taylor et de Jax, pour ce qui est de la fidélité, n'est pas bien défini : Taylor a dit à Jax que dans la mesure où elle n'était pas près de revenir, s'il avait envie d'être avec quelqu'un d'autre, ça ne la gênait pas. « C'est pas comme si nous étions mariés », a-t-elle ajouté, et Jax a eu l'impression que le petit arbre vert qui poussait au centre de leur lit avait été brutalement coupé à la racine. Lui, ça le gêne que Taylor aille avec quelqu'un d'autre. Il a envie qu'elle porte son nom tatoué sur sa personne, ou qu'elle lui fasse un enfant. Ou les deux. Jax aimerait avoir un enfant à lui. Turtle et lui l'emmèneraient au parc observer les mœurs des canards. Il aurait un de ces cocons à fermeture Éclair en velours côtelé, avec son bébé qui gigoterait dedans, en attendant la métamorphose. Il se voit très bien en père phalène.

Il lève les yeux vers le terrain vague et aperçoit quelqu'un qui se dirige vers lui à grandes enjambées. C'est Gundi, propriétaire de la Fiat, et de sa maison. Aujourd'hui elle est habillée. Elle avance sans peur parmi ses amis intimes les cactus, tout en agitant dans sa direction un petit bout de papier vert. Jax ne sort pas de la voiture. Il pose son clavier portable et passe le coude par la portière, comme un conducteur qui attend à un feu rouge.

« Une lettre recommandée pour toi, Jax », lui crie Gundi de sa voix mauve soyeuse aux *r* étrangers fortement accentués. Elle lui tend le morceau de papier vert, mais il continue à écouter les sombres vallées sculptées de ses *r*. « Une lettre recommandée pour toi. » S'il s'appelait Robert, la phrase aurait été musicalement parfaite.

« C'est une lettre ? » finit-il par demander.

Elle rit, un rire mauve et soyeux. « Il faut que tu signes ici. Viens, Bill attend. Il dit qu'il ne peut pas donner la lettre à quelqu'un d'autre que toi. Ce doit être très important. »

Jax s'empare de son clavier et suit Gundi le long du chemin invisible qu'elle trace d'instinct dans le désert. Elle se déplace comme un serpent, sa chevelure blonde caressant la crête de ses omoplates. Ses sandales de cuir sont de celles qu'affectionnent les adeptes du yoga et les pacifistes, mais le reste de sa tenue est plus agressif : quelque chose qui ressemble à un soutien-gorge noir – il ne le distingue pas très bien de derrière – et une jupe composée d'un tas de longs foulards, transparents juste ce qu'il faut.

Bill le facteur attend patiemment dans son short bleu sur le devant de la maison de Gundi. Il a déposé une bonne pile de lettres et de catalogues dans la petite niche près de la porte, où tous les résidents de Rancho Copo viennent chercher leur courrier. La niche de pierre abritait autrefois une statue de la Vierge mais Gundi l'a remplacée il y a longtemps par une de ses sculptures, un chien aux couleurs éclatantes avec un perroquet dans la gueule.

« Mr. Jax Thibodeaux ? demande le facteur.

– Lui-même. » Si Jax portait un chapeau, il pourrait l'ôter et faire une courbette.

« Pouvez-vous me présenter un quelconque papier d'identité ?

– Oh, où ai-je donc la tête ? Je vous présente Jax », fait Gundi avec un ample geste du bras destiné à mettre tout le monde d'accord, et la lettre est instantanément déposée dans la main de Jax. Gundi embrasse Bill, qui n'est pas particulièrement jeune, sur la joue, et il s'en va. Étant originaire d'Europe, Gundi embrasse tout le monde, y compris sans doute les exterminateurs qui font une apparition de temps à autre pour débarrasser les fondations des termites.

« Jax, maintenant tu vas entrer et me raconter ton secret. »

La lettre, postée dans l'Oklahoma, est écrite sur du papier à l'en-tête de la Nation cherokee. Jax n'a pas spécialement envie de la lire en présence du soutien-gorge noir de Gundi, mais il pénètre tout de même à sa suite dans la grotte qui lui tient lieu de hall d'entrée, et de là, dans son atelier inondé de soleil. Les curieuses petites maisons de Rancho Copo tombent toutes en ruines les unes après les autres, mais Gundi a fait beaucoup de travaux ici dans la maison principale. Les fenêtres du mur ouest qui s'élèvent jusqu'au plafond offrent une vue spectaculaire des montagnes.

« Assieds-toi ici », ordonne-t-elle en désignant les coussins turquoise de la longue banquette placée sous la fenêtre. Jax pose son clavier, et s'installe à l'extrémité de la banquette, le dos contre le large appui de fenêtre, les jambes déployées sur les coussins. Il tient la lettre à bout de bras, regarde Gundi, et laisse tomber la missive sur ses genoux.

« Ce sont de mauvaises nouvelles. Voilà ce que je peux te révéler sans autre forme de cérémonie. » Il croise les bras.

Gundi amorce un pas, hésitante. « Dans ce cas, je vais te laisser et aller faire un pot de thé à la framboise. Quand je reviendrai, il faudra que tu me dises ce qui peut bien être d'une telle importance et d'une telle gravité qu'on te demande de prouver, papiers à l'appui, que tu es Mr. Jax Thibodeaux. » Elle prononce le nom correctement, la première personne à le faire depuis des années, mais Jax s'efforce de ne pas se sentir trop reconnaissant, il n'y a sans doute là rien que de très fortuit, elle n'est pas née ici.

Une fois seul, il ouvre un côté de l'enveloppe et constate que la lettre est frappée du même sceau de la Nation cherokee, une étoile à huit pointes à l'intérieur d'une couronne de feuilles.

Cher Jax,

J'ai été heureuse de vous rencontrer à Tucson. J'ai le sentiment que vous êtes un homme de sagesse et de cœur. Je désire vous dire avec franchise que je suis inquiète pour Turtle. J'ai consulté Andy Rainbelt, psychiatre qui travaille avec des enfants cherokees, et il m'a donné l'autorisation de vous écrire au nom de notre organisme d'aide sociale. Il est encore, à son avis, prématuré d'entreprendre des démarches officielles, mais il est extrêmement important que Taylor prenne contact avec la Nation, il y a des choses qu'il faut qu'elle sache. J'ai la conviction que vous lui transmettrez ces informations.

Il est difficile, je le sais, pour ceux qui ne sont pas Indiens de comprendre la valeur de l'appartenance à une tribu, mais je sais que vous vous sentirez concerné

*par les problèmes que Turtle va devoir affronter.
C'est dans cet esprit que je fais appel à vous. Les
enfants indiens qui ont été adoptés rencontrent toujours des problèmes à l'adolescence lorsqu'ils ont été
élevés en dehors de toute identité indienne. Ils sont
allés à l'école avec des enfants blancs, se sont assis
tous les soirs à la même table que leurs parents et
frères et sœurs blancs, et ils se sont constitué une identité à l'image du miroir familial. Si vous leur
demandez ce qu'ils pensent des Indiens, ils évoque-
ront les westerns à la télé et la fameuse pièce* Hiawa-
tha *parce qu'ils l'ont jouée à l'école. Ils pensent que
les Indiens appartiennent à l'histoire.*

*Si ces enfants pouvaient rester toute leur vie sous la
protection de leur famille adoptive, alors tout se pas-
serait bien pour eux. Mais quand ils arrivent au lycée
commencent les pressions que l'on exerce sur eux, ils
ne peuvent pas avoir des petits amis blancs. Ils entendent des noms désobligeants associés à leur identité
raciale. Si vous vous imaginez que ces préjugés chez
les adolescents sont aujourd'hui révolus, vous faites
erreur. Voici la découverte qui attend ces enfants : ils
ne se sentent pas Indiens, mais ils vivent dans une
société qui ne les laissera pas continuer à être blancs
non plus. Pas au-delà de l'enfance.*

*Mon patron pense que je suis folle de m'obstiner
sur ce cas, mais il faut que je vous dise quelque chose.
Autrefois j'avais un frère. Il s'appelait Gabriel. Pendant toute notre enfance nous avons partagé les
mêmes jeans et les mêmes secrets, chacun à notre tour
nous répondions présents quand notre oncle disait
« Qui a fait cette bêtise ? » Gabe était mon* ayehli,
*mon autre aile. Quand j'avais dix ans, ma mère a été
hospitalisée parce qu'elle était alcoolique et avait*

206

toutes sortes de problèmes. *Les travailleurs sociaux ont liquidé notre famille :* mes frères aînés sont partis avec mon père, qui avait une entreprise de construction dans le comté d'Adair. *Je suis restée avec mon oncle Ledger. Et Gabe a été adopté par une famille au Texas.* Personne ne m'a jamais expliqué pourquoi il en avait été ainsi. *Je suppose qu'ils ont estimé que* mon père pouvait s'occuper de fils adultes en mesure de subvenir à leurs propres besoins, mais pas de Gabe et de moi. Quant à Gabe, le travailleur social connaissait sans doute un couple qui voulait un petit garçon – quelque chose d'aussi simple que ça. *Il* m'écrivait des lettres sur du papier effrangé arraché à ses cahiers à spirales. Je les ai encore. Au Texas, il faisait chaud et ça sentait le poisson. Ses nouveaux parents lui avaient dit de ne pas dire à l'école qu'il était Indien, sinon on le traiterait comme un Mexicain. *Il me demandait : « C'est mal d'être Mexicain ? »*

Il s'est malgré tout retrouvé dans les mêmes classes que les Mexicains ; ses parents étaient les fanatiques les plus naïfs qui soient, ils n'ont jamais compris que la couleur de la peau a plus de poids qu'une parole d'enfant. Gabe n'a pas réussi à l'école parce que ses professeurs lui parlaient espagnol et qu'il ne les comprenait pas. Les petits Mexicains le tabassaient parce qu'il ne portait pas des pantalons larges et ne marchait pas les mains dans les poches. Quand nous avions treize ans, il m'a écrit que sa nouvelle maman avait fermé la porte de sa chambre, était venue s'asseoir au pied de son lit et lui avait dit calmement qu'il décevait sa nouvelle famille.

À l'âge de quinze ans, il a été complice d'un vol à main armée à Corpus Christi. Maintenant je sais où le trouver seulement quand il est en prison.

Vous avez dit, le soir où nous nous sommes ren-
contrés, que je ne voyais qu'un côté des choses. J'ai
réfléchi à cela. Je comprends l'attachement d'une
mère à ses enfants. Mais si vous avez raison, s'il est
vrai que je n'ai pas d'autre choix qu'être un oiseau de
proie qui arrache la chair pour ne pas être déchiré lui-
même, c'est parce que je comprends ce que représente
le mot attachement. Voilà quel faucon je suis – j'ai
perdu une de mes ailes.

Je me demande ce que vous donnez aujourd'hui à
Turtle qu'elle pourra garder. Bientôt quelqu'un se
chargera de lui dire qu'elle n'est pas blanche. Un gar-
çon lui fera cette plaisanterie de mauvais goût : lui
montrer la squaw de la margarine Land O' Lakes
avec au niveau de la poitrine un rabat découpé et les
seins derrière, et lui demandera : « D'où vient le
beurre ? » Le soir du bal du lycée, il faudra que Turtle
comprenne pourquoi aucun parent blanc n'est heu-
reux de la prendre en photo au bras de son fils. Que
possède-t-elle qui lui permette de triompher de toutes
ces difficultés pour devenir une adulte sereine ? En
tant que citoyenne de la Nation de Turtle, en tant que
sœur de Gabriel Fourkiller, je veux que vous compre-
niez pourquoi elle ne peut pas vous appartenir.

Sincèrement à vous,
Annawake Fourkiller.

15

Communion

« Ça n'est pas si difficile que ça à prononcer, ton nom, dit Gundi. C'est cajun, non ? Un nom du bayou. » Les coussins turquoise sont étalés par terre autour d'eux, la tête de Jax posée sur les genoux de Gundi. Il ne reste plus de thé à la framboise ; ils ont dépassé ce stade de la consolation.

« Mon père était un alligator, dit Jax qui trouve plutôt agréable d'être pris en pitié. Il n'a mordu qu'une fois.

– Et les gens qui ne comprennent pas ton nom, qu'est-ce qu'ils disent ?

– Thimble Dukes.

– Et ta copine ?

– Elle dit : "Jax, mon chou, tu vas bouger tes grosses fesses et ramasser tes chaussettes." » Il pose ses longues mains sur son visage et frotte intensément ses orbites.

Gundi caresse les cheveux de Jax. « Je suis vraiment désolée de cet étrange désastre qui a fait irruption dans ta vie.

– Moi aussi. » Jax se redresse, mettant quelques centimètres de coussins turquoise entre Gundi et lui. Ses paroles semblent sortir d'un roman gothique du

XIXe siècle avec un esprit du XXe. « Ça m'ennuie beaucoup que Taylor et Turtle en soient réduites à vivre dans une Dodge Corona. Cet aspect de la situation est désastreux, je te l'accorde. Quant au reste, j'en sais trop rien. » Jax prend sa tasse et goûte sa chaleur contre les paumes de ses mains. Ils boivent du saké. Gundi pense qu'il faut boire chaud quand il fait chaud. Le soleil de l'après-midi à travers les fenêtres à l'ouest a fini par perdre de son hostilité, mais la peau de Jax est restée salée après sa séance dans la Fiat de Gundi. Elle a fait une remarque sur le goût de sa peau, un peu plus tôt ; quand elle lui a mis une tasse de thé entre les mains et l'a embrassé sur le front.

« Et si cette Fourkiller avait raison ? demande-t-il. Examinons le point de vue de la partie adverse, juste pour la forme, d'accord ? Et si le mieux pour Turtle était qu'elle retourne là-bas ?

– Tu veux dire de façon permanente ?

– Je crois que c'est ce qu'elle veut dire.

– N'y a-t-il pas une autre voie ? » demande Gundi. Sa tête décrit une grande boucle paresseuse et ses cheveux blonds libèrent ses yeux. Ses boucles d'oreilles incrustées de perles scintillent comme de petites étincelles métalliques. « Une voie modérée.

– Malheureusement, la couleur de peau modérée, ça ne se fait pas. C'est blanc ou ça ne l'est pas.

– Ça, je n'en suis pas sûre. Quand j'étais enfant en Allemagne, nous avions étudié une petite histoire à l'école au sujet des Hopis, et ça m'avait donné envie de devenir indienne. Je crois que c'est la raison pour laquelle je me suis installée dans l'Arizona. Des désirs inconscients. Je voulais que mes tableaux soient touchés par les esprits primitifs de ce pays. »

210

Sur le mur derrière elle, face à Jax, est suspendu un portrait en pied de Gundi nue. Elle se tient de profil, les bras écartés, si près d'un cactus que son menton et d'autres points de son corps semblent en toucher imprudemment les piquants. Le tableau est plus réaliste que ceux des précédentes séries, qui représentaient les « humeurs de l'eau ». Elle le vendra plus cher aussi.

« Est-ce que tu crois que des gens comme toi et moi peuvent comprendre la valeur de l'appartenance à une tribu ? »

Elle le regarde, tête inclinée. « Bien sûr, nous aspirons tous à faire partie d'un tout.

— Qu'est-ce que tu désires le plus au monde ? poursuit-il.

— Que mes tableaux soient vraiment extraordinaires », répond-elle sans hésiter.

Elle incline la tête, et sourit. Ses boucles d'oreilles se débattent dans l'air comme des petits poissons pris à l'hameçon. « Qu'est-ce que tu dirais de prendre un bain ? lui propose-t-elle. J'ai une baignoire japonaise, un mètre vingt de profondeur, on y flotte.

— Je ne flotte pas. Je coule comme une Cadillac. »

Gundi éclate de rire. « Non, tu vas voir, c'est extraordinairement relaxant. Je l'ai utilisée presque tous les jours depuis que les ouvriers l'ont terminée. » Jax se représente parfaitement Gundi embrassant tous les ouvriers un par un le jour de leur départ. Elle se lève, et une fois de plus il se sent entraîné par l'irrésistible pouvoir d'attraction d'une femme.

La pièce où se trouve la baignoire japonaise, d'un bleu profond et lisse comme une nuit sans

211

étoiles, est entièrement carrelée à l'exception de la haute fenêtre qui s'ouvre à l'ouest sur une vaste étendue de désert vide. Gundi se dépouille de ses vêtements, qui, soit dit en passant, ne semblaient que provisoires, ce n'est donc pas un acte d'importance. Jax suit son exemple pendant qu'elle a le dos tourné, occupée qu'elle est à régler l'eau fumante. Ils s'installent chacun d'un côté, en attendant que se remplisse le profond trou carré qui les sépare.

Habillé, Jax semble d'une incroyable maigreur, mais sans vêtements il est autre chose. Des membres aux articulations bien dessinées, longs et fins sans excès, exactement comme ses mains. Tout en s'occupant de l'eau, Gundi jette un coup d'œil sur ses jambes étendues sur la faïence bleu foncé. Le robinet luisant devient trop chaud au toucher, et elle l'entoure de ses cheveux pour se protéger les mains quand elle a besoin de le régler. Elle ne porte rien d'autre que ses boucles d'oreilles et une fine chaîne en or à la cheville gauche.

« Que d'eau ! s'exclame Jax, en regardant par la fenêtre les prosopis asséchés. Tu ne te sens pas coupable, avec toutes ces plantes assoiffées qui t'observent ? »

Gundi hausse les épaules. « Ce sont des plantes. » Assise dans la baignoire, le dos très droit, elle affronte Jax de toute la cuirasse de son corps. « Nous n'appartenons pas vraiment à ce désert, toi et moi, dit-elle. Quand nous aurons épuisé toute l'eau et qu'il nous faudra partir, les plantes et les serpents seront bien aise de se débarrasser de nous.

– Et tes désirs hopis inconscients, qu'est-ce que tu en fais ?

212

– Parfois, j'ai l'impression que je suis à ma place dans ce désert. D'autres fois, je me dis qu'il ne fait que me tolérer.

– Comment revendiquerais-tu ta place en tant que citoyenne de la race humaine ?

– Je ne sais pas, répond-elle d'un ton d'excuse. Le droit de vote ?

– Mais comment peut-on appartenir à une tribu et être soi-même en même temps ? On ne peut pas. Si l'on est incontestablement l'un, on n'est pas l'autre.

– Ne peut-on pas alterner ? Être un individu la plupart du temps, et se fondre dans le groupe à l'occasion ?

– C'est bien ainsi que je vois les choses, dit Jax. Disons que je suis blanc et que je ne suis doué d'aucun instinct tribal. Mon état naturel est d'être solitaire, et pour me distraire je me tourne vers l'Église, la drogue, je décapite les poulets à coups de dents, tout ce qui est susceptible de me faire éprouver la communion absolue.

– Les seules personnes que je connaisse à avoir une expérience permanente de la communion absolue sont les yogis et les héroïnomanes. » Gundi tâte l'eau du bout du pied. « Tu crois qu'il est possible d'appartenir à un groupe de manière si solide que l'on n'a pas besoin de s'élever au-dessus de lui ?

– Si j'ai bien compris, c'est ce qui est proposé à Turtle.

– C'est sans doute très romantique. Mais quand je suis allée à la réserve navajo pour acheter des bijoux, j'ai vu des gens qui vivaient dans des maisons de terre effondrées, avec des antennes de télévision et des bouteilles devant la porte.

213

« – Et tu crois que la pauvreté explique tout ? Qu'il n'y a rien de plus important qui pourrait être entassé derrière ces mêmes portes ? »

Gundi ne répond pas. À sa cheville, la fermeture de son bracelet clignote dans la lumière oblique.

« En tout cas, c'était sûrement pas la bonne tactique de refuser de se soumettre aux autorités, remarque Jax.

– Les autorités ? Taylor a été arrêtée ?

– Pas officiellement, moralement. Elle s'est sentie accusée, et elle flippait trop pour passer en jugement. Maintenant elles se sont transformées en fugitives. Et tout se passe comme si Taylor était dans son tort.

– Dans ce cas, pourquoi est-elle partie ?

– Pour la même raison qu'une mère se jettera sur une voiture ou s'offrira aux balles d'un revolver. Pour sauver ses enfants. C'est une question sans réponse. »

Gundi pose ses deux pieds à la surface de l'eau et les regarde un long moment. « Je n'ai pas d'enfants, dit-elle finalement. Je suppose que je ne connais pas cette sorte d'amour.

– Et moi non plus, j'imagine. Passer en second, tout le temps, sans se poser de questions ? Ça ressemble à la sainte communion. »

Gundi arrête l'eau et s'abandonne, pâle crocodile, sur la sombre rive de faïence. « Tu es censé te détendre. Viens dans l'eau, je connais un type de massage pour les corps qui flottent dans l'eau. »

Jax rit. « Le problème, comme je te l'ai dit, est que je ne flotte pas.

– Mais bien sûr que si. Tout corps humain vivant flotte.

214

– Il est théoriquement possible que je sois mort. À toi de décider. »

Il entre dans l'eau brûlante, inspirant lentement. Et progressivement il s'enfonce. D'abord les pieds et les jambes, puis le reste. Il vide ses poumons et les remplit à nouveau juste avant que son visage ne disparaisse sous la surface.

« D'accord, tu ne flottes pas », dit Gundi en l'empoignant sous les bras pour le soulever, dégoulinant et hilare. Ses cheveux sont collés à son crâne et son front brille. « Tu es particulièrement dense, pour un être humain.

– C'est ce qu'on m'a dit. » Des gouttelettes d'eau se sont rassemblées dans ses cils. Gundi les effleure du bout des doigts, sa main descend de son visage vers son cou, puis vers sa poitrine. Les bouts de seins de Jax sont durs. Sa bouche et celle de Gundi échangent une douce pression et leurs langues se saluent, créatures aquatiques aveugles et sans armure, qui se tâtent dans l'espoir de se reconnaître.

Jax se laisse glisser derrière elle et la tient contre lui, le visage enfoui dans sa nuque. Les cheveux de Gundi sont comme un léger voile autour d'elle, encore secs sauf en leurs extrémités, centaines de petits points sombres pareils à des pinceaux à aquarelle, prêts à peindre le monde avec quelque chose de plus que sa lumière naturelle. Jax explore de ses mains son ventre robuste et lustré, en pensant pour la deuxième fois de la journée à des marsouins. Puis il la retourne vers lui, emprisonne doucement sa mâchoire dans une main et pose l'autre sur ses reins, succombant à ce besoin qu'ont les humains, seuls dans le monde animal, de copuler face à face, du moins pour la première fois. Du moins avec un membre inconnu de la tribu.

16

À la dérive

« Mère nymphomane, cinquante-cinq ans, prend la fuite avec le cavalier de sa fille », rapporte Alice.

Barbie, qui à force de rire est en train de mettre en péril son maquillage, s'effondre sur le siège arrière. Turtle demande : « Qu'est-ce que c'est un tavalier ?

– Maman, s'il te plaît, épargne-nous tes explications », intervient Taylor.

Alice passe aux pages intérieures du journal. « Écoutez ça. Une histoire instructive tirée de la nature. Le casoar d'Australie est un oiseau qui s'est montré capable de tuer des humains. Haut de deux mètres quarante, il attaque en faisant un bond spectaculaire et en taillant ses victimes avec ses ongles tranchants comme un rasoir.

– Maman, ce n'est pas ce que j'appelle instructif », remarque Taylor en plissant les yeux en direction de l'autoroute.

Alice poursuit sa lecture, articulant chaque syllabe. « On les considère comme des animaux familiers, à tel point qu'ils constituent lors du mariage des filles une monnaie d'échange dans certaines cultures aborigènes.

– La bonne affaire, s'exclame Taylor. Ma fille, je vais t'échanger contre un oiseau de deux mètres quarante aux ongles tranchants comme un rasoir. » Instantanément, les mots « je vais t'échanger » lui nouent l'estomac. Elle incline le rétroviseur pour voir Turtle, qui s'est faite dangereusement silencieuse dans son nid d'animaux en peluche et de livres écornés. Taylor a fait des cauchemars dans lesquels elle perdait Turtle.

« Relisez-nous l'histoire de la mère nymphomane, pleurniche Barbie. Il m'est arrivé pratiquement la même chose quand j'étais en quatrième. Y'avait ma mère qui faisait du gringue à mon petit copain Ryan, tu vois le genre, il voulait plus fourrer les pieds à la maison. J'étais tellement déprimée que j'ai arrêté de me laquer les cheveux pendant trois semaines. »

Taylor remet le rétroviseur dans sa position initiale. « Bon, allons y pour la mère nymphomane », concède-t-elle, puisque c'est peut-être le seul espoir d'échapper à une autre histoire de Barbie. Ce matin elles ont déjà eu droit à la nouvelle Barbie écologique, amie des animaux, au mystère de Ken travesti trouvé emballé sous vide dans un magasin de jouets de Tampa, vêtu d'un tablier de dentelle et d'une minijupe. Elles ont également appris que les mensurations de la poupée Barbie converties en taille humaine sont 90-45-82, exactement celles de Barbie, sauf qu'elle ne fait pas encore tout à fait 45 de tour de taille. Taylor a demandé si Éco-Barbie était biodégradable. Alice continue de lire en silence. Dans la voiture, on n'entend plus que le sifflement poisseux des pneus sur la route, qui entre par les volets d'aération. Les trois femmes accueillent ce bruit comme si leur vie en dépendait.

Au milieu de ce paysage lunaire, Taylor est prise d'angoisse. Ce désert brun craquelé n'en finira jamais. Elles sont les quatre seules personnes au monde à être en vie. Elle jette un coup d'œil à sa montre, il n'est que onze heures. Elle aimerait tant que quelqu'un d'autre qu'elle soit installé au volant. Même Jax. Un souvenir de Jax lui revient en mémoire : il est à ses côtés dans une épicerie, il se penche pour l'embrasser sur le sommet du crâne. Un geste qui ne demande rien en échange.

« Excusez-moi, dit Barbie à Alice, en appuyant le menton sur le dossier du siège avant. Je suis dans une situation très délicate, alors autant y aller franco. Je connais pas votre nom. Taylor vous a présentée comme étant sa mère, mais je peux tout de même pas vous appeler maman.

– Alice Greer, fait Alice.

– Greer ? s'étonne Taylor.

– Le nom de Harland m'a jamais vraiment emballée. Il sonnait pas bien.

– Êtes-vous divorcée depuis peu, Alice ? demande Barbie, avec l'air suave d'une présentatrice de talk-show.

– Eh bien j'ai pas encore les papiers, mais c'est une affaire classée. Reste plus que les gueulantes.

– J'ai jamais eu l'impression que vous vous soyez engueulés tant que ça, remarque Taylor.

– Oh, non, c'est juste une façon de parler. Je sais pas ce qu'il faudrait pour arriver à faire crier Harland. Il pétait même pas tout haut. Il y avait des jours où je passais près de son fauteuil devant sa sacro-sainte télé et je pensais : Et si Harland me restait sur les bras ? Il faudrait que ça commence à puer pour que je me rende compte qu'il est mort.

– Je m'étrangle de rire », fait Barbie.

Taylor prend la file de droite et emprunte une sortie marquée Gabbs. Il leur a fallu toute la matinée pour sortir de la cuvette de la Vallée de la Mort, mais apparemment échapper à cette mort-là ne se fait que progressivement. Les lieux sont toujours déserts. Seuls les panneaux de la station d'essence, bons samaritains à la tête carrée, émergent au-dessus des champs morts.

« Vous croyez qu'il y a un endroit où on peut boire des milk-shakes ici ? Je meurs littéralement d'envie d'en boire un », dit Barbie.

Taylor n'est pas affectée outre mesure à l'idée que Barbie meure littéralement. Hier soir elle a fortement suggéré que chacun aille son chemin le lendemain, mais jusqu'ici Barbie a absorbé toute suggestion avec l'impassibilité d'une bouche d'incendie. Et Alice ne fait rien pour la décourager. Elles s'arrêtent à une cafétéria et Barbie les précède sur le parking. Elle porte une minijupe rose et jaune à volants sur un body bleu pâle, des collants, une veste à franges piquée de clous d'argent et des bottes de cow-boy roses à talons hauts. Ses bottes crissent en cadence sur l'asphalte et sa courte jupe se balance comme une cloche.

Le restaurant a des rideaux en vichy aux fenêtres et une surabondance de fleurs artificielles ; Barbie, dans sa tenue western, est parfaitement à sa place. Son sac, par contre, un sac noir carré, détonne un peu. Depuis qu'elles ont quitté le Delta Queen, Barbie le tient serré contre son ventre comme si elle souffrait de crampes. Elle l'a même emporté dans la salle de bains quand elle est allée se doucher, dans leur chambre d'hôtel à Tonopah. Il a l'air lourd.

219

« Tu dirais qu'elle transporte quoi, là-dedans ? demande Taylor une fois que Barbie a quitté discrètement la table pour se rendre aux toilettes, non sans avoir auparavant englouti deux hamburgers et un milk-shake à la framboise.

— Du maquillage, répond Alice.

— Des pièces de monnaie, intervient Turtle. Je les ai entendues sonner.

— Tout ce que je peux dire, c'est qu'elle mange pour deux, elle et Ken, observe Alice. J'aimerais savoir comment elle fait pour se maintenir à son poids idéal.

— On dirait qu'elle prend ce sac pour son bébé kangourou, dit Taylor. Quelle raison peut-on avoir d'emporter à chaque fois son sac aux toilettes ?

— Elle a une affaire de cœur avec les toilettes. Chaque fois qu'elle mange quelque chose, la voilà qui se sauve en trottinant. »

Taylor constate avec soulagement qu'Alice et elle sont à nouveau dans le même camp, unies dans leur méfiance vis-à-vis de Barbie. Turtle s'empare du stylo que lui tend Alice et écrit son nom quatre fois sur sa serviette : deux fois de gauche à droite et deux fois dans le sens inverse.

« Je serais curieuse d'examiner ce sac. Je parie qu'elle se drogue.

— C'est du maquillage, répète Alice avec confiance.

— Peut-être, concède Taylor. Elle pleure sans arrêt, il faut bien qu'elle se refasse une beauté. Elle est sur les nerfs depuis qu'on a quitté Las Vegas. Elle doit être déprimée que les choses aient mal tourné au Delta Queen.

— Pas tant que ça, si tu veux mon avis, fait remarquer Alice. Elle continue à s'inonder de laque.

– C'est vrai. Nous devons avoir notre propre trou dans la couche d'ozone, breveté Éco-Barbie. Il nous suit tranquillement à travers le Nevada. Nous avons intérêt à ne pas nous garer n'importe où.

Derrière le lit de Gundi, les hautes fenêtres sont ouvertes pour laisser entrer l'odeur de créosote des buissons jaunes et les effluves d'oiseaux ou d'animaux qui viendraient à passer par là. Gundi prend appui sur son coude. Éclairée par derrière, sa chevelure est comme une moustiquaire dorée. Pour se distraire, Jax imagine un pays où les gens dormiraient sous une telle chevelure, à l'abri de minuscules moustiques dorés porteurs d'une variété bienfaisante de malaria. Il chante, les yeux clos.

Elle caresse le centre de sa poitrine. « Tu as un problème, n'est-ce pas ?

– Oui. » Jax ouvre brièvement les yeux, et les referme.

« Dis-moi.

– Est-ce que tu t'intéresses aux problèmes de tout le monde autant qu'aux miens ?

– Non, je fais mes choix. Tes problèmes sont intéressants. Bill le facteur a de l'urticaire. » Elle attend. « Alors ?

– J'ai l'impression d'être dans la peau d'un catholique, ce que j'ai été à une certaine époque. Ça enlève beaucoup de plaisir au moment du péché, de savoir qu'on va devoir se confesser ensuite. »

Gundi le regarde avec des yeux ronds. « Ce qu'on a fait toute la semaine, tu es obligé de le confesser à un prêtre ?

– Non. À Taylor. »

Gundi remonte le drap jusqu'à ses épaules. « Pourquoi ?

– Parce que je ne peux pas lui mentir.

– Tu t'imagines qu'elle te dit tout ?

– Elle me dit tout. Crois-moi. »

Les yeux de Gundi deviennent encore plus ronds. « Tu es vraiment obligé de tout lui dire ? En détail ?

– Les grandes lignes, je crois que ça suffira. Un garçon retrouve une fille dans une baignoire japonaise, etc. »

Gundi se redresse pour allumer une cigarette. Elle éteint l'allumette d'un geste agacé, tire une bouffée, et croise les bras sur son sarong blanc. « Après tout, peut-être qu'elle ne demandera rien.

– C'est ça, comptes-y. La prochaine fois qu'elle me demande ce que j'ai fait, ça fera partie de ces petites choses barbantes que je mentionnerai juste en passant : Rucker a cassé une corde de sa guitare pendant les répétitions, ce dont elle se fiche éperdument, j'ai passé la serpillière dans la salle de bains, je me suis envoyé en l'air avec Gundi, j'ai de nouveau passé la serpillière dans la salle de bain.

– Tu en as fait du ménage !

– Jax jamais ne se ménage. » Allongé sur le dos, les bras le long du corps, on le dirait incapable de flotter, même sur un matelas.

« Et à qui est-ce que tu portes tort si tu ne dis rien ? »

Il se redresse, faisant face à Gundi. « Eh bien, il y a quelque chose que je sais et qu'elle ne sait pas. Disons que j'ai un œuf de rouge-gorge au creux de la main. Bleu ciel, tu le vois ? » Il met sa main en coupe et ils la regardent ensemble. Gundi voit l'œuf bleu comme s'il y était.

« Je le lui donne ou pas ? demande Jax en observant sa main. Peut-être qu'elle va le faire cuire, peut-être qu'elle va me le jeter à la figure, qui sait ? » Il passe la main derrière son dos, paume tournée vers le ciel, si lentement qu'elle voit les tendons de ses poignets rouler l'un sur l'autre.

« En fin de compte, je le garde dans ma main. Et tous les jours quand je parlerai à Taylor, quand je serai au lit avec Taylor, il sera là dans ma main, et je me dirai, si je l'oublie un seul instant, on va rouler dessus, et patatras ! catastrophe. En attendant, je le tiens. Je sens sa coquille, aussi fine que l'émail de tes dents. C'est moi qui décide ce que Taylor doit savoir, et ce qu'elle doit ignorer, j'ai le pouvoir. Je serai mal dans ma peau, mais j'aurai le pouvoir, et elle, elle aura le rôle de l'imbécile. »

Ils suivent des yeux la volute de fumée qui s'échappe de la cigarette de Gundi. Elle se répand dans la pièce comme un djinn.

« Et si elle est une imbécile, comment vais-je pouvoir vénérer le sol qu'elle foule ?

– Ce que tu fais en ce moment même ?

– Ce que je fais en ce moment même. Je suis un mauvais garçon, mais les mauvais garçons ont le droit de se confesser et de demander à faire pénitence. »

Gundi souffle sa fumée, dispersant l'apparition. « Tu parles de Taylor comme si elle était la cathédrale de Notre-Dame.

– Elle l'est. Et la statue de la Liberté, et Abbey Road, et le *burrito* le plus extraordinaire que j'aie jamais mangé. Tu ne le savais pas ?

– Je ne le pense pas. » Gundi écrase sa cigarette dans la coupe rouge de Chine posée près du lit et se lève.

« Hé, Miss Kitty. Je ne respecte pas la règle du jeu, c'est ça ?

— De quelle règle est-ce que tu parles ? » Gundi ouvre avec fracas son armoire laquée et enfile plus de vêtements qu'elle n'en a portés depuis le début de l'année.

« La règle qui dit que lorsqu'on est au lit avec une femme, même si c'est juste des galipettes, il faut dire à cette femme qu'elle est la reine de votre cœur. » Il entoure pudiquement son sexe de ses mains. « Je te fais des excuses.

— Je n'ai pas besoin que tu me mentes, Jax. Nous savons tous les deux que tout ça n'est rien. »

Jax se rallonge, les mains derrière la tête, et essaie de savoir ce que ça lui fait, ce « rien ». Il constate avec surprise que c'est absolument indolore.

« Merci, Jax. Il faut que je retourne à ma peinture à présent. Si tu allais passer la serpillière ?

— Bien, madame, fait-il, sans bouger du lit.

— Et tu es en retard pour le loyer.

— Tyran », lance-t-il avant d'enjamber la fenêtre, ses vêtements à la main.

17

Trésor

Dans la chambre d'hôtel à l'entrée de Carson City, Barbie, debout entre les deux lits jumeaux dans son pyjama de soie blanche, se passe la brosse cent fois dans les cheveux.

« On peut prendre une deuxième chambre, si t'es prête à la payer, dit Taylor. Sinon, va falloir partager. » Elle parle d'un ton plus patient qu'elle ne le ferait normalement avec quelqu'un de son âge. Comme avec Lucky Buster, elle a du mal à ranger Barbie parmi les adultes. Taylor se demande s'il s'agit là d'un « phénomène de société », une sorte d'épidémie. L'incapacité à mûrir. Taylor, elle, a mûri, lui semble-t-il, à l'âge de neuf ans, un jour précis dont elle garde le souvenir vivace. C'était un samedi, sa mère faisait le ménage chez les Wickentot. Alors qu'elle arrivait chez eux, l'un des petits Wickentot a soufflé à son copain : « T'es pas obligé de lui adresser la parole, c'est la fille de la femme de ménage. » Taylor, encore vêtue de son T-shirt et de son jean, plaque sa colonne vertébrale contre la tête de lit en faux bois de la chambre d'hôtel. Elle est maigre et a de longues jambes comme Barbie, mais elle a l'impression d'appartenir à une tout autre race de gens,

225

celle qui porte des tennis de toile trouées au bout des pieds au lieu de mules fourrées à petits talons.

« Je dormirai dans le même lit que Turtle », décide Barbie avant de reprendre sa séance de brossage de cheveux, sourcils froncés.

Elles n'ont pris qu'une chambre pour quatre, comme la veille à Tonopah, mais cette fois-ci les choses ont du mal à s'organiser. Le gérant prétend qu'il n'a pas le droit d'ajouter un lit supplémentaire en raison des consignes de sécurité, elles ont donc deux lits à se partager. Pour Barbie il va de soi que sa place est avec Turtle ; Taylor et Alice prendront le lit restant. Mais Turtle ne veut pas en entendre parler. Elle s'est lovée sur les genoux de Taylor et a enroulé autour de son poing une mèche de ses cheveux comme si c'était la laisse d'un chien vagabond.

« Vous inquiétez pas, je mords pas, dit Alice en éteignant la lampe de chevet et en s'installant à l'autre bout du lit. Je vais sans doute passer la moitié de la nuit debout de toute façon. Je dors pas très bien depuis que j'ai changé de vie. »

Barbie s'assied, pose rageusement sa brosse à cheveux sur la table de nuit à côté de son sac noir et ôte ses mules, qui se retrouvent blotties sur le tapis comme deux bébés pékinois. Sans un mot, elle se glisse sous les couvertures.

« Bonne nuit », fait Taylor. Turtle lâche les cheveux de Taylor et se prépare gaiement à aller se coucher.

Barbie attrape son sac noir, le fourre sous son oreiller, et cale sa tête d'un air exaspéré, s'y reprenant à plusieurs fois. Le temps que Taylor et Turtle soient pelotonnées sous leur couverture, elle ronfle doucement.

Taylor sent une pression sur son épaule, et la situe à l'intérieur de son rêve : elle y est poursuivie dans un étrange paysage, une ville où il n'arrête pas de pleuvoir, et où les rues s'élèvent jusqu'à devenir des murs. Dans un coin contre des bâtiments sombres, plusieurs chevaux la regardent, les muscles contractés sous la peau de leurs épaules humides. La pression se fait sentir à nouveau et elle entend Alice murmurer : « Chut.

– Quoi ? » Disparus, les chevaux. Où est Turtle ?

« Chut. Approche. Il faut que tu voies ça. »

Taylor lentement rassemble ses souvenirs. Avec précaution elle retire de son bras la main de Turtle, qui lui fait l'effet d'un gant en caoutchouc rempli de farine. « Bon Dieu, maman, qu'est-ce qu'il y a ? »

Elle n'aperçoit rien d'autre que la petite silhouette d'Alice qui se déplace en direction de la salle de bains. Elle la suit, et Alice ferme la porte derrière elles. Elle allume la torche de Turtle et Taylor voit des lunes d'argent, des coins d'argent, des cercles. Des dollars d'argent ! Par centaines, dans la caverne doublée de soie du sac noir de Barbie.

« Miséricorde. Un trésor caché.

– Chut. » Alice éteint la torche et elles s'assoient sur le carrelage froid dans l'obscurité totale.

« Maman, je t'avais dit que c'était pas du maquillage.

– Comment cette fille a pu se procurer un millier de dollars en pièces d'argent ? »

Taylor saisit Alice par la manche de son pyjama. « Elle l'a volé au casino.

– On n'en sait rien.

– Alors, où se l'est-elle procuré ? »

227

Alice hésite à répondre. « Ça fait deux heures que je réfléchis à la question, et j'ai pas encore trouvé d'histoire vraiment convaincante.

– Pas étonnant qu'elle soit sortie de cet hôtel comme si elle avait le feu aux trousses ! » Taylor laisse échapper un petit cri. « O.K., les gars, j'ai enfilé mon ensemble " Barbie fait un hold-up ", on y va !

– Chut !

– Maman, qu'est-ce qu'on va faire ?

– Appeler la police, je suppose.

– Pas question. Je tiens pas à me faire repérer.

– Taylor, c'est pas la police qui te recherche.

– Non, mais nous serions obligées de décliner notre identité. Je passerais aux informations. Crois-moi, j'en connais un bout sur la question. Turtle et moi, on a tiré un trait sur l'héroïsme.

– Eh bien, dans ce cas, on n'a qu'à la laisser ici.

– Maman, c'est toi qui as dit qu'il fallait la prendre avec nous. C'est une emmerdeuse, mais quand même. On peut pas la larguer purement et simplement au milieu de la Vallée de la Mort.

– Elle serait pas totalement larguée. Elle a quelques pièces de monnaie ! Elle aurait aucun problème dans une cabine téléphonique. »

Taylor sourit dans l'obscurité. « C'est le gérant de l'hôtel qui doit être dans tous ses états. Il avait vraiment une drôle de bobine. Même toi tu lui as menti, maman, sous les yeux de ta propre petite-fille. »

Alice rit. « C'est vrai, je l'ai bien embobiné.

– C'est de l'argent gagné au jeu de toute façon. Il n'avait pas été gagné honnêtement. Il n'était pas vraiment à lui.

– Alors, à qui il était ? Et tu peux me dire pourquoi tu es de son côté maintenant ? Il y a dix heures tu étais prête à l'abandonner sur une aire de repos sans toilettes. »

Taylor n'a pas de réponse à cette question. Elle tend la main dans le noir et, comme s'ils avaient été guidés, ses doigts touchent du métal froid. « Cet argent appartient à tous les malchanceux de Las Vegas. J'ai droit à ma part. »

Même à la laverie automatique de Carson City il y a des machines à sous alignées le long du mur pour faire la nique à Taylor. « Il faut qu'on sorte de cet état, dit-elle amèrement.

– Toutes les laveries automatiques sont des salles de jeu, observe Alice, en se promenant parmi les vieilles machines. On introduit ses *quarters* dans la fente en priant le ciel que, pour une fois, l'essorage se fasse.

– On aurait dû chiper un peu de monnaie à qui tu sais. » Taylor jette un coup d'œil vers Turtle, occupée à construire une tour de boîtes de lessive vides d'un orange éclatant. Barbie, sous prétexte que ses vêtements étaient propres, a choisi de faire la grasse matinée. Elle leur a demandé si elles voulaient bien lui laver juste une ou deux choses, qui se sont révélées être ses bikinis et son pantalon élastique mauve.

« Qu'est-ce qu'elle compte faire de son butin, à ton avis ? » demande Alice. Le jean de Turtle coincé sous le menton, elle retire une chaussette rose de chaque jambe, puis les jette dans la lessive de blanc. « Je remarque qu'elle a encore jamais proposé de payer l'addition où que ce soit.

– Tu crois pas que ce serait un peu suspect de planter son sac sur le comptoir et compter trente dollars en pièces de monnaie ? On devrait peut-être s'arrêter dans une banque pour qu'elle change ses pièces contre des billets. Elle va attraper une hernie à force de charrier tout ce métal précieux. »

Alice ouvre des yeux ronds. « Bon sang, Taylor, on dirait que t'as toujours l'intention de la garder avec nous. »

Taylor tripote l'ourlet défait d'un T-shirt de Turtle. « Je crois que je la respecte maintenant. Cette histoire de vol ajoute une dimension toute nouvelle à sa personnalité.

– Ma foi, c'est ta voiture. Si tu veux l'utiliser pour transporter des escrocs. » Alice se met à trier le linge de couleur. « Est-ce que tu t'es demandé une seconde où nous allons nous retrouver ? On peut pas rouler et lire des journaux stupides jusqu'à la fin des temps.

– Maman, tu t'imagines que je ne le sais pas ? » Taylor sent que tout son être est perturbé par ce différend léger mais persistant entre sa mère et elle. « Comment veux-tu que je le sache ? J'ai sauté dans ma voiture avec Turtle parce que je crevais de peur et que ça me semblait la solution la plus sûre. C'est tout ce que je peux te dire. J'ai commencé à débouler sur cette pente mais je suis incapable de dire pourquoi, ni où ça me mènera.

– Il t'arrive jamais de te dire que tu devrais aller parler à cette Six-killer, voir si on peut lui faire entendre raison ?

– Fourkiller. Non, maman, jamais. Imagine qu'elle n'entende pas raison. »

Alice appuie sa hanche contre la machine et regarde sa fille avec bonté. « Je sais, ma chérie. Y'a pas une mère au monde qui te contredira. »

Taylor respire. Elle occupe ses mains à trier des vêtements. « Mais où aller ? J'en sais rien. J'avais pensé à la Californie, une petite ville où Turtle, toi et moi, on pourrait trouver une maison à louer. Je suis assez débrouillarde pour qu'on ne meure pas de faim. Je trouverai du travail. Et dans deux ou trois mois, de l'eau aura coulé sous les ponts et nous pourrons rentrer chez nous. »

Alice plaque contre elle le pantalon élastique de Barbie, et elle éclate de rire. Elle n'a pas un gramme de graisse sur les os, mais avec ce caleçon violet, elle ressemble à un énorme tronc d'arbre. Taylor, à son tour, place le pantalon contre son corps, maigre certes, mais qui n'a rien à voir avec la taille de guêpe de Barbie. Elle enfourne le pantalon avec leurs jeans. « Va falloir que je renonce à la carrière de mannequin. J'ai grossi depuis que j'ai eu Turtle. » Elle rit de sa propre plaisanterie. « Je sais pas à quoi ça tient. Manger aux heures des repas, je suppose.

– Taylor, j'en crois pas mes oreilles. Regarde-toi, mince comme un clou. Tu es parfaite.

– Parfaite, peut-être, mais je te dis que j'ai grossi. À force de se balader avec Miss America moulée dans son body, on finit par devenir lucide.

– Taylor, je t'ai jamais entendue te dévaluer comme ça. Tu ferais mieux de te jeter d'un pont que de dire des choses pareilles. » Alice rabat le couvercle d'une machine et soupire. « Quand j'avais entre trente et quarante ans, j'avais des hanches un peu lourdes qui me restaient de ma grossesse et je ne voyais que ça. Je me disais : Pendant toutes ces années, j'avais un vrai corps de mannequin, et j'ai pas passé une minute à en profiter parce que je trouvais que j'avais le nez busqué. Et maintenant que je suis vieille, j'ai une douleur à l'épaule, je dors pas bien, et j'ai les doigts qui enflent, et je pense : Toutes ces années quand j'avais entre trente et quarante ans j'avais un corps où tout marchait à la perfection. Et j'ai pas passé une minute à en profiter parce que je trouvais que j'avais les hanches lourdes. »

Taylor sourit. « Bon, d'accord. »

La voix de Jax au téléphone est dépourvue d'humour. Elle seule suffirait à terrifier Taylor, mais ce qu'il lui lit est bien pire, une lettre d'Annawake Fourkiller. Elle n'arrive pas du tout à se concentrer.

« ... encore prématuré d'entreprendre des poursuites », dit-il, et Taylor est envahie de souvenirs d'assistantes sociales, avant l'adoption de Turtle – des jeunes femmes pleines d'assurance assises dans leur bureau, qui ne croyaient pas plus à l'existence d'une enfant du nom de Turtle, dépourvue de certificat de naissance, qu'elles ne croyaient aux fées.

« Que possède-t-elle qui lui permettra de triompher de toutes ces difficultés pour devenir une adulte sereine ? » demande Jax, mais ce n'est pas Jax qui pose la question, c'est Annawake Fourkiller, celle-là même qui, il n'y a pas deux semaines, buvait tranquillement du café dans la cuisine de Taylor, quand son univers était encore intact.

Jax poursuit sa lecture : « ... elle ne peut pas vous appartenir. Sincèrement à vous. Annawake Fourkiller. »

Taylor garde longtemps le silence. Elle regarde sa mère et sa fille à travers la vitre rayée de la cabine téléphonique. Elles sont en train de dépenser leur trop-plein d'énergie sur le terrain de jeux de l'autre côté de la route pendant que Taylor télé-

232

phone et que Barbie se cure les ongles. Turtle est assise sur la balançoire et Alice essaie de lui apprendre comment se donner de l'élan. Turtle fait les bons mouvements, tirant sur les chaînes et frappant le sol du pied, mais pas au bon moment et la balançoire reste de marbre. Il y a des choses que l'esprit peut apprendre mais que le corps ne fera qu'en temps voulu.

« Quoi d'autre Jax ? Est-ce qu'il y a autre chose ? » demande Taylor. Derrière la cabine téléphonique elle aperçoit une station d'essence et, un peu plus loin, un homme d'âge mûr aux cheveux mi-longs appuyé à sa voiture de sport rouge, qui apparemment attend pour téléphoner. Qu'il attende donc. Il a dû passer la nuit à jouer et il est sûrement en train d'inventer une histoire à raconter à sa femme.

« Autre chose dans la lettre ? Non.

– J'aimerais pouvoir la lire. Je sais pas si j'ai compris. Qu'est-ce que ça veut dire ?

– À mon avis, c'est Gabriel Fourkiller le sujet de la lettre, le garçon qui a disparu.

– Mais le passage sur le département des affaires sociales. Les poursuites. Est-ce que ça veut dire qu'il faut que je me présente, sinon gare ?

– Taylor, ma chérie, je ne crois pas, mais j'en sais rien. C'est à toi de décider.

– J'ai les idées trop embrouillées. »

Turtle a finalement réussi à lancer la balançoire qui décrit à présent des zigzags. Alice attrape les chaînes et la redresse un peu. Des pins immenses ombragent le terrain de jeux, et le parc derrière est vide, à l'exception d'une étendue paradisiaque d'herbe verte, le rêve, sans doute, de toutes les vaches condamnées à paître dans le Nevada.

233

« J'ai suivi tes conseils, je travaille à la chanson sur la zone crépusculaire de l'humanité, dit Jax, essayant de mettre une note de gaieté, sans succès.

– Jax, tu as payé le loyer ? »

Un silence. « En services rendus.

– Qu'est-ce que ça signifie ?

– Ça signifie que j'ai quelque chose à te dire. »

Taylor regarde Turtle sauter de la balançoire et se diriger vers le toboggan. Elle semble, physiquement, heureuse. « Attends, ne raccroche pas. Je vais aller chercher ma mère, je veux que tu lui lises cette lettre. Elle comprendra.

– Taylor, je suis fou amoureux de toi », dit Jax, mais Taylor a introduit quatre nouvelles pièces dans la fente et a laissé le téléphone pendouiller pour se précipiter de l'autre côté de la route.

Taylor est assise sur une balançoire. Barbie est sortie de la voiture, s'est étirée avec ostentation et a traversé la route d'un pas tranquille pour aller s'installer sur l'autre balançoire. Turtle ramasse dans la poussière des capsules de bouteille dont elle tord le bout avec application, les emboîtant pour en faire une chaîne. Elle dit que c'est un collier pour Mary. Probablement la lampe-torche la plus dorlotée de tous les temps. Taylor a proposé à Turtle de lui acheter une vraie poupée, mais Turtle s'en est offusquée. Elle a maintenant accumulé des mètres de collier de capsules qu'elle traîne derrière elle, comme un forçat en cavale. Alice est toujours au téléphone.

La jupe de Barbie a perdu une partie de ses volants. Tandis qu'elle se balance, sa frange de caniche rebondit sur son front. Taylor se rend compte qu'elle observe beaucoup cette femme, dans l'espoir, sans doute, de percer à jour la voleuse du casino.

« Quelle heure c'est ? Vos vacances, ça ressemble à E.T. téléphone maison ! Elle est vraiment obligée de parler à ton copain, ta mère ? Si ma mère passait tout ce temps au téléphone à discuter avec mon copain, pas de doute je me dirais qu'elle en pince pour lui. Sans vouloir être méchante. Je veux dire, Alice c'est pas le genre. »

Taylor reçoit paisiblement la pluie de paroles de Barbie. Au bout d'un moment elle se lance : « Je sais pas comment te le dire, mais ma mère, Turtle et moi, on n'est pas en vacances, et toi t'as autre chose que du blush dans ton sac. »

Barbie regarde le sac noir posé sur ses genoux, comme s'il venait de tomber d'une ceinture d'astéroïdes, puis lève les yeux vers Taylor. « Comment est-ce que vous savez ce qu'il y a dans mon sac ?

– On a regardé. On a fait intrusion dans ta vie privée cette nuit pendant que tu dormais.

– Fouineuses ! » D'un coup de pied, Barbie ôte ses bottes roses et se laisse aller sur la balançoire.

« Je me demandais juste pourquoi il fallait toujours que tu l'emportes avec toi aux toilettes. Si tu l'avais laissé sous mon nez, crois-moi, il ne me serait jamais venu à l'idée de regarder dedans.

– Bon, il y a de l'argent. Et après ? »

L'homme à la voiture rouge, assis à présent sur le pare-chocs avant, croise les bras, impatient de passer son coup de fil.

« De l'argent qui vient du casino, commente Taylor.

– Ouais. De la machine à dollars d'argent. Cet imbécile de Wallace laissait la clé dans la caisse.

235

Dans les établissements plus rupins, ils enferment toutes les clés des machines dans un coffre. »

Taylor est sidérée que Barbie ne fasse pas le moindre effort pour mentir. « Ça, c'est une affaire entre toi et Wallace. Personnellement, je me moque complètement que tu l'aies arnaqué, mais ça m'enchante pas vraiment d'avoir la police aux fesses.

– Wally n'appellerait jamais les flics. » Barbie plisse les yeux en direction de l'autoroute. « Ils vérifieraient ses comptes et l'expédieraient à San Quentin sans passer par la case départ. »

Taylor comprend qu'elle n'a pas la moindre idée de ce que Barbie manigance. Mais elle préfère ça à son hypothèse précédente, à savoir que Barbie avait de la barbe à papa à la place de la cervelle. « Eh bien, voici ma confession à moi, dit Taylor. Je ne veux pas avoir affaire à la police parce que quelqu'un nous recherche Turtle et moi. C'est pas vraiment la police. Quelqu'un qui voudrait obtenir la garde de Turtle.

– Oh, ton ex-mari ?

– Non, c'est compliqué.

– Bah, laissons tomber, fait Barbie. Me posez pas de questions et je dirai pas de mensonges. »

Alice est sortie de la cabine téléphonique. Taylor lève les yeux. Alice est debout au bord de la route, les bras ballants, des larmes coulant sur ses joues. On dirait qu'elle vient de recevoir un coup. Deux voitures d'affilée ralentissent pour l'observer de plus près.

« Tu veux bien rester ici et jeter un œil sur Turtle ? » demande Taylor, en se précipitant vers la route. Le temps qu'elle traverse, Alice est dans la voiture. Taylor s'installe au volant.

236

« Je pourrais prendre un bus à Reno », dit Alice en regardant droit devant elle, bien que sa perspective ne semble pas pouvoir dépasser le pare-brise.

« Un bus, mais pour aller où ? On a une voiture.

– Je pourrai me faire héberger par ma cousine Sugar. Il faut que quelqu'un discute avec eux, Taylor. Je comprends pourquoi tu es partie quand ils ont crié au feu, mais je crois qu'il y a une autre façon de gérer cette situation.

– Maman, il n'est pas question que je leur laisse Turtle.

– Ce qu'ils veulent dire c'est qu'ils ont besoin de te parler, de t'expliquer qu'il y a une autre façon de voir les choses, rien de plus. » Alice parle à voix basse et Taylor se sent exclue.

« Je lui ai déjà parlé. Elle veut Turtle.

– C'est pas sûr. C'est juste un sujet douloureux, à cause de son frère. » Alice regarde le ciel. « Pauvre petit garçon, murmure-t-elle.

– Quel petit garçon ?

– Celui qu'on leur a pris.

– Mais enfin, maman, tu es avec qui dans cette affaire ? »

Alice se tourne vers Taylor et la serre dans ses bras. « Avec toi. Je serai avec toi et Turtle jusqu'à la fin des temps, ma chérie. Tu le sais bien. »

Elles restent là à se balancer doucement au bord de l'autoroute. Taylor, cramponnée à Alice, essaie de comprendre ce qui lui arrive. Par la vitre de la voiture elle voit distinctement l'homme appuyé à la voiture rouge, dont le visage s'éclaire soudain à la vue d'une femme qui sort de la station-service, sa femme sans doute. Ils se font de grands signes et se disent des choses dans une langue bizarre.

Taylor est ahurie. Voilà que cet homme ordinaire en blue-jean, dont elle croyait connaître les pensées, ouvre la bouche et devient un étranger. Il y a une chose chez les gens qu'on ne comprendra jamais assez, c'est à quel point ils sont à l'intérieur d'eux-mêmes.

18

L'état de nature

Le long de l'autoroute, les maïs, mile après mile, viennent d'être dépouillés de leur peau verte et révèlent la chair orange veloutée de la terre de l'Oklahoma. Alentour les collines non cultivées exhibent leur garde-robe toute neuve de fleurs d'été. Les rouges tachetées d'or sont des « couvertures indiennes » ; Cash se rappelle ce nom avec plaisir, comme un objet précieux perdu et retrouvé. Il règle sa radio sur la voix douce et déchirée de George Jones et respire profondément l'air de son pays.

Cash fredonne au rythme de George Jones. Il a une pensée pour Rose, là-bas à Jackson Hole, en admiration devant les fesses des garçons de McDonald's ; il se demande combien de temps il lui faudra pour oublier purement et simplement ses fesses plates et fatiguées à lui. Quelle importance ? Il est en route vers le pays qu'il n'aurait jamais dû quitter, et il sent en lui le début d'un amour tout neuf pour sa propre vie. Quand il s'est arrêté aux toilettes du bureau du tourisme, il a regardé les sept types différents de fils de fer barbelés exposés à l'intention des touristes, et il s'est senti capable de les franchir tous les sept d'un seul bond.

239

Alors qu'il approche de la rivière Arkansas et du territoire cherokee, les champs font place aux arbres et il y a, semble-t-il, une plus grande variété de créatures vivantes : au-dessus des prés des moucherolles à la recherche d'insectes cisaillent le ciel, des martins-pêcheurs posés sur des lignes électriques surplombent la rivière. Il entre dans les faubourgs de Tahlequah, longe la série de motels sur la route de Muskogee et pénètre dans la partie la plus ancienne et la plus jolie de la ville. Le vieux palais de justice en brique, les bâtiments du lycée, les vieux chênes, rien n'a changé. La route principale le conduit hors de la ville et s'enfonce dans les bois.

Dans un virage près de Locust Grove, Cash est ému à la vue d'un petit champ entouré d'une haie attendrissante de roses sauvages au centre duquel un charmant petit hickory a été épargné parce que l'homme ou la femme cherokee qui avait labouré ce terrain ne voulait pas abattre un hickory. Il garde l'œil bien ouvert, de crainte de manquer la moindre petite chose qui surgirait sur son chemin. Cinq beagles se tiennent côte à côte au milieu d'un jardin, respectueux comme des choristes, pour bénir son retour tant attendu.

Annawake prend tout d'abord conscience d'un rectangle de lumière autour du store de sa fenêtre, puis de ses trois édredons qui se querellent sur son lit, brodés par trois de ses tantes qui, de leur vivant, se disputaient sur la question de savoir quel motif était le plus beau : oies sauvages, double alliance, voyage autour du monde. Et il y a quelque chose sous les édredons, une boule qui se faufile comme une taupe sous la terre du jardin. Annawake se relève légèrement et abat son oreiller. La boule s'aplatit et se met à glousser. Elle glisse la main sous l'édredon et en retire la petite Annie, nue comme un ver.

« J'ai trouvé un rat dans mon lit. Qu'est-ce que je vais bien pouvoir faire de ce rat ? » Elle couvre de baisers le visage d'Annie. Ces débordements d'affection une fois épuisés, Annie s'étend sur le dos à côté d'Annawake et suce son pouce d'un air satisfait et arrogant.

« Tu t'es fait virer du lit de Millie, c'est ça ? »

Annie fait signe que oui.

« C'est parce qu'il y a un autre bébé. Tu es montée d'un cran dans la famille. Tu es une grande sœur à présent. C'est pas chouette ça ? »

Annie fait signe que non.

« On peut pas te le reprocher. Qui a envie de ça ? » Annawake aussi est allongée sur le dos. Pendant un moment elles regardent toutes deux le plafond, décoré de quelques menaces de moisissure. Avant qu'Annawake finisse ses études de droit et revienne à Tahlequah, Millie, juchée sur un escabeau branlant, avait récuré cette chambre de fond en comble pour y installer les gosses. Mais il y a eu beaucoup de pluie depuis et le toit est plus vieux que tous ceux qu'il abrite.

La tête de Dellon apparaît à la porte. « La voilà, notre prisonnière en fuite. » Il entre avec les vêtements d'Annie qui vigoureusement se carapate à nouveau sous les édredons.

« Hé, Dell », crie Annawake. Elle se redresse et entoure de ses bras ses genoux sous la couverture. « Attention, l'avocat du prisonnier est présent. »

Dellon s'installe au pied du lit, les petites tennis rouges d'Annie comme des oisillons au creux de ses

241

immenses mains. Ses longs cheveux sont détachés, son T-shirt ressemble à ce que les sauterelles font aux cultures, et ses épaules charnues semblent ployer ce matin sous le poids de la paternité. Il plisse les yeux en direction d'Annawake. « Hé, c'est ma chemise ! Je l'ai cherchée partout. »

Annawake baisse innocemment la tête vers la chemise de flanelle bordeaux qui lui sert de tenue de nuit. « Tu trouves pas que la couleur me va bien ? » Elle lui présente son profil.

« Pourquoi est-ce que tu ne te dégotes pas un copain ? Tu pourrais lui piquer ses vêtements.

– Bonne idée. Je me disais bien qu'il y avait une raison pour que les femmes recherchent la compagnie des hommes.

– Tu te rends compte, je devais embarquer les gosses avant dix heures. Millie doit emmener le bébé à Claremore pour le faire vacciner.

– Mon Dieu, mais quelle heure est-il ? Ne me dis pas que j'ai dormi jusqu'à dix heures.

– Mais si. On devrait en faire un jour férié. Le jour où notre Annawake nationale a dormi jusqu'à dix heures.

– Écoute, je vais rester ici avec les enfants. Ça ne vaut même pas le coup d'aller au bureau maintenant.

– Tu vas pas au bureau ? Un samedi matin ? Alors pas de doute, c'est un jour férié. » Il se lève et glisse la main derrière le vieux rideau de dentelle pour relever les stores.

Annawake protège ses yeux de la lumière. « Sors d'ici », lui lance-t-elle affectueusement. « Annie et moi, nous avons besoin de notre petite grasse matinée. » Elle replace l'oreiller derrière sa tête et se recouche.

« Très bien, fait Dellon. Je prends Baby Dellon et Raymond avec moi à la maison. Toi, tu gardes celle-ci. » Il se lève et tapote doucement Annie avec ses chaussures rouges. « La petite sauvage. Apprends-lui donc un peu des trucs de fille. S'habiller, par exemple.

– À plus tard, Dell.

– Oh, j'oubliais. Est-ce que Millie t'a dit qu'on faisait griller un cochon ? »

Annawake se redresse. « Encore un ? Je vais grossir cet été. C'est pour qui cette fois-ci ?

– Cash Stillwater, il vient juste de revenir, de je sais pas où. Ça se passe chez Letty Hornbuckle, à Heaven.

– Miss Letty, celle qui se mêlait toujours des affaires des autres à la cafétéria du lycée ? Je ne l'ai pas vue depuis que mes seins ont poussé.

– Ils ont poussé ? Fais voir. »

Annawake adresse à son frère sa plus belle grimace.

« Alors, tu viendras ?

– Cash Stillwater, répète-t-elle. Il me semble que j'étais à l'école avec son fils, comment est-ce qu'il s'appelait déjà, Jesse Stillwater ? Très grand ?

– Non, Jesse c'est le frère cadet de Cash et de Letty. Je crois qu'ils étaient onze ou douze dans la famille. Cash avait une fille – tu te souviens de cette Alma, celle qui s'est jetée dans la rivière au volant de sa voiture il y a quelques années.

– Oh, oui. Elle s'est jetée d'un pont.

– Je reviendrai te prendre vers six heures, à moins que tu trouves mieux.

– On sera là, Dell. Je ne trouverai jamais mieux que toi. »

243

Annawake regarde la carrure d'ours de son frère disparaître par la porte et sourit. Annie n'a toujours pas avancé d'un pouce sur le chemin de la féminité, elle s'est rendormie. Annawake lisse ses couvertures. Elle revoit ses tantes querelleuses qui dans son enfance ont confectionné ses trois édredons : elles habitaient dans la même maison, et n'avaient jamais réussi à se mettre d'accord sur rien, sinon que l'amour est éternel.

Sur le sol de pierre du studio de Jax, Lou Ann, assise en tailleur, tapote nerveusement le bout de ses chaussures de sport tandis que Jax fronce les sourcils vers son nouveau système d'ampli. Il ramasse un fil électrique jaune et l'examine avec attention. « Tu crois que ça doit se brancher quelque part ?

– C'est à moi que tu poses la question ? Tu me prends pour Mozart ?

– Non. » Aujourd'hui il n'a même pas l'énergie de se moquer de Lou Ann.

« Dwayne Ray, mon chou, ne tripote pas les affaires de Jax. »

Dwayne Ray, enfant résolu aux cheveux en bataille couleur de boue, est en train de sortir d'un carton un assortiment de flûtes en bambou qu'il dispose bout à bout.

« Je construis un vaisseau spatial, explique-t-il.

– Pas de problème, fait Jax. Sors-les dans le couloir. Tu peux aligner toute la flotte intersidérale si tu veux. »

Dwayne Ray traîne joyeusement le carton de l'autre côté de la porte. Lou Ann regarde Jax d'un air hébété.

244

« Jax, tu lui as jamais permis de toucher à ces flûtes. Tu lui aurais coupé son petit zizi s'il avait essayé de jouer avec tes affaires de musique. »

Jax retourne à ses fils. « Eh bien, je me sens généreux. Ton fils a échappé à la castration. »

Les yeux bleus de Lou Ann sont tout ronds. « Jax, mon vieux, elle me manque à moi aussi, mais il faut te ressaisir. »

Il pose ses tenailles et regarde Lou Ann pour de bon. Jax a tout simplement envie de pleurer. « Tu te rends compte, dit-il en glissant ses longs doigts dans ceux de Lou Ann, tous les vêtements qu'elle possède tiennent dans deux tiroirs de la commode. Comment Dieu a-t-il pu créer une femme pareille ? Et pourquoi a-t-elle jugé bon de vivre avec moi ?

– Mon Dieu, Jax, je pourrais jamais être ta petite amie, répond Lou Ann, blessée. Je serais disqualifiée rien que pour les chaussures.

– Je t'aime quand même. Mais il faut que tu me laisses me noyer dans mon chagrin. C'est une situation qui se gère seul. » Il se penche de côté et la congédie d'un baiser.

Lou Ann se lève, lui jette un dernier regard inquiet, et le quitte. Elle enjambe les fils électriques comme si c'étaient des serpents assoupis, récupère Dwayne Ray et les flûtes. Jax se relève, face à la fenêtre. Avec quelle acuité il entend le vide à l'intérieur des choses en ce moment ! Il laisse ses mains se promener sur le clavier, sans résultat. Le courant semble toujours entravé quelque part par une faille imperceptible. Ses doigts modulent leur complainte sur les touches l'une après l'autre, il ne produit aucun son.

Jax se sent complètement séparé de ses mains. Il regarde par la fenêtre. Il suit des yeux une forme étirée, dorée – un coyote, en fin de compte – qui tourne autour d'un arbre. Ses mains s'immobilisent. Le ventre du coyote est lourd de bébés à venir ou de lait, impossible de décider, car il reste tapi dans les broussailles.

Soudain, dans un effort violent, l'animal s'élance dans l'arbre et retombe en rebondissant légèrement sur ses pattes avant, un nid de brindilles dans la gueule. Au même instant une colombe s'envole, surprise comme un battement de cœur. Le coyote s'accroupit à la base de l'arbre et engloutit les œufs à brusques coups de gosier répugnants. Il reste un moment à se lécher les babines, puis disparaît.

Jax pleure. Il ne sait pas à qui en vouloir d'avoir tout perdu. Le prédateur ne fait apparemment rien d'autre que ce qu'il a à faire. Dans l'état de nature il n'y a ni culpabilité ni vertu, seulement la réussite ou l'échec, qui se mesurent à la survie et rien de plus. Le temps est seul juge.

19

L'oiseau qui mâche des os

Depuis une chambre d'hôtel de Sacramento, Alice compose le numéro des renseignements. Elle est à la recherche des Hornbuckle.

« Vous ne trouvez pas de Robert ? Non, attendez, demande-t-elle à l'opératrice en déplaçant l'écouteur du côté où elle entend le mieux. C'est Roland, je crois. Roland Hornbuckle. Cherchez ce nom-là » Tout en attendant, elle lance vers l'autre bout de la pièce un regard à Taylor qui lui renvoie une version moins agacée, plus troublée, de sa propre expression. Alice ne s'est jamais remise du choc qu'elle a éprouvé le jour où elle a vu ses traits plaqués sur un autre être humain, mais animés d'une volonté bien à eux.

« C'est Turtle qui t'inquiète ? »

Taylor incline la tête.

« Qu'est-ce qu'elle a ?

– Elle a compris que tu partais. Elle ne supporte pas qu'on la quitte. Je viens d'y aller et j'ai trouvé toutes nos chaussures et les pantoufles de Barbie dans les toilettes. Maintenant elle est couchée dans la baignoire.

– Je vais lui parler. Je lui dirai que je pars juste pour les persuader de vous laisser ensemble toutes les deux.

247

– Je le lui ai déjà dit. Ça ne change rien qu'il y ait une raison logique.

– Bon, eh bien essayez Rocky Hornbuckle, dit Alice à l'opératrice. Est-ce qu'elle a sa lampe-torche avec elle ? murmure-t-elle à Taylor. Sans vouloir t'inquiéter, la sœur de Harland est morte en écoutant *Jésus t'aime ce matin* à la radio dans sa baignoire.

– Oh, t'en fais pas, la baignoire est vide. Elle s'y installe tout habillée, elle se met une couverture sur la tête et elle dit qu'elle est enterrée. »

Alice dit d'une voix plus forte : « Non ? Alors, écoutez, donnez-moi tous les Hornbuckle que vous avez à Heaven, Oklahoma. »

Taylor se lève pour examiner les pantoufles de Barbie qui sèchent lamentablement devant la bouche d'air conditionné. « Elle va piquer une sacrée crise quand elle les verra. On dirait des cochons d'Inde rescapés de la noyade.

– Où est-ce qu'elle est partie ?

– Qui ça, Barbie ? Si tu veux mon avis, acheter quelques doritos au fromage, pour changer. »

Alice commence à griffonner, s'efforçant de tenir le rythme. Elle raccroche et brandit sa liste en direction de Taylor. « Huit Hornbuckle avec le téléphone. Il y aura forcément Sugar dans le tas, non ? Peut-être qu'elle s'est remariée.

– Si c'était le cas, elle ne s'appellerait plus Hornbuckle, fait remarquer Taylor.

– C'est tout de même stupide que les femmes se retrouvent fichées au nom de leur mari. Les maris, c'est pas ce qu'il y a de plus sûr quand vos amis se mettent en tête de vous retrouver.

– Personne ne vous force avec un fusil sur la tempe, maman. Même si j'épousais Jax, ce qui n'est

248

pas dans mon intention, qu'est-ce que j'aurais à faire de son nom ridicule ? Rien que pour apprendre à l'écrire, c'est déjà donner beaucoup de sa personne.

– Je vais appeler tous les numéros de cette liste. Il y aura forcément quelqu'un qui la connaît. » Alice prend sa respiration et compose le premier numéro.

« Même lui, je crois pas qu'il écrive deux fois son nom de façon identique. »

Alice lève la main. « Ça sonne », fait-elle. Elles attendent. Avec de moins en moins d'anxiété. Alice finit par couper la communication et composer le numéro suivant. « T'as passé ta journée à rouspéter après ce garçon, dit-elle à voix basse, comme si le téléphone qui sonne pouvait l'entendre. C'est ton copain ou pas ? Faudrait savoir. Et pour l'amour du ciel arrête de dire du mal de lui. »

Taylor s'affale dans le fauteuil pivotant près de la fenêtre et se tait. Elle fait légèrement tourner le fauteuil d'un côté et de l'autre pendant qu'Alice essaie deux nouveaux numéros.

« M'est avis qu'ils ont lâché une bombe sur Heaven, Oklahoma », déclare-t-elle quand le quatrième numéro ne répond pas. Elle examine sa liste, puis lève les yeux vers Taylor, qui regarde par la vitre des larmes dans les yeux.

« Ma chérie, qu'est-ce que t'as ? C'est à cause de ce que j'ai dit sur Jax ?

– Je ne sais pas s'il est mon copain ou pas. Comment est-ce que je pourrais avoir un copain quand je dors dans des motels et vis dans une voiture ? Pas étonnant que Turtle ait envie de s'enterrer dans une baignoire.

– Ça va passer, dit Alice en essayant un nouveau numéro. Je sais que c'est dur. Mais Turtle et toi vous avez une maison là-bas qui vous attend.

– Qui nous attend ? dit Taylor sans regarder Alice. Quand je l'ai appelé hier soir, il m'a dit qu'il avait couché avec la femme qui encaisse notre loyer. »

Alice regarde Taylor bouche bée, se reprend, et soudain cligne de l'œil et dit : « Je suis une cousine de Sugar Hornbuckle, j'appelle de loin. Je suis à sa recherche. Elle est là ? Mon Dieu. Oui, s'il vous plaît. »

Taylor lève la tête, ses yeux sont toujours humides mais changés, attentifs et interrogateurs.

« N'abandonne pas le bateau, fait Alice. Nous avons trouvé Sugar. On dirait qu'il y a une bonne vieille fête à Heaven. »

Sugar Hornbuckle raccroche le téléphone. Elle se raidit à la vue d'une ribambelle de gosses aux lèvres bleues, comme une foule de petits fantômes s'abattant sur le garde-manger. Letty les éloigne de ses tartes aux pêches et de sa cuisine, et Sugar, d'un battement de paupières, chasse ce qui semblait être un mauvais présage.

« Qui c'était au téléphone ? » demande Letty.

Sugar reprend quelques points en arrière le canevas de ses pensées. « Vraiment bizarre. Une cousine à moi que j'ai pas vue depuis 1949. Elle veut venir me rendre visite. Elle a un problème avec la Nation, mais elle n'a pas dit lequel. »

La curiosité de Letty se réveille. « Je me demande bien ce que ça peut être. Elle a une réclamation à faire ?

– Je crois pas. Elle est pas d'ici. Nous avons été plus ou moins élevées ensemble dans le Mississippi, comme des sœurs. T'es déjà allée dans le Sud ?

– Non, je sais qu'il y fait chaud. »

Sugar rit. Que peut-on trouver de plus chaud en été qu'une forêt de l'Oklahoma ?

« Tu voudrais pas me donner un coup de main avec ces oignons sauvages, tu serais gentille ? » demande Letty. De sa démarche d'ours, elle traverse la cuisine en direction de son congélateur ; Letty est bâtie tout d'un bloc, avec des jambes qui sortent du bas de sa jupe à soixante centimètres l'une de l'autre. Elle ouvre le congélateur et se penche au-dessus, exposant le haut de ses épais bas marron roulés jusqu'aux genoux. Un nuage de vapeur enveloppe son visage et parsème sa chevelure de touches d'argent.

« Et qu'est-ce que vous êtes tous allés faire dans le Mississippi ? » Letty ne quitte jamais Heaven. Pour elle le Mississippi ou l'Inde c'est du pareil au même.

« C'était pendant la Dépression, explique Sugar. La mère d'Alice avait un élevage de cochons.

– Un élevage de cochons ? Ça doit rapporter gros.

– Tu parles ! On n'avait jamais trois sous de côté. Mais ça nous empêchait pas de vivre. »

Letty grogne légèrement alors qu'elle plonge plus avant dans le congélateur. « C'est vrai, on s'en sort toujours. J'ai entendu parler des droits civiques qu'ils avaient là-bas. »

Sugar prend les cubes gelés que lui tend Letty, un par un, les empilant comme des bûches contre sa poitrine. Elle se rappelle avoir aidé Letty au printemps à cueillir ces oignons sauvages pour le jour, pendant l'été ou à l'automne, où l'on ferait griller un cochon. « C'était pas comme on nous le laisse croire aujourd'hui. On était tous plus ou moins sur le

251

même bateau, les Blancs et les Noirs. Ou alors c'est qu'on n'y comprenait rien, mais on avait l'impression de s'entendre. Ce que j'aimais le plus c'était d'aller à la foire à Jackson pour voir tous les mâts enrubannés. Il y avait des centaines de petits Noirs déguisés en anges, qui défilaient dans la rue en chantant des cantiques. Je te jure, j'ai jamais rien vu d'aussi beau.

– Mmm. » Letty commence à s'ennuyer.

« Tout le monde était fauché, c'était comme ici. Mais on se rendait pas compte de ce qu'on avait pas, parce qu'il y avait personne pour vous le mettre sous le nez.

– Quand est-ce qu'elle arrive ?

– Elle a dit, le plus tôt possible, par le Greyhound. »

Letty soupire. « Eh bien, je vous apporterai une tarte, histoire de dire bonjour, dès que j'aurai fini d'aider Cash à s'installer. »

Letty Hornbuckle est la personne la plus curieuse à trois comtés à la ronde. Sugar sait très bien pourquoi elle apportera une tarte – pour la même raison qu'elle aide Cash : pour fouiner. Elle a dû fouiller dans toutes ses affaires pour voir si par hasard il n'aurait pas secrètement fait fortune dans le Wyoming. Sugar aide Letty à remplir un seau et arroser d'eau chaude les sacs d'oignons sauvages congelés. Letty les mélangera à des œufs brouillés et Cash déclarera que plus jamais il ne quittera son pays. Non, Letty ne peut pas honnêtement soupçonner son frère d'avoir fait fortune. Elle n'a jamais vu un seul Cherokee cacher de l'argent à sa famille. Cash revient sans doute dans le même état de pauvreté où il est parti il y a trois ans, et personne ne lui en tiendra rigueur. Surtout après tous ces enterrements qu'il y a eu dans sa famille. Les oignons une fois terminés, Sugar s'esquive pour aller retrouver son mari dehors et lui annoncer l'arrivée d'Alice.

Les enfants qu'elle a vus à l'intérieur ont rejoint un autre groupe sous le grand mûrier de Letty. Elle rit d'elle-même, une vision de fantômes ! Les enfants ont les semelles, les mains et le visage tout bleus d'avoir piétiné et mangé des mûres.

Le jardin de Letty est une petite clairière soigneusement tondue, entourée de tous côtés par des bois de hickories protecteurs. Le mari de Sugar, Roscoe, en compagnie de tous les autres hommes âgés, monte la garde devant la grande bassine de Letty. Le feu, qui ne fait qu'ajouter à la fournaise de cette journée de canicule, tremble dans l'air autour des bottes de cuir des hommes, et grimpe jusque dans les bras des arbres. Dans l'énorme marmite, mille morceaux gros comme le pouce de ce qui était encore hier un cochon bien vivant remontent en tourbillons dans l'huile grésillante. Roscoe et ses amis surveillent la chaleur du feu et le niveau de l'huile dans la marmite avec l'attitude que les hommes prennent dans de telles occasions, conscients du poids de leur pouvoir. Sugar sourit.

Elle reste seule sous les pêchers courbés de Letty. Elle a besoin d'être un moment à l'écart de la foule avant d'y être aspirée à nouveau. Que va penser sa cousine Alice de cet endroit ? Elle n'en a pas la moindre idée. Sugar regarde avec tendresse les longues tresses qui retombent dans le dos des hommes, les chaussures des femmes qui se soulèvent bien haut dans l'herbe inégale. Il y a des enfants partout. Ceux qui sont trop petits pour grimper aux arbres se faufilent dans la foule, leurs têtes brunes bien lisses effleurant les mains des uns et des autres. Sugar se sent bercée au sein d'une grande famille. Tous ces gens ont un lien de parenté avec Roscoe, elle et ses enfants. Elle pourrait très bien prendre au hasard deux personnes dans le comté cherokee et retrouver les liens qui unissent leurs familles. De fait, c'est le passe-temps favori de tout vieux Cherokee dans les multiples assemblées. Bien qu'elle ne soit pas née ici, Sugar est une Hornbuckle depuis assez longtemps pour le faire aussi bien qu'un autre : remonter la lignée des Hornbuckle, des Blackfeather, Stones, Soap et Swake. Elle se rappelle lorsqu'elle est venue s'installer ici avec son nouveau mari, elle avait l'impression de se trouver dans une interminable réunion de famille.

Ses filles, Quatie et Johnetta, sont debout côte à côte dans la cuisine d'été de Letty, Johnetta remuant la casserole de haricots et Quatie tout aussi occupée par une longue histoire qu'elle a besoin de raconter. La mère du mari de Quatie, Boma Mellowbug, traverse la cour. Elle porte une robe en satin bleu vif et un bonnet d'homme en laine. Elle marche de côté comme une écrevisse, les yeux levés vers le ciel. À Heaven, c'est une bonne chose d'être parent avec Boma, parce qu'elle voit des choses que personne d'autre ne voit.

Il y a un moment, Boma était en grande conversation avec Cash. Elle traverse maintenant la cour en direction de la tonnelle de vigne pour parler à trois garçons et une fille, tous quatre enfants de Bonnie Fourkiller, une amie chère à Sugar aujourd'hui décédée. La fille a une coupe de cheveux bizarre, mais elle ressemble quand même à Bonnie. Sugar ne

254

se rappelle aucun de leurs noms sauf, curieusement, celui du premier bébé décédé – c'était Soldier – et du plus jeune, Gabriel, qui a été emmené au Texas et s'est fait tuer, pense Sugar, mais elle n'en est pas sûre. Elle imagine facilement ces garçons disparus, des hommes maintenant, débarquant ici comme Cash, et trouvant leur place parmi leurs frères et sœurs. Elle sursaute. Boma Mellowbug est debout à côté d'elle, à lire dans ses pensées.

« Es-tu heureuse ? » demande Boma, lançant à Sugar un regard de côté par-dessous son bonnet de laine.

« Je le suis, Boma. Je ne l'ai pas toujours été, mais maintenant je le suis.

– Dans ce cas, ne te tourmente pas à cause du *kolon*. Il n'annonce pas toujours une mauvaise nouvelle. »

Sugar lève les yeux. « Cet oiseau ?

– Il apparaît dans le ciel quand quelqu'un va mourir. Tu l'entends qui appelle ? On dirait qu'il mâche des os. »

Un bébé tout nu chaussé seulement de souliers rouges se déplace d'un groupe d'adultes à l'autre ; personne ne baisse les yeux vers lui, mais chacun caresse sa tête ronde. Sugar regarde Boma, dont les yeux noisette sont limpides et sereins. « Je ne veux pas que quelqu'un meure ici », lui dit-elle finalement.

Boma cligne des yeux. « C'est une grande tribu. Il y a toujours quelqu'un qui meurt. »

Sugar contemple tous ces gens rassemblés dans ce seul espace vert et comprend le prix de l'amour.

« C'est vrai, fait-elle. Mais que ce ne soit pas un des enfants.

– Non, dit Boma. Ces enfants-là, on va les garder. »

20

La guerre des oiseaux et des abeilles

De l'avis d'Alice, Heaven n'a de paradis que le nom. Elle ignore de quelles promesses la ville se berçait autrefois, mais le matin où quelqu'un l'a baptisée Heaven, il n'y avait certainement pas, par exemple, une tripotée de chiens hargneux en embuscade sous le porche du bureau de poste.

« Regarde-moi ce chiot avec son petit bout de queue, dit Sugar, en dansant légèrement sur les marches et en balançant son sac en direction des chiens. Il s'appelle Choppers.

– Pourquoi est-ce que personne ne les sort de là ? demande Alice.

– Mais ma chérie, c'est ici qu'ils habitent », explique Sugar. Elle ouvre la porte-moustiquaire et présente Alice à sa fille Quatie, receveur des Postes à Heaven, alors qu'Alice en est encore à redouter une attaque par-derrière.

Le bureau de poste vend des cigarettes et de la mercerie, et dégage une odeur qui ressemble à celle du thon. Quatie a une Camel allumée et un sandwich dans la main. « Enchantée de vous connaître », dit-elle après avoir passé la langue sur ses dents de devant. Quatie a le visage large et brun de son père mais les yeux de sa mère, légèrement tombants aux coins extérieurs, ce qui donne à son sourire une touche de tristesse.

« Notre cousine d'il y a... », dit Sugar à Quatie, en levant les mains pour montrer qu'il y a plus d'années qu'elle n'est capable d'en compter.

Quatie regarde Alice avec amitié. « Maman parle du Mississippi comme si c'était le royaume des cieux.

– Mais oui, s'écrie Sugar. Alice et moi, on était les reines du bal. »

Roscoe avait déposé Sugar et Alice en ville et il était parti réparer une pompe pour des parents à Locust Grove. Alice était ravie de rentrer à pied. Elle voulait trouver ses repères. À présent, des repères elle en a plus qu'elle n'en voudrait. Elles longent des maisons qui, espère-t-elle, ont connu des jours meilleurs, des cours avec des poulets en liberté et des voitures sans roues recouvertes d'une carapace de rouille pour la vie éternelle. Elles font une petite pause à l'intersection de la rue principale et de ce que Sugar appelle « la rue qui monte », à l'ombre de grands chênes aux branches desquels se balance une vigne vierge digne de la jungle de Tarzan.

« Comment il était ce mari ? » demande Sugar, évitant poliment la question plus évidente de sa venue ici. Alice a envie de parler de Turtle, mais ne le peut pas. Elle ne se sent pas encore à l'aise avec Sugar. Il y a trop longtemps qu'elles ne se sont pas vues. La cousine qu'elle vient de retrouver est une femme maigre et bossue, vêtue d'une robe de coton bleue qui flotte au niveau de la poitrine et chaussée de tennis de toile. Alice se souvient vaguement de

257

ieur dernier échange de lettres, il y a dix ans, du récit d'une opération d'un cancer du sein, mais Sugar a toujours un joli sourire et des yeux que l'on regarde plutôt deux fois qu'une. Elle porte ses cheveux neigeux comme au temps de sa jeunesse, en banane sur la nuque, et elle a une façon presque enjôleuse de parler. « Il s'appelle Harland, dit Alice. Le type que j'ai épousé. Ça n'a pas donné grand-chose. Finalement, j'ai pas pu me faire au silence.

– Oh, comme je te comprends. Je crois que Roscoe a épuisé tout son vocabulaire quand il m'a demandé de l'épouser. Tout ce qu'il reste maintenant c'est " où t'as mis ça ? " et " à quelle heure est-ce qu'on mange ? " »

Alice respire un peu plus librement. Se plaindre du comportement des hommes est la levure des amitiés féminines, semble-t-il, ce qui les fait gonfler et lever.

Elles accélèrent le pas et passent une station Shell et un bâtiment couvert de planches jaunes criblées de trous qui annoncent HEAVEN OUTILLAGE NEUF ET OCCASION. Elles sont déjà au-delà des limites de ce qu'Alice appellerait la ville. Qui n'est pas bien grande, c'est vrai.

« Quelle est l'origine de ce nom, Heaven ? demande-t-elle à Sugar.

– Oh, c'est à cause du trou bleu. Un grand trou d'eau en bas à la rivière, où les enfants adorent aller se baigner et pêcher. Attraper des écrevisses, ce genre de choses. Les adultes aiment bien y aller aussi. C'est l'endroit le plus joli de la région. Autrefois on l'appelait « Le meilleur endroit » en cherokee, et quand ils ont voulu le traduire en anglais quelqu'un a cru que les gens parlaient du paradis. Mais c'était faux, ils voulaient juste dire le meilleur endroit de la région.

– C'est souvent comme ça », dit Alice. Elle est soulagée que la notion de paradis soit en fin de compte relative.

« Et ta fille ? Où est-elle maintenant ? » demande Sugar.

Alice s'aperçoit avec un choc qu'elle n'en a pas la moindre idée. Et qu'elle ne peut pas en parler, ce qui la rend encore plus triste.

« Elle habite à Tucson, dans l'Arizona. Taylor, c'est ma fierté.

– C'est ça, les enfants. Quand ils ne vous posent pas de problèmes, c'est un vrai bonheur. »

La route, devenue sentier, passe sous un tunnel de caroubiers. À côté, une rivière court dans l'épaisse forêt, Alice entend son murmure satisfait. Des oiseaux chantent très fort dans les arbres, et on dirait qu'il y a des douzaines de tortues d'eau sur la route. Les camions qui circulent font des écarts pour les éviter, et elles rentrent la tête, immobiles comme des pierres, leur petit cœur battant sûrement d'y avoir une fois de plus échappé. Elles doivent pourtant bien arriver à traverser, sinon la route serait jonchée de leurs cadavres.

« Regarde, des épinards sauvages », s'écrie Sugar, soudain animée. Elle tire de son sac un sachet en plastique et, le secouant pour l'ouvrir, elle descend le talus en marchant sur le côté. Là, dans le fossé, elle s'accroupit et cueille de pleines poignées de jeunes feuilles vertes. Un camion passe, et Sugar lui adresse un grand signe. Alice, mal à l'aise, se tourne à moitié, comme si sa cousine était en train de faire ses besoins en contrebas. Elle sait que les épinards sauvages sont comestibles, elle l'a toujours su. Mais elle sait aussi depuis longtemps ce que les gens diraient d'elle s'ils la voyaient ramasser ses salades au bord de la route.

Sugar remonte triomphante, son sac aussi gros qu'un ballon de basket. « Avant il y avait une quantité incroyable d'épinards sauvages juste derrière chez nous, là où ils ont coupé les arbres sous les fils électriques », explique-t-elle à Alice tout en réglant son pas sur le sien et en reprenant son souffle. « Mais il y a quelques années ils se sont mis à pulvériser une espèce de poison sous les lignes à haute tension, et ça a tué tous les épinards. Tu peux me dire pourquoi ils ont fait ça ? »

Alice ne répond pas : Pour tuer les mauvaises herbes, qu'est-ce que tu crois ? Elle se contente de dire : « Qu'est-ce qu'il fait chaud ! »

Sugar s'essuie le front. « J'étais juste en train de penser combien il pouvait faire chaud, l'été quand on était gosses. Les adultes ne bougeaient pas de la galerie.

– C'est vrai, il faisait chaud. C'était le Mississippi.

– Ma mère ne voulait pas garder le bébé sur ses genoux tellement il faisait chaud. C'est nous qui prenions les bébés sur nos genoux parce qu'on aimait bien jouer à la maman. Je crois qu'on sentait pas vraiment la chaleur, et on ne savait pas non plus un dixième de ce que c'était que d'être mère. »

Devant elles, un énorme serpent noir écarte les herbes et commence à ramper sur la route, se ravise, s'enroule sur lui-même comme un lacet de chaussure, et disparaît dans les broussailles.

Brusquement Alice sort ce qui lui trotte dans le crâne : « Tu connais quelqu'un du nom de Fourkiller ?

– Oh, ma pauvre, on peut pas faire trois pas sans tomber sur un Fourkiller. Il y a Ledger Fourkiller. C'est le chef, l'homme le plus gentil qu'on puisse trouver. C'est lui qui fait les cérémonies à Locust

Grove. Il habite sur une péniche. Il vit là-bas sur le lac depuis la Seconde Guerre mondiale, selon Roscoe. Il a un ponton de débarquement fait entièrement avec des vieux pneus. Une merveille. »

Elles marchent en silence jusqu'à ce que Sugar demande : « Tu te rappelles les mâts enrubannés à Jackson ?

– Si je m'en souviens ! Les gosses avec leurs chaussures blanches, qui faisaient des rondes. Les garçons allaient dans un sens et les filles dans l'autre. »

Sugar se touche les cheveux. « La foire de l'état, dit-elle. Les défilés. J'oublierai jamais. Et tu te rappelles la fête foraine ?

– La vache avec une tête d'homme ! s'écrie Alice.

– L'homme caoutchouc ! L'hypnotiseur !

– Les veaux siamois, deux corps et huit pattes !

– Tu avais demandé à être remboursée ce jour-là, parce qu'on avait découvert qu'ils étaient morts et empaillés.

– Et je l'avais été, fait Alice.

– Tu savais ce que tu voulais, on peut pas dire le contraire.

– Réfléchis un peu. Mort et empaillé, ils avaient très bien pu en coudre deux normaux ensemble.

– Ça fait quarante ans que j'y pense, Alice.

– À ce veau mort ?

– Non, à toi. Quand t'as dit au bonhomme que tu voulais qu'il te rende tes cinq *cents*. Si seulement j'avais eu ce cran-là. Moi, j'ai l'impression que j'ai jamais montré à mes filles de quoi j'étais capable. »

Alice est surprise par l'admiration de cette cousine pleine de vitalité. « Elles m'ont pourtant l'air d'avoir fait leur chemin.

– C'est vrai. Les garçons me font bêtise sur bêtise, mais les filles, ça va. T'as pas encore vu Johnetta. Elle va passer après sa tournée de bus. Tu verras, c'est quelqu'un, le genre à se faire rembourser. » Sugar rit.

Alice ayant mis ses chaussures de jogging, la marche ne lui fait pas peur, mais elle est obligée de ralentir le pas pour Sugar, qui semble s'essouffler facilement. Les deux femmes marchent dans l'ombre, leurs coudes se frôlent de temps en temps. Chaque fois qu'elles arrivent à hauteur d'une petite maison, Sugar fait un signe. À des gens qui se trouvent sur la véranda. Des gens de tous âges : une grand-mère qui trie des légumes dans un seau, un homme jeune, les mains noires de graisse, penché sur un moteur comme s'il allait en sortir un bébé. Et des gosses, des quantités de gosses. Les uns et les autres répondent à son salut, l'appelant par son nom. Elle a déjà présenté Alice à des dizaines de gens, qui tous ont l'air au courant de sa venue et semblent avoir un lien de parenté avec Sugar, soit par le mariage, soit à cause d'une catastrophe, souvent les deux.

Sugar ralentit encore quand la route se met à monter, et elle soupire un peu. La pente est raide. Où qu'Alice porte son regard, elle voit des collines en forme de longues miches de pain brunes entrecoupées de vallons boisés. Auprès des maisons, il y a presque toujours une chèvre pour maîtriser la végétation, même si, à l'occasion, une cour exhibe une vieille tondeuse orange à côté de l'antenne parabolique.

Alors qu'elles franchissent la crête de la colline, elles se retrouvent soudain en face d'un long champ fauché entouré de barrières blanches, exactement

262

comme les haras qu'Alice a souvent vus dans le Kentucky. Une enseigne de laiton sur le portail blanc annonce : LE REFUGE. La resplendissante allée d'asphalte monte fièrement la butte vers une maison de pierre aux volets blancs. Le heurtoir de laiton sur la porte d'entrée est énorme, comme pour vous signifier que vous avez intérêt à être d'une taille respectable pour oser déranger qui se trouve à l'intérieur. « Qu'est-ce que c'est, cet endroit ? Un élevage de chevaux de course ? demande Alice.

– D'autruches », répond Sugar.

Alice rit de l'humour de sa cousine. « Et ils obtiennent un bon prix pour la viande ?

– Non, les plumes. Pour les chapeaux des dames, ce genre de chose. »

Alice ouvre des yeux ronds, mais Sugar ne sourit pas. Elle semble même agacée. « Des autruches ? s'étonne Alice. Un élevage d'autruches ?

– C'est ce que je te dis.

– Qui a jamais entendu parler d'une chose pareille ?

– Pas moi, admet Sugar. Jusqu'à ce qu'un type appelé Green nous vienne du Nouveau-Mexique ou du New Hampshire, et prétende qu'on peut devenir riche en élevant des autruches. Il a essayé de mettre le gouvernement dans le coup. Ce qu'il y a, c'est qu'il faut être riche pour se lancer dans l'élevage des autruches. Elles vous coûtent environ vingt mille dollars la paire, juste pour les avoir.

– Grand Dieu ! fait Alice. La moindre plume sur leur dos doit coûter au moins mille dollars.

– C'est à peu près ça. Ce type essayait de vendre les œufs cent dollars, il racontait aux gens qu'ils pouvaient les faire éclore et ainsi démarrer dans le

263

métier. » Sugar est prise de fou rire. Elle tient son poing devant sa bouche. « Le copain de Roscoe, Cash, qui vient juste de revenir du Wyoming, a dit à Mr. Green qu'il lui en achetait un s'il promettait de s'asseoir dessus lui-même. »

Alice se sent prise d'une intense curiosité. N'ayant jamais vu d'autruche, elle balaie du regard la crête de la colline dans l'espoir d'entrevoir un long cou rose et un postérieur aux plumes coquines, mais il n'y a rien d'autre que de l'herbe de velours. « J'ai pas l'impression qu'elles soient dehors aujourd'hui, dit-elle finalement, déçue.

– Oh, on les aperçoit certains jours, insiste Sugar. Les gosses aiment aller les embêter pour les voir se sauver en courant. Ou alors cracher, j'ai entendu dire qu'elles crachaient quand elles sont en colère. Je sais pas si les oiseaux crachent, mais ce sont des oiseaux bien particuliers. Elles n'enterrent pas leur tête, ça c'est une légende. Mr. Green dit qu'il va envoyer sur les gosses des rafales de sel, et ça c'est pas une légende, il le fera. Il a dit tout fort à l'épicerie que rien ne pourrait lui faire plus plaisir que de voir Boma Mellowbug tomber raide morte demain.

– Qui ?

– Boma Mellowbug. » Sugar fait un signe de tête en direction d'une grande maison délabrée nichée dans les bois juste au-dessus de la barrière du *Refuge*. La maison elle-même est petite, construite en lattes de bois, mais de nombreux éléments y ont été ajoutés, pour augmenter l'espace vital, comme par exemple un bus scolaire tout rouillé. Alice voit des chaises et un tuyau de poêle à l'intérieur du bus, et il y a tellement de plantes qui poussent là-dedans que leurs feuilles s'écrasent sur les vitres et le pare-brise comme le feraient des plantes de serre. Des remorques à chevaux et des réfrigérateurs stationnent dans la cour parmi les buissons de myrtilles. Un trio de poules déambule sagement autour des jambes torses d'un beagle qui semble mort.

« Qu'est-ce que ce type a contre Boma ? » demande Alice, bien qu'elle en ait une petite idée. La barrière blanche qui sépare les deux propriétés pourrait très bien être le rideau de fer. Néanmoins, Alice aurait du mal à dire quel pays elle voudrait faire sien, si elle avait à choisir.

« Disons que d'abord il déteste ses abeilles. Elle a des abeilles qui nichent dans son toit. Il dit qu'elles vont lui tuer ses autruches, mais elles feraient jamais ça. Ce sont de bonnes abeilles si on les aime, et Boma les aime. Un oiseau ne serait pas assez malin pour détester une abeille. Qu'est-ce que t'en penses ? »

Alice a déjà décidé que comprendre Heaven n'est pas du tout à sa portée. « Je n'en sais rien », répond-elle, ce qui est la vérité. Rien dans sa vie ne l'a préparée à se prononcer sur une guerre entre des abeilles et des autruches. Alors qu'elles passent lentement devant la boîte à lettres de Boma, qui a été fabriquée avec un morceau de gouttière et un panier à œufs en fil de fer, Alice entend au loin le léger bourdonnement de la ruche. Elle se dit que, tant que durera sa mission, du moins quand elle se trouvera sur cette portion de route, elle a tout intérêt à aimer les abeilles de Boma.

Automne

21

Skid Road

Au volant du minibus de la compagnie Handi-Van, Taylor s'engage sur Yesler Way, et grimpe la longue côte qui domine le front de mer. Les rues sont bordées d'érables aux troncs mouchetés. Entre les immeubles surgissent des tranches d'océan d'un bleu réfrigérant. Une passagère aveugle assise juste derrière elle explique à Taylor comment elle en est arrivée à oublier les couleurs. Elle les a maintenant toutes perdues sauf le bleu. « Je crois que je me rappelle le bleu, dit la femme, mais je ne l'ai pas vu depuis quarante ans, alors il se peut que je sois complètement à côté. »

Taylor s'arrête précautionneusement à un feu. Ce matin elle a fait un arrêt un peu brusque à un passage à niveau, et le chien d'un aveugle a dévalé tout le couloir depuis le fond du car. Elle entendait ses griffes qui crissaient dans les sillons du tapis en caoutchouc. Quand le car a été plus ou moins immobile, le chien s'est simplement remis sur ses pattes et s'en est retourné à l'arrière du véhicule. Taylor se sentait vraiment mal à l'aise, comme lorsqu'on marche sur le pied de quelqu'un, et qu'il se contente de soupirer sans rien dire.

« Je n'avais jamais pensé à ça, que l'on puisse oublier les couleurs », remarque Taylor, en essayant de se concentrer sur sa conduite tout en se montrant chaleureuse avec la passagère aveugle. Mais cette conversation la déprime profondément. Elle situe très bien la femme : une habituée, mardi et vendredi pour une dialyse.

« C'est pourtant vrai, on oublie, insiste la femme. Ce n'est pas la même chose que d'oublier le nom de quelqu'un. C'est plutôt qu'on a à l'esprit sa propre idée d'une certaine couleur, mais on peut dérailler, vous comprenez. De la même façon qu'on peut dérailler légèrement sur une note quand on chante. »

La radio de Taylor se manifeste avec moult grésillements et lui demande de donner sa position. Pour être embauché chez Handi-Van, il fallait un permis de conduire de l'état de Washington assorti d'une attestation de bon conducteur, trois semaines de stage, plus un cours d'assistance respiratoire. Le plus difficile pour Taylor a été d'apprendre le code radio, qu'elle trouve toujours inutile.

En remontant Yesler Way, Taylor passe devant son appartement, situé dans une espèce de long bâtiment marron avec vingt portes identiques espacées tous les trois mètres environ comme des wagons de marchandises. L'appartement est sinistre, avec son linoléum usé, ses cloisons d'une minceur inquiétante et des voisins des deux côtés qui crient à qui mieux mieux dans une langue qui ressemble à du chinois ; parfois Taylor a l'impression que les deux familles se servent de son appartement comme d'un conduit pour échanger insultes et instructions bizarres. Mais momentanément elles ont un toit sur la tête, et

270

Taylor se sent plus optimiste quant à l'état de ses finances. Elle n'a dépensé que les deux tiers des mille deux cents dollars qu'Alice lui a donnés pour payer le premier mois de loyer, faire brancher l'électricité et emménager. Elle a caché le reste dans un cube en plastique posé sur sa table de nuit, dont les six faces sont couvertes de souriantes photos de famille – Jax et Turtle chez eux, Jax en maillot de bain avec un sac en papier sur la tête, une très vieille photo d'Alice en train d'écosser des haricots blancs. Taylor se dit que c'est le dernier objet qu'un cambrioleur songerait à voler dans une maison. Barbie, qui ne les a toujours pas quittées, est en partie responsable du fait qu'elles aient échoué ici ; elle prétend que ce coin est en passe de devenir un endroit à la mode. Elle a également accepté de sacrifier une portion de son butin pour participer aux dépenses. Pour l'instant, Barbie garde Turtle dans la journée, et à compter de cette semaine, Taylor gagne huit dollars de l'heure.

Elle a décidé qu'elle aimait cette ville, tout le contraire de Tucson, un endroit où personne n'aura jamais l'idée de venir les chercher. Des plans d'eau bordent l'agglomération de tous côtés et, tapies à l'horizon, des montagnes triangulaires enneigées l'aident à orienter l'aiguille de sa boussole mentale quand elle déambule dans des rues inconnues. Plusieurs fois par jour elle doit emprunter pour traverser le lac avec son bus l'un de ces ponts flottants qui dansent sur l'eau comme de longues barques étroites. Apparemment il n'a pas été possible de les ancrer, comme on le fait généralement dans la construction de ponts, parce que les lacs sont trop limoneux et trop profonds pour y implanter des racines de béton.

Taylor tient cette information et un tas d'autres renseignements de Kevin, conducteur chez Handi comme elle, qui lui a demandé six ou sept fois si elle voulait bien sortir avec lui. Kevin n'est pas exactement son genre ; c'est un jeune homme à la peau rose dont les jeans ont toujours l'air de sortir du magasin et ne sont jamais vraiment à sa taille. Son principal intérêt dans la vie semble être la pâle moustache qu'il s'efforce de faire pousser. Il parle par code même en dehors des heures de travail. Malgré tout ça, Taylor est sur le point de se laisser fléchir. Il y a tellement longtemps qu'elle n'a pas pris un peu de bon temps qu'elle craint de ne plus en être capable. La prochaine fois qu'elle appellera Jax, elle ne sera pas fâchée de lui apprendre qu'elle sort avec quelqu'un. Elle prend sa décision tout en aidant la femme qui a oublié les couleurs à se diriger vers la porte de secours rouge de l'hôpital : ce samedi, Taylor et Turtle iront quelque part avec Kevin. S'il a oublié l'existence de Turtle, tant pis pour lui. Il faudra qu'il se fasse à cette idée, sans quoi il peut aller se rhabiller.

Quand Taylor rentre du travail, Barbie et Turtle sont installées dehors sur le minuscule patio derrière la cuisine. Barbie, étendue sur un couvre-lit dans un bikini rose, travaille à son bronzage. Elle ressemble à un oiseau exotique tragiquement pris au piège dans une cage minable. Taylor fait glisser la porte de verre récalcitrante et sort une des chaises de cuisine branlantes en se promettant de penser à emprunter un tournevis et des vis au garage. La lumière de fin d'après-midi semble faible, mais c'est la première fois qu'elles voient le soleil après deux semaines de pluie ininterrompue, et Barbie ne veut à aucun prix manquer sa chance. Elle prétend que son bronzage est un élément essentiel de son identité. Turtle, qu'elle a mise au boulot, découpe des étoiles dans du papier aluminium doré pour les coller ensuite sur une minijupe en jean que Barbie a trouvée dans un magasin de vêtements d'occasion.

« Elle va être fichue au premier lavage », fait observer Taylor.

Turtle s'arrête de découper des étoiles. Elle pose soigneusement les ciseaux sur le sol de béton craquelé et va s'asseoir sur les genoux de Taylor.

« Tu m'apprends rien. » Barbie est allongée sur le ventre et sa voix est assourdie. « C'est simple, je la laverai pas. Tu comprends Taylor, c'est un costume, c'est pas comme des habits ordinaires. Ça va être l'" Ensemble américain ". La jupe va avec le dos nu rayé rouge et blanc et le jupon en dentelle. Ça vient de sortir, on l'a repéré aujourd'hui en jetant un coup d'œil au rayon Barbie pour voir ce qu'il y avait de nouveau. C'est vraiment super, quoi, mais trouver de la dentelle comme celle-là, ça va pas être du gâteau. Un vrai défi. »

Taylor décroche. Elle sait quand elle peut cesser d'écouter Barbie. Elle caresse les cheveux de Turtle. Celle-ci porte sa salopette verte, la même qu'elle a traînée tout l'été, et qui ne s'est pas arrangée depuis l'émission d'Oprah Winfrey. Les jambes sont un peu courtes et la taille un peu serrée, remarque Taylor. Les doigts de pied de Turtle dépassent de deux ou trois centimètres de l'extrémité de ses tennis ; Taylor a découvert avec horreur que Turtle recroquevillait ses orteils, sans se plaindre. Aujourd'hui elle a les tongs jaunes de Barbie. Il lui faudra des vêtements neufs pour rentrer à l'école dans une semaine et demie. Encore des frais. Taylor se sent vaincue. Si seulement les talents de styliste de Barbie pouvaient avoir une utilité dans la vie civile.

« Qu'est-ce que t'as fait aujourd'hui ? demande-t-elle à Turtle. À part farfouiller dans le magasin de jouets et découper des étoiles.

– Rien. »

Taylor reconnaît que Barbie n'est pas la baby-sitter idéale, mais elle n'a pas tellement le choix. Elle espère que l'école commencera avant que Turtle ne soit déformée par le monde de la mode. « Tu veux aller à la plage, ou ailleurs, samedi ?

– Oui. » Turtle se blottit contre la poitrine de Taylor. Elle prend les deux mains de Taylor dans les siennes et les croise sur son ventre.

« J'ai décidé de sortir avec Kevin, annonce-t-elle à Barbie.

– Qui ? demande Barbie avec un réel intérêt.

– Ce gars au boulot qui ressemble à un lapin. Au moins il arrêtera de me le proposer.

– Bien joué, Taylor. Comme si le fait de sortir avec quelqu'un était la façon la plus sympa de lui faire comprendre qu'on n'est pas intéressé.

– T'as raison.

– Tu as apporté un journal ?

– J'ai oublié.

– Taylor ! C'est au moins la cinquantième fois que je te le demande. Je voulais lire les petites annonces.

– Pour trouver un boulot de serveuse ? Réfléchis, ça vaut pas le coup. Tu ne gagneras pas ce que me coûterait de faire garder Turtle. »

Turtle lève la tête vers Taylor. Ses yeux noirs se soulignent de blanc et sa bouche est fermée comme un lit bien fait.

« Oh, je suis tout à fait capable de gagner de l'argent, dit Barbie. Et je te parle pas d'un boulot de serveuse. J'aurais juste besoin de travailler dans un bureau équipé d'une photocopieuse couleur. »

Taylor préfère ne pas avoir de plus amples détails sur ce projet. Mais Barbie roule bientôt sur le dos et se redresse légèrement. Ses muscles forment des arêtes sur son abdomen étroit. Elle place sa main en visière et regarde Taylor d'une manière étrange.

« Tu veux savoir pourquoi je suis partie de Bakersfield ?

– Tu m'as dit que les sosies de Barbie avaient peu de chances d'y faire carrière.

– Eh bien j'ai menti », répond Barbie sèchement. Sa voix a perdu l'amabilité qu'elle s'efforce habituellement d'y mettre. « J'étais recherchée pour faux.

– Des faux billets ?

– Qu'est-ce que tu veux que ce soit d'autre, hein ?

– Comment ?

– Une photocopieuse couleur. C'est tout ce qu'il y a de plus facile. Tu vas au bureau un peu en avance, tu poses des billets de vingt dollars sur la vitre, tu photocopies les deux faces, et toc, tu es prête à aller faire tes courses. »

Taylor la regarde bouche bée. « Tu me fais marcher ?

– Je comprends vraiment pas pourquoi tout le monde ne fait pas ça. Mon patron s'en est rendu compte uniquement parce qu'une fois j'avais laissé traîner des billets ratés dans la corbeille à papiers. »

Taylor se sent un peu tremblotante. Dans les moments où le vernis de Barbie craque, les sentiments qui font surface sont d'une puissance terrifiante. Taylor se demande ce qui a bien pu se passer pour qu'une enfant normale se transforme ainsi en un parfait spécimen de paumée.

« Est-ce que ça n'est pas un délit puni par la loi ? »

Barbie examine le bout de sa queue de cheval. « Oh, probablement. Je sais pas.

— Est-ce qu'on va bientôt voir ta photo dans les bureaux de poste ?

— Impossible. » Elle rejette sa queue dans son dos et se rallonge. « Mon patron n'engagera pas de poursuites. Je raconterais à sa femme ce qu'il a essayé de me faire un jour dans son bureau. »

Taylor baisse les yeux vers Turtle, qui malheureusement enregistre tout. « Si tu veux mon avis, c'est pas de ton patron que tu devrais te méfier, c'est du ministère des Finances.

— Tu crois pas qu'ils ont de vrais criminels à attraper ? Enfin, c'est pas comme si j'avais assassiné quelqu'un. J'ai fait que stimuler l'économie. »

Taylor ne sait jamais si c'est le moment de discuter avec Barbie. Elle se comporte comme une touriste venue d'un autre système solaire qui n'aurait consulté qu'un catalogue de jouets avant de débarquer sur cette terre. Que pourrait-elle comprendre aux valeurs familiales ? Mais Taylor donnerait cher pour que Turtle n'entende pas tout ça. Le cambriolage du casino tenait de l'aventure, comme une histoire de pirates ou les exploits de Robin des Bois, mais photocopier de l'argent c'est de la cupidité pure et simple.

Barbie, les yeux soigneusement fermés, sans doute pour que le bronzage de ses paupières soit parfait, cherche de la main le verre en plastique posé près de son coude et fait glisser les glaçons dans sa bouche.

« Alors, pourquoi est-ce que tu es partie de Bakersfield ? demande Taylor.

– Ils se sont mis à placarder des affiches dans tous les centres commerciaux, du genre " Attention, attention ! ". Je suppose qu'ils avaient remarqué les billets dans leurs caisses. Peut-être quand ils ont essayé de les déposer à la banque. Je sais pas. Alors, je me suis dit, laisse tomber ! Faut que je me tire si je veux vraiment dépenser mon argent ! »

Taylor ne sait pas quoi répondre. Elle discuterait bien avec Barbie, mais elle est exténuée d'avoir conduit le minibus toute la journée, descendu les fauteuils roulants, subi des conversations éminemment déprimantes et enduré la supériorité des chiens pour aveugles. Elle se sent oppressée par l'horrible patio de béton. Un chien aurait à peine la place de s'y retourner. Une haute clôture marron le sépare des patios identiques des voisins. Elle se demande si la couleur marron est une sorte de code international de la pauvreté. Ce serait tout de même plus gai si elle avait ne serait-ce que quelques plantes. Un géranium rouge dans un pot, ou un plant de tomates, qui profiterait du soleil gratuit et vous donnerait quelque chose en retour. Mais il faudra des semaines avant qu'elles aient trois dollars de côté à dépenser pour ça. Entre-temps, pense-t-elle, qui sait ? Peut-être que Barbie est dans le vrai. Profitons du soleil. Profitons de ce qui se présente.

Le samedi, Kevin, Taylor et Turtle achètent des cônes glacés à Pioneer Square pour fêter la première paie de Taylor. Taylor n'est pas d'humeur à faire la fête : le chèque, une fois les impôts et la Sécurité sociale déduits, est beaucoup plus maigre qu'elle ne

277

l'escomptait. Elle travaille à plein temps et ne sait pas du tout comment elle va payer le loyer et la nourriture, à moins que Barbie ne participe. Elle n'est pas emballée non plus à l'idée d'utiliser l'argent de Barbie, étant donné sa provenance.

« Regarde, Turtle, lèche le côté qui est devant toi. Comme ça. » Taylor lèche le sommet de son propre cône à la pistache en guise de démonstration. Turtle approuve de la tête, mais renverse immédiatement son cône pour lécher l'extrémité opposée. Une tache qui va s'agrandissant glisse de son menton en direction de son T-shirt comme une belle barbe verte. Kevin, aussi impénétrable qu'un agent de police avec ses lunettes d'aviateur réfléchissantes, n'a pas accordé la moindre attention à Turtle.

C'est une journée très chaude, mais les érables, dont les troncs bruns et blancs inclinés ont des airs de girafes fatiguées, semblent avoir deviné que c'est bientôt l'automne. Leurs feuilles brunissent mélancoliquement sur les bords, prêtes à rendre l'âme. Nombre d'entre elles sont déjà tombées. Elles roulent en petits tas comme des sacs en papier marron, que Turtle soulève à coups de pied sonores, alors que tous trois traversent le petit parc sous un belvédère en fer forgé. Des femmes et des hommes indifférents sont assis sur les bancs dans toutes sortes d'accoutrements – certains en manteaux crasseux, d'autres en légers pantalons de coton – et pourtant ils se ressemblent tous, avec leurs visages burinés et leurs cheveux emmêlés, comme si tous ces styles vestimentaires n'étaient que des variations de l'uniforme des sans-abri. Kevin entraîne Taylor vers la rue : ils s'éloignent des bancs et passent devant une voiture qui doit venir d'un endroit moins pluvieux car elle est couverte d'une épaisse poussière brune. Quelqu'un a écrit LAVEZ-MOI sur la vitre arrière. Kevin saisit cette occasion pour expliquer à Taylor que la partie est de l'état est pratiquement désertique.

« Maman, tiens », dit Turtle, lui tendant ce qui reste de son cône glacé.

« Quoi ? Tu veux pas le finir ?

– J'aime pas les glaces.

– Mais si, Turtle, tu les aimes. C'est bon pour toi. Ça contient du calcium et ça fait grandir tes os. Où a-t-on vu un enfant qui n'aime pas les glaces ? »

Turtle regarde sa mère avec des yeux chagrinés.

« D'accord, tiens, voilà une poubelle. » Taylor prend la glace dégoulinante et la jette.

Ils traversent la rue à l'ombre d'un immense mât totémique qui surplombe le parc. Pour la première fois depuis plusieurs jours Taylor pense à Annawake Fourkiller. Elle s'imagine en train de subir un interrogatoire sur les Indiens : lesquels sculptaient des mâts totémiques, lesquels vivaient dans des tipis, lesquels chassaient le bison, lesquels ont appris aux Pères pèlerins à mettre deux poissons au fond du trou avant de planter le maïs. Elle a honte. Elle n'a aucune idée de ce qu'elle devrait apprendre à Turtle sur ses ancêtres. En ce moment elle a tout juste la force de lui dire de manger correctement et de la coucher à l'heure.

Pour rejoindre la voiture de Kevin, ils traversent un autre petit parc avec deux nouveaux mâts totémiques : un gigantesque chien en bois et un homme qui se font face, bras écartés. Peut-être se lancent-ils un ballon imaginaire, en tout cas ils ne semblent pas heureux. Leurs bouches peintes, grandes ouvertes, sont énormes, comme s'ils allaient avaler le monde. Le regard de Taylor glisse vers une femme assise sur un banc en compagnie de deux petits enfants à l'air hébété. La femme a les doigts enflés et un chemisier rouge taché, elle suit tranquillement Taylor des yeux. Taylor baisse la tête, comme si elle transportait quelque objet volé.

Ils poursuivent à présent leur visite dans la pimpante Camaro bleue de Kevin.

« On a une sacrée chance d'avoir ce soleil, dit Taylor. Je ne sais pas si je m'habituerai un jour à ce ciel gris. Je me demandais si j'allais pas attraper cette maladie qu'ont les Eskimos qui ne voient pas assez le soleil. Tu sais, où ils deviennent fous et se mettent à manger leurs chaussures.

— Jamais entendu parler, fait Kevin en passant la main dans ses cheveux blond-blanc. Ah, voici l'endroit où il faut habiter. »

Il n'y a pas à discuter. Les bords du lac sont d'une beauté à couper le souffle : des maisons sophistiquées aux toits de cèdre, flanquées de jardins ornés de bonsaïs et d'arbres en fleur qui bordent la rue en pente. On a l'impression qu'on va avoir besoin d'un passeport pour pénétrer ici quand on arrive depuis l'autre côté de la colline.

Ils sortent de la voiture et traversent un vaste espace vert en direction du lac. Turtle s'anime. Comme elle n'avait pas de maillot de bain, Barbie, dans un moment de générosité, a sacrifié un morceau de lamé bleu qu'elle avait mis de côté pour l'ensemble « Bal de fin d'année », et en a tiré un bikini en un temps record. Taylor a objecté qu'un bikini n'était pas très approprié pour une petite fille de six ans, mais Barbie n'a pas tenu compte de ses remarques. Turtle court devant eux à présent ; elle retire son T-shirt et dévoile un maigre torse brun et deux bandes bouffantes de tissu bleu brillant. On dirait une recalée du carnaval. Taylor dans son sillage, elle descend les marches de ciment et se retrouve dans le lac, de l'eau jusqu'aux mollets, debout sur le fond caillouteux, les genoux qui jouent des castagnettes et le visage radieux.

« Tu es contente ? »

Turtle aspire une bouffée d'air entre ses dents qui claquent, et acquiesce.

« C'est pas trop froid ? Quand tes lèvres seront aussi bleues que ton maillot, je te sors de là.

– D'accord », fait Turtle, en serrant les bras autour de son corps.

« Kevin et moi, on est juste là, je te surveille, d'accord ? Reste avec les autres enfants. Ne va pas où c'est plus profond. »

Turtle secoue vigoureusement la tête.

Taylor recule vers la serviette de plage que Kevin a étalée au soleil, sans quitter un seul instant Turtle des yeux. Autour d'elle, il y a des enfants de toutes les couleurs qui courent, qui crient et qui sautent des marches, mais Turtle, ses frissons mis à part, est immobile, elle regarde.

« Elle ne sait pas jouer dans l'eau ? demande Kevin.

– Il lui faut toujours un moment pour trouver ses repères.

– C'est une de ces petites Coréennes adoptées, ou quoi ? » Kevin sort de son sac à dos quatre tubes différents de crème solaire et une pomme. Il mord dans la pomme.

« Elle est adoptée, oui. » Taylor voit sa propre expression de stupéfaction dans les verres réfléchissants de Kevin. Comment peut-on être assez grossier pour prendre une seule pomme quand on part pour la journée avec d'autres gens ? Sa stupéfaction n'a pas l'air de traverser les verres pour atteindre Kevin.

Taylor défait les sandwichs qu'elle a apportés à partager. Elle s'en veut vraiment d'avoir dépensé cinquante-cinq *cents* pour acheter une boîte de thon à cause de ce garçon, alors qu'elle et Turtle se sont nourries de beurre de cacahuète toute la semaine. « Tu crois pas qu'on peut être quelqu'un de très bien, même si on s'en sort pas ? demande-t-elle.

– Oh, bien sûr. Il y a des gens qui naissent avec un pois chiche dans le crâne, on n'y peut rien. Mais bon Dieu, si on sait ouvrir le robinet d'eau, on peut se laver, c'est ce que je dis toujours. »

Taylor a mal au ventre, comme si elle allait avoir la grippe. C'est sans doute sa haine grandissante pour Kevin et son inquiétude de savoir Turtle là-bas dans le lac. Elle calcule mentalement le nombre de secondes qu'il lui faudrait pour traverser d'un bond la pelouse et descendre les marches, au cas où Turtle disparaîtrait sous l'eau.

« Tu vois bien ce que je veux dire, poursuit Kevin, la bouche pleine de pomme. Quand on songe à toutes les possibilités qui nous sont offertes, et ces gens qui sont là assis sur leurs bancs à se regarder le nombril, on est obligés d'admettre que s'ils se retrouvent dans cette situation ils ne doivent pas y être pour rien. »

C'est avec Barbie qu'il aurait dû sortir, pense Taylor. *Ils pourraient jacasser tous les deux toute la journée sans risquer une seule seconde d'avoir une conversation humaine.* Elle regarde Turtle qui, suivant l'exemple de deux minuscules fillettes dont les maillots sont presque aussi étranges que le sien, grimpe lentement sur la marche inférieure et saute à nouveau dans l'eau. Elle atterrit brutalement. Taylor a envie de lui crier de plier les genoux pour se recevoir.

« Tu aimes la salade de thon ? demande-t-elle à Kevin.

Ouais », fait Kevin, qui engloutit aussitôt le sandwich sans le regarder, puis se lèche les doigts avec un air de léger dégoût. Il s'essuie les mains sur son jean bien coupé et prend la peine d'ôter ses lunettes pour s'enduire le visage d'une crème solaire claire et brillante qui sent le shampooing pour chien. Il utilise un tube différent pour les bras et les jambes. Taylor l'observe sans véritable surprise. Il retire sa chemise et tend à Taylor un tube encore différent.

« C'est en grande partie de l'incapacité à gérer son argent », dit-il, en s'allongeant à plat ventre sur sa serviette et en croisant les bras sous son menton. « Tu vois ce que je veux dire ? Fais très attention avec la crème solaire. Passe-la bien partout. Une fois j'ai laissé un petit triangle dans le bas du dos et il y est resté tout l'été et tout l'automne.

– Incapacité à gérer son argent ?

– Ouais, je crois. Tout est question de volonté, et il faut faire attention à ce qu'on dépense, tu comprends ? Et surtout ne pas rester là à attendre que tout vous tombe rôti dans la bouche.

– Si on veut, récite Taylor, on peut. » Tout en tripotant le tube de crème solaire, il lui vient une idée qui la débarrasse instantanément de ses crampes à l'estomac.

« En gros, c'est ça la réalité américaine », dit Kevin. Il ferme les yeux. On dirait qu'il a l'intention de dormir.

Taylor frotte consciencieusement le dos transpirant de Kevin de ses mains sèches, prenant tout son temps, jusqu'à ce qu'il se mette à ronfler doucement. Puis elle ouvre le tube de lotion solaire, en met une noisette sur son doigt, et écrit soigneusement sur le dos de Kevin : LAVEZ-MOI.

Il fait sombre dans l'appartement à leur retour. Taylor allume toutes les lampes pour se sentir un peu moins sombre à l'intérieur. « J'ai l'impression que Barbie est sortie, pas toi ?

— Elle a dû aller s'acheter des doritos au fromage avec l'argent de son sac, dit Turtle.

— Y'a des chances. Tu as envie d'un sandwich au beurre de cacahuète ? On ira faire des provisions demain, je te le promets. Je vais être payée, ma puce ! On pourra s'acheter tout ce qu'on veut.

— Des cookies au chocolat !

— Des côtelettes d'agneau ! s'écrie Taylor.

— Qu'est-ce que c'est ?

— De l'agneau. Tu sais, le bébé du mouton.

— Ça lui fait mal quand on le coupe en morceaux ? »

Taylor ferme la porte du réfrigérateur, à contrecœur. Il n'y a presque rien dedans, mais elle ne veut pas voir disparaître la lumière. Turtle est debout dans l'encadrement de la porte, les sourcils levés dans leur éternel point d'interrogation.

« Ouais, ça leur fait mal. Je crois pas que l'animal ait vraiment mal, mais on les tue avant de les manger, ça c'est vrai. C'est de là que vient la viande. Je te l'ai jamais dit ? »

284

Turtle hausse les épaules. « Je crois que si.

– Alors, est-ce que tu veux du beurre de caca-huète et de la confiture de fraise ?

– Est-ce qu'on tue les cacahuètes pour qu'on puisse les manger ?

– Non. » Taylor réfléchit. « Si, après tout. Mais une cacahuète, c'est pas un animal.

– Non, c'est une plante. C'est une graine. Si on la mange, elle pourra jamais grandir.

– Turtle, c'est vraiment pas drôle tout ça. On peut pas purement et simplement s'arrêter de manger. Laisse-moi te faire un sandwich.

– Maman, j'ai pas faim.

– Alors, bois au moins un verre de lait. On n'a tué personne pour avoir du lait, on l'a juste tiré à une gentille bonne vieille vache.

– Maman, j'ai mal au ventre.

– Bon, tu peux aller te coucher, si tu veux, ma chérie. Je vais te lire un livre.

– On les a déjà tous lus.

– On retourne à la bibliothèque demain. Promis. »

Turtle quitte la cuisine. Taylor a de nouveau mal au ventre, elle aussi. Le ciel, par la fenêtre, est d'un bleu foncé qui pourrait sortir de l'imagination d'un aveugle.

Turtle réapparaît à la porte, les yeux grands ouverts. « Maman, pourquoi est-ce que c'est si propre dans la maison ? »

Taylor essaie de comprendre. Elle suit Turtle dans la salle de séjour. « Ça alors, Barbie s'est finalement décidée à embarquer ses affaires. »

Elles restent silencieuses un instant, peu pressées de regarder plus avant. Puis Turtle se dirige vers la chambre de Barbie.

« Elle a nettoyé sa chambre aussi, dit-elle. Elle a emporté les draps et tout le reste.

– Merde ! » crie Taylor. Elle s'assoit sur le divan marron déglingué et fait un gros effort pour ne pas pleurer. Ces draps lui appartenaient à elle ! Elles les avaient amenés depuis Tucson.

« Est-ce qu'elle a laissé un mot, Turtle ? »

Pendant un long moment on n'entend plus que Turtle qui ouvre et referme les tiroirs de la commode. Elle revient dans la salle de séjour. « Pas de mot, dit-elle. Tu te rappelles quand on a trouvé ce mot sur ta voiture qui disait : Je suis désolé de ne pas t'avoir vue chez Migget, voici cinquante dollars ? »

Taylor se met à rire, ou à pleurer, elle ne sait pas trop. « Ouais, fait-elle. Barbie aurait dû nous laisser un mot comme ça, tu trouves pas ? »

Turtle s'installe à côté de Taylor sur le canapé, mais elle a les yeux perdus dans l'obscurité. « Maman, c'est moi qui l'ai mise en colère ? »

Taylor prend Turtle sur ses genoux. « Turtle, tu n'as rien à voir avec ça. Regarde-moi maintenant, tu veux bien ? » Elle caresse les cheveux de Turtle et tourne doucement sa tête vers elle. « Regarde mes yeux. Tu veux bien essayer de me regarder ? Ne t'en va pas. »

Dans un effort immense, Turtle s'arrache à l'obscurité et fixe son attention sur le visage de Taylor.

« Voilà. Maintenant tu restes avec moi, et tu m'écoutes. Barbie t'aimait bien. C'est juste qu'elle est cinglée. Elle fait partie de ces gens qui ne peuvent penser qu'à eux-mêmes, et elle s'est mis en tête qu'il fallait qu'elle s'en aille. On l'a toujours su, pas vrai ? Le jour où on l'a rencontrée à Las Vegas, on a décidé de la prendre, mais on savait au départ qu'elle allait pas rester avec nous jusqu'au bout. Tu t'en souviens ? »

Turtle acquiesce.

Taylor berce Turtle dans ses bras. « T'inquiète pas, tu sais que je vais pas te laisser seule. Tu resteras avec moi. Demain, c'est dimanche, je ne vais pas travailler. Et peut-être que lundi ils te laisseront venir dans le minibus avec moi. Tu pourras m'aider à conduire, d'accord ?

– Je sais pas conduire.

– Je sais, mais on trouvera une idée. » Taylor ne voit pas du tout quelle idée elles pourraient bien trouver. Il est contraire à tous les règlements de la compagnie Handi-Van de prendre des membres de sa famille à bord d'un véhicule.

« Tu vas voir, bientôt tu vas aller à l'école.

– Maman, tu te souviens de Lucky Buster ?

– Bien sûr.

– C'est moi qui l'ai sauvé, n'est-ce pas ?

– Tu lui as sauvé la vie.

– Est-ce qu'on le reverra ?

– Je ne vois pas pourquoi on ne le reverrait pas. Évidemment. »

Turtle serre Taylor un tout petit peu moins fort.

« Tu crois pas qu'on devrait aller se coucher ? Même moi, je devrais être couchée », dit Taylor. Elle respire profondément quand Turtle la lâche enfin pour regagner sa chambre.

Taylor se lève et éteint toutes les lumières. Elle n'a pas envie de voir la chambre de Barbie, mais il le faut pour y croire complètement. Pas d'erreur, même le lit à deux places en est réduit à son affreux matelas à rayures bleues. Au moins elle et Turtle pourront avoir chacune leur chambre maintenant – elle va s'installer ici et laisser à Turtle la chambre avec les lits jumeaux. Si elle se fait des amis à l'école, elle pourra les inviter. Taylor est moins optimiste quant à ses propres chances de partager son lit avec quelqu'un. Jax lui manque.

Quand elle se décide à aller dire bonne nuit à Turtle, elle la trouve dans un demi-sommeil, en train de parler.

« Il faut que Buster rentre chez lui, maman, là dans l'eau.

– Bonne nuit, Turtle, dors bien.

– J'ai mal au ventre. Ils sont vrais ces arbres ou c'est le chien qui parlait. Il pleut ?

– Oui, dit Taylor doucement. Il recommence à pleuvoir. »

Elle se déshabille et grimpe dans le deuxième lit. Il va falloir qu'elle se procure de nouveaux draps pour le lit à deux places si elle veut prendre l'autre chambre. Il lui faut penser à trop de choses, vraiment trop. Elle n'aurait jamais imaginé que ce soit un tel problème que Barbie sorte de sa vie. Elle aurait dû s'en douter. On n'adopte pas un animal sauvage en espérant en faire un membre de la famille. Avant d'éteindre, Taylor tend la main vers sa table de nuit pour regarder Jax avec son sac en papier sur la tête.

Le cube de photos a disparu.

22

Bienvenue à Heaven

« Ben, ma fille, t'es dans de beaux draps. Comment tu t'es débrouillée pour perdre ton téléphone ?

– C'est pas le téléphone, maman, c'est l'électricité, répond Taylor. On pouvait pas me couper le téléphone pour la bonne raison que je l'avais pas encore. Ce numéro auquel tu viens de m'appeler, c'est celui d'une cabine publique.

– Oh », fait Alice en changeant le combiné de côté. Elle a plus ou moins décidé que sa mauvaise oreille entend mieux que la bonne. « Et qu'est-ce que c'est cet autre numéro que j'ai sur mon bout de papier ?

– C'est le numéro de Handi-Van. Ce que j'essaie de te dire, c'est que tu ne peux plus m'appeler là-bas parce que j'ai été obligée d'arrêter. »

Alice n'y comprend rien. Et Sugar qui ne cesse d'entrer et de sortir de la pièce pour lui poser des questions. Cette salle de séjour contient plus de meubles qu'il n'en faudrait pour deux familles. La première fois qu'Alice a inspecté l'intérieur de l'immense vitrine à porcelaine, elle s'attendait à voir des assiettes décoratives ou alors des bondieuseries, mais non, c'est indien sur toute la ligne. Des vieilles sculptures, des pointes de flèches, des petits indiens camelote en céramique. Pas de phares, c'est déjà ça.

« T'as quitté ton boulot avec les handicapés ? s'étonne Alice, quand elle a enfin compris ce que Taylor vient de lui dire.

– Oui, j'ai été obligée, parce que Barbie est partie. J'avais personne pour garder Turtle pendant mes heures de travail. J'ai demandé si je pouvais prendre une semaine d'arrêt, jusqu'à la rentrée scolaire, mais j'étais encore à l'essai, alors ils ont été obligés de me congédier.

– Je trouve que c'est pas juste.

– Je sais. C'est pas grave. Je viens de trouver un emploi de caissière chez Penney. Maintenant au moins après l'école Turtle pourra venir ici et traîner dans le rayon du prêt-à-porter féminin jusqu'à ce que je sois libre. » Taylor rit. « Tant que personne découvre que Turtle n'est pas là pour acheter un Levis. »

Une grande fille maigre fait bruyamment irruption dans la pièce et crie : « Grand-mère ! »

Sugar arrive en courant. « Qu'est-ce qu'il y a encore ?

– Maman dit qu'on a pas le droit de danser si on a ses règles. À mon avis c'est encore une histoire de bonne femme.

– Tu sais, ma chérie, tout est histoire de bonne femme, si on réfléchit bien. De toute façon tes sonnailles ne sont pas encore prêtes. Viens ici, je vais te montrer où j'en suis. »

La fille s'affale sur le divan. Alice a du mal à se concentrer. « Écoute, dit-elle à Taylor, tu essaies de te débarrasser de cette Barbie depuis le jour où on l'a rencontrée.

– Je sais. Mais je me rends compte que j'avais besoin d'elle. »

290

Sugar revient chargée de quelque chose qui ressemble à des carapaces de tortue. Quand elle s'assoit sur le divan près de sa petite-fille, elles font un bruit de ferraille.

« Comment il est ton nouveau boulot ? demande Alice.

— Je gagne tout juste le salaire minimum. Ça me fera environ six cents dollars par mois, une fois les charges déduites. De quoi payer le loyer et acheter environ trois pots de beurre de cacahuètes, mais ça ne nous rendra pas l'électricité. Il va falloir que je me dépêche de trouver autre chose. Enfin, j'ai une réduction sur les vêtements d'école pour Turtle, c'est toujours ça. Elle entre au cours préparatoire, maman. Tu te rends compte ?

— T'as acheté des vêtements à Turtle au lieu de payer les factures d'électricité ?

— Maman, je pouvais pas faire autrement. Je voulais pas que les autres enfants se moquent d'elle. Elle avait l'air d'une gosse des rues.

— Je vois. Tu préfères être à la rue, qu'entendre dire que ta fille a l'air d'une gosse des rues. »

Taylor se tait, et Alice s'en veut : ce que Taylor vient de lui dire n'est pas une plaisanterie. C'est la vérité. Elles sont toutes deux accablées. La ligne grésille un bon moment avant que l'une ou l'autre trouve le courage de reprendre la parole.

« Nous ne sommes pas à la rue, dit finalement Taylor. Mais quand même, maman. Je me sens vraiment coupable. T'as pas besoin de me dire que j'ai tout fichu en l'air.

— Je suis désolée, Taylor. Je supporte pas de te voir dans cet état. Si tu venais ici et qu'on en finisse ?

— Maman, on n'a même pas l'argent pour acheter

de l'essence. Et ne crois pas que je te demande de m'en envoyer, parce que je sais très bien que tu m'as laissé tout ce que tu avais.

– Qu'est-ce que tu en as fait des mille deux cents dollars ?

– C'est difficile à expliquer. Il n'en reste plus. J'ai presque tout dépensé pour emménager dans l'appartement, parce qu'il faut payer une caution et tout le reste. »

Alice sent que Taylor ne lui dit pas tout. Mais elle n'insiste pas. La méfiance n'engendre pas la confiance.

« Est-ce que tu as pu voir cette Annawake Fourkiller ? demande Taylor, d'une voix changée.

– Je la vois demain. Je suis tellement sur les nerfs que je passe ma journée à tourner en rond. » Alice surveille des yeux Sugar et la jeune fille, serrées l'une contre l'autre sur le divan. L'éclatante lumière matinale de l'Oklahoma entre par la fenêtre au-dessus de leurs têtes. Alice baisse la voix. « Tu sais, j'ai encore rien dit à personne de la vraie raison de ma venue. Je croyais qu'ils allaient me faire cracher le morceau à peine arrivée, mais ici les gens ont l'air de prendre leur temps. On parle beaucoup de moi, j'ai l'impression. Peut-être qu'ils ont leurs propres explications, alors ils ont pas besoin des miennes.

– Comment t'as fait pour retrouver Miss Fourkiller ?

– Rien de plus facile. Elle habite ici, à Tahlequah, à quelques pas de chez Sugar. Dans ce pays tout le monde connaît tout le monde. Je lui ai téléphoné, aussi simple que ça.

– Qu'est-ce qu'elle a dit ?

– Rien. Juste merci d'avoir appelé. Elle veut m'inviter à déjeuner et discuter avec moi. Elle a dit qu'elle avait été très inquiète pour toi et Turtle.

– Tu m'étonnes. »

La fille se lève du divan et s'en va. « Salut, grand-mère », crie-t-elle par-dessus le grincement de la porte-moustiquaire.

« C'est pas impossible, dit Alice. Je veux pas avoir l'air de prendre sa défense, mais à sa voix on aurait dit qu'elle était vraiment inquiète.

– Ne lui dis pas où nous sommes, d'accord ?

– Taylor, ma chérie, tout ce que j'ai c'est le numéro d'une cabine téléphonique. Pour ce que j'en sais, tu pourrais tout aussi bien te trouver au pôle Nord.

– Si nous y étions, peut-être que le Père Noël tirerait quelques ficelles et nous ferait remettre l'électricité. »

Comme c'est frustrant d'aimer quelqu'un au téléphone. Plus que tout au monde Alice a envie de prendre Taylor dans ses bras, mais ne le peut pas. Entendre si bien quelqu'un sans pouvoir le toucher, c'est vraiment pas humain.

« Eh bien, bonne chance pour quand tu lui parleras. Je ferais bien de raccrocher, tu es en train d'engraisser la compagnie du téléphone.

– T'en fais pas pour ça. Je le mets sur la note de Sugar. Elle a dit qu'on s'arrangerait plus tard.

– D'accord, maman, salut. »

Alice attend. « Salut », dit-elle, et puis, « je t'aime », mais à l'autre bout de la ligne l'espace qu'occupait Taylor s'est déjà refermé.

Elle se laisse tomber dans son fauteuil, paralysée. Elle sent les visages des nombreux petits-enfants de Sugar qui lui sourient depuis leurs cadres alignés sur le mur. Ceux qui ont déjà quitté le lycée – des filles surtout – ont été placés par Sugar dans la rangée du

293

haut ; en dessous, comme des dents bien droites, elle a mis les garçons au sourire espiègle.

Sugar lève les yeux. « Alice, ma belle. On dirait que tu viens d'écraser ton chien. Comment elle va ta fille ?

– Ça va. Elle a du mal à payer ses factures.

– Toujours le même refrain », dit Sugar, comme si c'était une vieille plaisanterie. « Approche, je vais te montrer ce que je suis en train de faire pour Reena. »

Alice s'assoit près de Sugar et regarde : des carapaces de tortues percées de trous, avec du gravier qui roule à l'intérieur. « Ce sont ses sonnailles pour la danse rituelle, explique Sugar. Les jeunes filles les portent sur les jambes. Elle y tient comme à la prunelle de ses yeux. La plupart des gosses préfèrent de loin aller au *pow-wow* où ils peuvent boire de la bière, mais Reena est vraiment intéressée par la danse. »

Alice prend dans sa main l'une des sonnailles. Elle est étonnamment lourde. Les carapaces, de la taille d'un poing, sont cousues avec des lanières de cuir, formant ainsi une sorte de cuissarde bosselée. Elles se lacent sur le devant avec des bandes de vichy.

« Ça ne la fatigue pas tout ce poids sur ses jambes ? demande Alice qui n'en voit pas bien l'utilité.

– C'est qu'il va falloir qu'elle s'entraîne ! Les filles s'enveloppent les jambes avec des serviettes avant de les mettre, pour ne pas avoir d'ampoules. Ce que tu vois, ce sont des sonnailles pour s'entraîner, quatre carapaces par chaîne. On en ajoutera au fur et à mesure qu'elle s'habituera, jusqu'à ce qu'il y en ait treize. »

294

Alice entend la toux d'une tondeuse qui refuse de démarrer puis se tait. « Pourquoi treize ? »

Sugar réfléchit. « Je sais pas. Peut-être que Roscoe pourrait le dire. C'est juste le nombre requis. » Elle se lève et, protégeant ses yeux, regarde dehors. « Il y a un de mes petits-enfants qui est venu tondre la pelouse. Je me demande lequel. Tu veux du café chaud ?

– Non merci, je suis assez énervée comme ça. »

Sugar la regarde. « Ça, c'est vrai. Allons faire un tour jusqu'au trou bleu. Tu as besoin de voir de l'eau. »

Alice est sidérée par sa cousine. Sugar est cassée en deux par l'arthrite et ne se déplace pas vite, mais elle donne l'impression de ne jamais s'arrêter. Aujourd'hui elle porte un tablier à fleurs qui ressemble à un catalogue de graines, et des pantoufles de coton à la place de ses tennis. Au petit déjeuner elle a dit à Alice qu'elle sait toujours quand un orage se prépare, parce qu'elle ne peut pas enfiler ses chaussures.

Alice sort à sa suite et elles prennent le petit chemin qui traverse le jardin. Elles longent la cuisine d'été : un poêle flanqué d'une pile de petit bois installé dehors pour cuisiner et faire les conserves quand il fait trop chaud à l'intérieur. « Nous avons planté ce mûrier quand nous sommes venus vivre ici, explique Sugar. Roscoe disait que c'était la première chose à faire.

– Il aime les mûres ?

– Non, il aime les pêches. Mais les oiseaux préfèrent les mûres, alors ils nous laissent les pêches. Des pêches indiennes, on les appelle. Leur chair est rouge sang. » Sugar s'arrête et regarde les mûres sombres éparpillées sur le sol. « Je me demande pourquoi les poulets ne les mangent pas.

– Peut-être qu'ils préfèrent les pêches. »

Sugar rit. « Non, un poulet, c'est trop bête pour ça. Regarde, voici le trou où l'on fait frire le cochon.

– Vous faites frire des cochons ?

– Mais oui. On le découpe d'abord. C'est réservé aux grandes occasions. On l'a fait pour notre anniversaire de mariage à moi et à Roscoe. Dommage que t'aies raté ça. C'est Quatie qui a organisé la fête, elle s'occupe des réunions. Il en est pas resté une miette. Tout le monde était au rendez-vous, tous les enfants et les petits-enfants. Les maris, les cousins. Les seuls à ne pas être là c'étaient les morts. » Sugar rit.

Alice essaie d'imaginer quel événement il faudrait pour rassembler sa propre famille dans le jardin. « Ils viennent de loin ? demande-t-elle.

– Le plus loin, ça devait être Tahlequah. Mes enfants habitent tous ici. » Elle désigne du doigt la forêt. « Tu vois ces caravanes ? Celle-ci est à Johnetta, celle-là est à Quatie, les deux garçons sont de l'autre côté de la route. Ils se sont installés ensemble, ils sont tous les deux divorcés. » Elle s'interrompt et se mord la lèvre. « Non, l'un est divorcé, et l'autre, c'est sa femme qui est morte. Alors ils ont les enfants avec eux là-haut. Ils sont tous auprès de nous.

– Pourquoi est-ce qu'ils ne partent pas ?

– Oh, parce qu'ils finiraient par revenir de toute façon, c'est ici que se trouve leur famille. Pourquoi partir, si c'est pour rebrousser chemin et revenir ? Ça vaut pas la peine.

– Une famille qui soit inséparable à ce point, j'ai jamais vu ça.

– Tu sais, autrefois, ils ne franchissaient même pas les limites du jardin. On agrandissait la maison. Quand on se mariait, la fille et son mari ajoutaient juste une pièce supplémentaire à la maison des parents. Si tu veux mon avis, les caravanes, c'est une sacrée invention. »

Leur chemin a rejoint une vieille route, deux traces de pneus qui s'enfoncent dans les bois. Chaque flaque de boue est entourée d'une congrégation de petits papillons bleus. Alice est fascinée par leurs ailes qui frémissent. Elle se demande si les papillons sont tous parents eux aussi. « Vous avez combien de terres ici ? demande-t-elle.

– C'était la concession de la mère de Roscoe. Tu sais, quand le territoire a été divisé, chaque famille a eu soixante acres. Ils les ont presque tous vendues, ou données, ou se les sont fait voler d'une façon ou d'une autre. Je sais pas comment elle s'est débrouillée pour les garder, elle a pas dû avoir l'occasion de les vendre. C'est comme ça qu'on s'est retrouvés ici. Quand les enfants ont grandi, nous leur avons dit de se chercher un endroit pour s'installer et faire leur vie. Eux, ils paient des impôts, pas nous. Je sais pas pourquoi, peut-être parce que c'est une concession. Oh, regarde, des épinards sauvages. »

Alice aperçoit les pousses veinées de mauve rassemblées au soleil sur le bord de la route.

« Faudra pas oublier de les ramasser au retour, dit Sugar. Roscoe m'a dit qu'il y en avait beaucoup dans ce coin. Il est venu ici l'autre jour à la recherche des œufs. On a une poule qui va toujours pondre n'importe où.

– On dirait du tabac qui pousse là-bas, fait remarquer Alice, en désignant une plante.

297

« – C'en est sûrement. Tu risques aussi de tomber sur de la marijuana. » Sugar rit.

Devant elles, la forêt débouche sur une étendue d'herbe qui descend en pente douce jusqu'à la rivière. Là où l'eau est profonde, elle est d'un bleu turquoise, frais. Une abrupte falaise calcaire trouée de grottes la surplombe, et au-dessus de la falaise se dresse une colline boisée. Alice et Sugar s'arrêtent un grand moment pour regarder. Puis elles continuent à suivre le cours de la rivière.

Elles arrivent enfin à Heaven, un peu essoufflées. Ce trou bleu est plus clair, bien plus grand et plus profond, et la falaise de calcaire grouille d'enfants qui sautent dans l'eau comme des grenouilles. Sugar, parfaitement sereine, regarde les petits garçons – ses descendants sans doute pour la plupart – plonger de rochers hauts de six à neuf mètres. Certains savent à peine marcher ; ils ont plus de mal à remonter la berge qu'à sauter. Alice est étonnée. « T'es pas inquiète pour eux ? demande-t-elle.

– Personne ne s'est jamais noyé ici, répond Sugar. Ça arrive parfois en amont de la rivière, mais pas ici. »

Les gosses qui ont remarqué les deux femmes décrivent avec leurs bras de larges demi-cercles en criant : « Salut, grand-mère ! » Légèrement en contrebas, plusieurs autres enfants, de l'eau jusqu'aux genoux, sont occupés à pêcher. Ils font signe eux aussi à Sugar. Un garçon traverse la rivière et se dirige vers elles, chargé d'un lourd chapelet de poissons. Il pose sa pêche sur l'herbe devant Sugar, exactement de la même manière que le chat d'Alice venait poser des oiseaux sur le pas de sa porte.

298

Sugar observe les poissons. « Où as-tu trouvé tout ça ? Tu dois être ici depuis vendredi.

– Non », répond-il embarrassé. C'est un adolescent râblé aux cheveux longs avec de larges épaules et une lame de rasoir en or qui pend sur sa poitrine nue.

« Qu'est-ce que c'est comme poissons ? demande Alice.

– Les violets, ce sont des perches, répond-il poliment. Ceux-ci sont des *black-bass*. Ils vont sous les rochers. Ceux qui ont des nageoires roses, c'est des chevesnes. Je vais les nettoyer et je les ramènerai plus tard, grand-mère.

– D'accord, Stand. Apporte-moi aussi du cresson d'eau. J'en ai vu qui poussait près des rochers rouges.

– D'accord. » Stand s'éloigne avec sa pêche.

Sugar se dirige en clopinant vers deux vieilles chaises pliantes en aluminium qui sont appuyées à un arbre. Elle les ouvre et les installe à l'ombre. « Ce Stand, il aime bien se saouler, mais c'est un bon garçon. Il adore chasser. Il m'apporte quelque chose toutes les semaines.

– C'est le garçon de ton fils aîné ?

– Non, pas exactement. C'est le fils de Quatie, mais elle en avait déjà six ou sept quand il est né, alors Junior l'a adopté. Tu sais comment font les gens. Ils se partagent les gosses. »

Alice ne sait pas vraiment, mais elle comprend.

« Si seulement il ne buvait pas. C'est le portrait craché de Roscoe, à l'époque où je l'ai rencontré.

– Tu devais être sacrément amoureuse de Roscoe, dit Alice. Tu m'avais écrit que tu l'avais rencontré au dépôt du chemin de fer, et du jour au lendemain, j'apprends que tu t'es enfuie pour l'épouser.

– Tu sais, j'étais jalouse, parce que t'avais été la première à partir pour te marier. Et puis j'en avais par-dessus la tête de travailler à l'usine.

– Crois-moi, y'avait vraiment pas de raison d'être jalouse de Foster Greer. En amour, t'as toujours eu beaucoup plus de chance que moi. »

Les deux femmes restent assises à contempler ces minces corps bruns glisser de l'air dans l'eau comme s'ils n'avaient été faits pour rien d'autre que cet acte amphibie. Sugar soupire.

Annawake remue son café. Par la fenêtre elle aperçoit le hérisson à bouteilles de Boma Mellowbug, avec ses branches plantées de centaines de bouteilles de verre. Il est un peu dégarni vers le sommet, parce que personne n'est assez grand pour l'atteindre, mais de temps en temps, un bénévole de la caserne des pompiers, perché sur une échelle, déplace quelques bouteilles sur les branches du haut pour rétablir l'équilibre.

Elle tend la main vers le pot de crème et, apercevant la femme qui doit être la grand-mère, renverse le sucrier. La femme porte des tennis, un pantalon en polyester et une espèce de chemise africaine aux couleurs vives. Elle essaie de ne pas avoir l'air perdu. Annawake tape à la vitre et lui fait signe. La femme lève la tête comme un animal apeuré et, changeant de cap, traverse la rue en direction du café. À l'aide de sa petite cuillère, Annawake essaie de remettre dans le sucrier le sucre renversé. Le temps qu'Alice arrive, Annawake a creusé un cratère dans la petite montagne blanche au centre de la table.

« J'ai renversé le sucre, fait-elle.

– Le sucre, c'est bon marché, dit Alice. C'est pas bien grave. »

Annawake est prise à l'improviste, pardonnée avant même d'avoir commencé. « Asseyez-vous, je vous en prie », dit-elle. Elle ôte ses lunettes et se lève pour serrer la main d'Alice qui s'apprête à s'asseoir. Elles se penchent toutes deux maladroitement. Alice rit.

« Excusez-moi, mais je suis nerveuse comme une puce, dit-elle en se glissant sur le siège en face d'Annawake.

– Moi aussi, avoue Annawake. Depuis combien de temps êtes-vous à Heaven ? Vous vous y retrouvez dans ces trois rues ?

– J'ai pas à me plaindre. Sugar s'occupe de moi. C'est ma cousine. Je vous en ai parlé au téléphone, n'est-ce pas ? »

Annawake est sur ses gardes. Il avait bien été question de Sugar Hornbuckle au téléphone, mais pas en tant que cousine. « Vous et votre fille, vous avez donc des parents ici dans le pays cherokee ?

– Oh, non. Sugar et moi, on a été élevées ensemble dans le Sud. Mais Roscoe, je l'ai vu pour la première fois l'autre jour quand il m'a crié salut à la gare routière.

– Oh », fait Annawake, et elles se regardent dans les yeux.

Alice expire lentement. « Eh bien. J'avais préparé un vrai discours en venant ici. J'étais censée vous sortir le grand jeu et le prendre de haut, mais ça n'a jamais été mon fort. »

Annawake sourit. Elle a vu tant de gens arriver au tribunal cuirassés dans leurs costumes et leurs mensonges. Et voilà que cette petite vieille dame à l'œil

301

vif se présente pour Greer contre Fourkiller avec sa chemise africaine de chez Wal-Mart, et une attitude avenante. « Je crois savoir ce que vous alliez dire, dit Annawake. J'y vais ?

– Allez-y.

– Miss Fourkiller, vous n'avez pas le droit de faire ainsi irruption dans notre vie. Vous pensez peut-être que vous savez ce qui est le mieux pour notre petite fille, parce qu'elle est Indienne et que vous l'êtes aussi, mais ce n'est qu'une infime partie de ce qu'elle est. Vous n'étiez pas là quand elle a grandi, et il est trop tard pour la réclamer maintenant, parce qu'elle est indissociable de notre famille. »

Alice fronce les sourcils. « Ça alors ! »

« Du café, ma belle ? » demande la serveuse en remplissant la tasse d'Alice. C'est une femme très petite et très forte, avec des cheveux noirs coupés au carré et un visage aussi rond et plat qu'une assiette. « Je ne crois pas vous connaître. Je m'appelle Earlene.

– Earlene, voici Alice Greer, dit Annawake. Elle est ici pour affaires.

– Aïe aïe aïe ! s'exclame Earlene en apercevant le volcan de sucre.

– J'ai fait des bêtises, avoue Annawake.

– Vous savez ce que ça veut dire. Ça veut dire que quelqu'un est amoureux. » Earlene, radieuse, interroge du regard les deux femmes. « Laquelle, à votre avis ? Je sais qu'Annawake est sur les rangs. Et vous, vous êtes mariée ? demande-t-elle à Alice.

– Pas à première vue », répond Alice. Earlene rit si fort que sa poitrine se soulève et que le café penche dangereusement dans le pot de verre.

« Je ramène un chiffon tout de suite et je vous net-

302

toie ça. Excusez-moi si je mets un peu de temps à revenir. Je suis seule ici aujourd'hui. Vous voulez toutes les deux la soupe du jour ? C'est du bouillon de bœuf à l'orge, c'est vraiment bon.

– Ce sera très bien », dit Alice, et Annawake approuve de la tête. Leurs verres d'eau vibrent au rythme des pas d'Earlene alors qu'elle s'en retourne vers la cuisine.

« Il y a une chose que vous avez oubliée, dit Alice. Dans mon discours.

– Qu'est-ce que c'est ? » Annawake souffle sur son café.

Alice parle en regardant par la fenêtre. « Elle avait subi des violences.

– Je sais. Je suis désolée.

– Désolée ? » Alice l'attaque maintenant de front. « Ça ne suffit pas. Vous n'avez pas idée de ce que vit cette enfant. Elle n'est toujours pas remise. Quand elle a l'impression d'avoir fait quelque chose de mal, ou si elle pense que Taylor va partir, elle... Je sais pas comment appeler ça. C'est comme si son corps était toujours là, mais son esprit débranche, on dirait. C'est terrible à voir.

– Ça doit l'être, répond Annawake.

– Ce que je pense, dit Alice en pliant sa serviette en papier, c'est que vous autres vous avez eu votre chance, et maintenant, c'est le tour de Taylor. Et, croyez-moi, elle se débrouille très bien. »

Pour la première fois Annawake sent monter en elle un élan d'animosité. « Quand vous dites " vous autres ", de qui voulez-vous parler exactement ? Des Indiens en général, ou juste de la Nation cherokee ?

– Je sais pas. Simplement je comprends pas comment une chose pareille a pu arriver à une si petite fille.

303

– Je ne sais pas pourquoi cela arrive ici, parce que nous aimons nos enfants plus que l'argent. Et il y a presque toujours assez de gens généreux pour se dévouer en cas de malheur.

– Tout le monde aime les enfants, vous ne m'apprenez rien, déclare Alice. À part ceux qui ne les aiment pas.

– Je crois que vous ne comprenez pas ce que je veux dire. » Les mâchoires d'Annawake sont crispées par cette contrariété familière : expliquer sa culture à quelqu'un qui croit que l'Amérique est un seul et même pays. Elle réfléchit à ce qu'elle veut dire, et voit dans son esprit le mot famille, une couleur, une notion aussi fluide qu'une rivière. Elle dit à Alice : « Autrefois je travaillais à l'hôpital indien de Claremore, à l'accueil. Il nous fallait parfois des années pour trouver qui était la mère de tel ou tel enfant, parce qu'il y avait toujours une tante ou une autre personne pour l'accompagner. Souvent la mère était trop jeune, alors c'était un autre membre de la famille qui l'élevait. Peu importe qui est vraiment la mère. »

Alice cligne des yeux, elle enregistre. « Alors, avec tout cet amour dont vous parlez, comment expliquez-vous que quelqu'un s'avance vers la voiture de ma fille un soir et lui colle un bébé dans les bras ? »

Annawake regarde deux filles qui passent dehors dans la rue, les petites-filles de Flossie Deal, pense-t-elle. Elles marchent vite, avec leurs têtes sérieuses qui se balancent, comme seules les adolescentes peuvent se déplacer. Annawake aussi avait des discours dans sa tête, et elle aussi les a oubliés. Elle ne sait plus par où commencer. « Dieu seul le sait, dit-elle. Ce qui nous est arrivé, c'est que la chaîne de nos traditions a été brisée. À la génération de ma mère. » Annawake sent son ventre qui se durcit. « Le gouvernement fédéral les a mis dans des pensionnats. Leur a coupé les cheveux, leur a appris l'anglais, leur a appris à aimer Jésus, et leur a fait passer toute leur enfance dans un dortoir. Ils ne voyaient les leurs que deux fois par an. La famille a toujours été notre valeur la plus élevée, mais cette génération d'enfants n'a jamais appris à être dans une famille. Il y a eu une rupture avec le passé.

– C'est bien dommage, dit Alice.

– Oui. Les victimes, ce sont les gens de mon âge. Il nous faut regarder plus loin que nos parents, parfois, pour savoir comment nous comporter. » Annawake se sent vaciller. « La femme qui a donné Turtle à votre fille, je crois que je pourrais vous raconter sa triste histoire : l'alcool, et les hommes, les uns après les autres, qui lui ont fait du mal. Elle a abandonné Turtle parce qu'elle ne savait pas comment faire pour épargner à son bébé de revivre cette vie. Mais je sais aussi que cette enfant a été enlevée à une famille qui l'aimait, et qu'il y a des gens pour la pleurer. »

L'expression d'Alice change. « Vous êtes sûre de ce que vous dites ? Il y a une famille ici qui veut la récupérer ? »

Annawake enfonce le bout de son index dans le sucre sur la table, formant un cercle parfait. Elle se demande jusqu'où aller. « Oui, dit-elle enfin. J'aurais pu vous dire, avant de connaître les détails de cette affaire, qu'il y avait quelqu'un ici à qui cette enfant manquait. Et il se trouve que je ne me suis pas trompée. Je l'ai découvert tout récemment, en fait, plus ou moins par hasard. À une fête du cochon. Les gens se parlent ici, et les choses finissent par se savoir.

– Eh bien, fait Alice, en regardant autour d'elle, à nouveau inquiète.

– Ça ne change pas vraiment les choses. La loi reste la loi, l'adoption de Turtle est illégale, que sa famille se manifeste ou pas. Notre travail consiste à décider de notre démarche à venir.

– Est-ce que Turtle a son mot à dire dans tout ça ?

– Cela va de soi. Et je suis sûre qu'elle dirait qu'elle veut rester avec Taylor. Je le comprends. » Annawake se met à donner une nouvelle forme au petit tas de sucre, faisant apparaître un point au fond du cercle. « Nous n'allons pas décider quoi que ce soit aujourd'hui. Ce que nous pouvons espérer de mieux c'est de faire connaissance. »

Alice prend l'offensive. « Qu'est-ce qui est arrivé à votre maman, après le pensionnat ? »

Annawake fixe le cœur de sucre qu'elle a dessiné sur la table, se demandant ce qu'il peut bien faire là. « Bonnie Fourkiller, dit-elle. Elle a fait de son mieux pour devenir une vraie petite Américaine, mais elle n'avait aucun atout et tous les handicaps. Enceinte à seize ans de mon frère Soldier, qui, d'après ce qu'on m'a dit, était un enfant bleu et n'a vécu que très peu de temps. Elle a épousé un fils Kenwood qui était moins doué pour gagner de l'argent qu'elle pour concevoir des garçons. Trois autres frères, puis moi et mon jumeau, Gabe. Ce que je me rappelle, c'est mon père toujours parti à la recherche de travail, et ma mère qui nous demandait grâce et buvait sept jours sur sept. Et le dimanche matin, c'était du Lysol, pour ne pas sentir l'alcool à l'église.

– Seigneur, fait Alice.

– Elle a été enfermée dans une maison à l'âge de trente-cinq ans. Mais j'ai eu de la chance, il y avait des tas de gens pour s'occuper de moi. Mon père et mes frères, et surtout mon oncle Ledger. C'est un homme-médecine. Pas un médecin. Une sorte de pasteur. Vous avez entendu parler des danses rituelles ?

– J'ai vu les carapaces de tortues. Ça doit être une sacrée corvée de danser avec tout ça sur les jambes. »

Annawake rit. « C'est dur, mais non, ce n'est pas une corvée. Je l'ai fait. Mais oncle Ledger avait décidé que ce serait moi qui apprendrait à connaître le monde des Blancs. Mes frères avaient le droit de faire leurs bêtises, mais moi, il fallait que j'écoute ce que me disait ma tête, tout le temps. Il m'a fait apprendre l'anglais, et il m'a poussée pour que je réussisse à l'école. Il pensait que nous avions besoin d'un ambassadeur.

– Un ambassadeur ? C'est ça que vous êtes ? Je ne sais pas ce que vous avez dit à ma fille Taylor, mais elle était morte de peur. Elle ne sait plus où elle en est, et maintenant elle ne peut même plus payer ses factures.

– Il ne m'est jamais venu à l'idée qu'elle allait faire ses valises et partir.

– C'est pourtant ce qu'elle a fait. La dernière fois que je l'ai eue au téléphone, elle était très déprimée. C'est terrible ce qui se passe quand les gens n'ont plus d'argent. Ils se mettent à penser qu'ils ne valent plus rien.

– Vous voyez ce type là-bas ? » Annawake montre du doigt la quincaillerie de l'autre côté de la rue, où Abe Charley, dans son costume en peau de cheval, est en grande conversation avec Cash Stillwater.

Alice se penche pour voir. « Qu'est-ce que c'est, ce qu'il a sur le dos ? Une peau de vache ?

– Non, de cheval. Il y a une usine de transformation près de Leech où on peut se procurer du cuir de cheval pour pas cher. Abe s'est fait ce costume lui-même. Il en est plutôt fier.

– Le copain de Taylor porte des accoutrements bizarres, d'après ce qu'il m'a dit. Mais, vous me pardonnerez, pas aussi moches que cette peau de cheval. Taylor vient d'acheter des nouveaux habits pour la rentrée scolaire de Turtle au lieu de payer ses factures. Elle avait très peur que Turtle ait l'air pauvre et qu'on se moque d'elle à l'école. Vous savez comment c'est.

– Par chance, non. Je veux dire que, quand on a grandi ici, on n'a pas besoin de faire croire qu'on n'est pas pauvre. »

Alice suit des yeux la superbe veste d'Abe Charley qui traverse la route. Annawake affine le point de son cœur en sucre. « Les gens disent que les Indiens ne sont même pas reconnaissants de bénéficier de l'aide sociale, mais la vérité c'est qu'ils trouvent que nous ne nous sentons pas assez coupables de recevoir de l'aide. Les jeunes comme moi, les radicaux, vous diront que c'est parce qu'on nous a tout volé et on mérite bien les miettes qu'on nous rend. Et c'est vrai. Mais là n'est pas le problème. Les vieilles personnes ici, elles ne pensent pas au massacre de Wounded Knee, elles acceptent simplement ce qui vient. Pour nous, c'est la chose la plus naturelle du monde de demander de l'aide si on en a besoin. »

Alice a fini par mettre les doigts dans la nappe de sucre qui s'étend sur la table. Elle dessine un cochon, puis dessine une barrière autour. « J'ai remarqué ça chez ma cousine Sugar, dit-elle. On marchait et elle a vu des épinards sauvages qui poussaient dans le fossé, et elle est descendue en ramasser, tout simplement. Elle se fichait pas mal que quelqu'un passe en voiture et la voie. Et moi qui pensais : Je veux bien manger des épinards sauvages si je peux pas faire autrement, mais je m'en voudrais que quelqu'un découvre que je suis fauchée à ce point. »

Annawake sourit. Elle se souvient des étés où elle ramassait des salades avec son oncle.

Alice met une autre barrière autour du cochon.

« Votre cousine Sugar était la meilleure amie de ma mère, dit Annawake. Demandez-lui donc si elle se souvient de Bonnie Fourkiller.

– Vous avez un frère qu'on a envoyé loin d'ici, n'est-ce pas ? »

Annawake est surprise de sentir des larmes dans ses yeux. « Comment l'avez-vous su ?

– C'était dans cette lettre que vous avez écrite à Jax. Il me l'a lue au téléphone. »

Annawake s'essuie le nez avec sa serviette. « Mes autres frères sont toujours dans le coin, et j'ai une kyrielle de nièces et de neveux. Mon père est encore en vie, il habite à Adair maintenant. Et vous ? Vous avez d'autres enfants en plus de Taylor ?

– Personne d'autre que Taylor. Pas de fils, pas de père, et pour ainsi dire pas de mari.

– Pour ainsi dire ?

– Ben, j'en avais un, Harland, mais il parlait jamais. Alors je l'ai quitté. Je me demande s'il s'en est rendu compte. Maintenant il reste plus que nous trois, moi, Taylor et Turtle. Ça doit être notre destinée, d'être une famille sans homme.

– Il y a pire. Vous pourriez avoir une famille sans femme, comme celle où j'ai grandi.

– C'est vrai, ce serait pire. »

Elles se taisent. Quand elles ont besoin de se reposer l'une de l'autre, elles peuvent toujours regarder par la fenêtre.

« Si je peux me permettre, reprend Alice, à quoi il sert cet arbre là-bas ?

– C'est le hérisson à bouteilles de Boma Mellowbug, explique Annawake. C'est notre petit grain de fantaisie. Boma, c'est un peu la folle de la ville.

– Il me semble l'avoir déjà vue. Elle porte une robe et un bonnet de ski, c'est ça ?

– C'était bien Boma. Il faut vraiment faire attention à ne pas la renverser en conduisant. Il lui arrive d'être plantée au milieu de la route et de faire la conversation aux chênes. Mais tout le monde adore Boma. »

Earlene revient avec deux bols de soupe, un sourire jusqu'aux oreilles. « Oh ! fait-elle. J'ai oublié de nettoyer ce sucre. » Et elle s'éloigne aussitôt en chantant : « Voici la mariée ! »

Annawake regarde intensément Alice, la femme à la famille sans hommes, et forme le projet le plus audacieux de sa vie.

23

Affaire secrète

En arrivant devant la maison, Annawake aperçoit Letty, debout dans son jardin, un couteau de boucher à la main. Annawake, impressionnée, arrête tout de même son moteur et traverse le carré de haricots en brandissant le plat à tartes de Letty. « Je to le rapporte », crie-t-elle.

Letty pose une main sur son chapeau, plisse les yeux en direction d'Annawake et fronce les sourcils. Enfin son visage s'illumine. « Dieu du ciel, Annawake, je t'aurais jamais reconnue, si je t'avais pas vue le soir du cochon. Avec tes cheveux coupés si court.

— T'inquiète pas, Letty, je les fais repousser. J'aurai l'air présentable dans un an ou deux.

— Je l'espère. » Letty a maintenant les yeux fixés sur son plat à tartes. « D'où tu le sors ?

— Le soir du cochon que t'as organisé pour Cash, j'ai emporté chez moi de la tarte à la patate douce pour Millie. Rappelle-toi, c'est sa tarte préférée.

— Elle aurait dû venir. Elle a manqué quelque chose.

— Elle aurait bien aimé, mais le bébé était grognon après ses vaccins.

311

– Le pauvre petit.

– Oh, il va mieux. Millie te remercie pour la tarte. Elle attendait de trouver le temps de te cuisiner quelque chose pour ne pas te rendre un plat vide. Mais comme ça ne risque pas d'arriver avant au moins douze ans, je le lui ai piqué ce matin pour te le ramener. Je me suis dit que même vide tu aimerais autant le récupérer. »

Letty rit. « C'est ça, les enfants. On n'a jamais le temps de souffler. Mais les miens me manquent, maintenant qu'ils sont grands. »

Annawake jette un coup d'œil autour d'elle dans l'espoir de comprendre pourquoi Letty peut bien avoir besoin d'un couteau de boucher dans son jardin. Il n'y a apparemment aucun danger. « On dirait que tu cherches un nouveau cochon à tuer.

– Oh, je le ferais, s'il y en avait un qui se promenait par ici, je te le dis ! Ou alors une autruche. T'as entendu parler de cette plume d'autruche que s'est procurée Boma Mellowbug ?

– Non.

– Elle prétend qu'elle est tombée de son côté de la clôture. Et voilà que le père Green affirme que Boma a escaladé la clôture pour la lui voler, et il veut récupérer sa plume. Il dit qu'il va l'attaquer en justice. Cash a vu Boma en ville hier, et elle la portait sur son chapeau. »

Annawake regrette d'avoir manqué ça. « Au fait, comment ça se passe l'installation de Cash ?

– Oh, ça va à peu près. M'est avis qu'il rumine. Je lui fais réparer mon toit, ça lui changera les idées.

– Ce doit être pour ça que je l'ai vu hier en grande conversation avec Abe Charley à la quincaillerie. Tu sais, il y a quelqu'un qui l'admire en secret. »

Annawake voit les oreilles de Letty qui se dressent d'un bon centimètre. « De qui veux-tu parler ?

– Une femme qui loge chez Sugar et Roscoe. Plus ou moins parente avec Sugar.

– Oh, ma chérie, je suis au courant. J'étais dans ma cuisine le jour où cette femme a appelé chez moi pour dire à Sugar qu'il fallait qu'elle vienne de toute urgence. Elle a une affaire secrète à régler avec la Nation. Une demande de première importance. Je peux pas t'en dire plus. J'en ai déjà trop dit. »

Annawake sourit. « En tout cas, elle est très impatiente de rencontrer Cash Stillwater, d'après ce qu'on m'a dit.

– Il faudrait en parler à Cash, tu crois pas ?

– Oh, non, je ne crois pas, dit Annawake. Ça ne ferait que le mettre mal à l'aise.

– C'est bien possible. Loin de moi l'idée de me mêler de ça. Comment elle est, la cousine ?

– Elle s'appelle Alice Greer. Elle est pas mal, divorcée. Tout ce que je sais, c'est qu'elle supporte pas les hommes qui regardent la télé. Elle dit qu'elle aime avoir un homme qui lui parle.

– Dieu du ciel, Cash peut vous parler jusqu'à vous faire tomber les oreilles. Je suis bien placée pour le savoir.

– Je crois qu'elle est ici pour un certain temps. Ils finiront bien par se rencontrer d'une manière ou d'une autre.

– Oh, sûrement », dit Letty. La lame de son couteau attrape le soleil et le renvoie dans les yeux d'Annawake. « D'une manière ou d'une autre. »

Annawake décide de ne pas chercher à en savoir davantage sur le couteau. Elle va déposer le plat, s'en aller, et laisser Letty organiser les choses à sa façon.

24

Aménagement de la nature

L'homme qui encaisse le loyer se gare devant l'appartement de Taylor à l'instant même où elle sort pour accompagner Turtle à l'école. Il descend de voiture et s'engage sur l'allée d'un pas décidé. Taylor n'a pas le temps de l'éviter.

« Bonjour, dit-elle. J'allais le poster demain.

– Eh bien, on m'a demandé de venir vous le réclamer aujourd'hui, si vous n'y voyez pas d'inconvénient. Vous avez une semaine de retard.

– D'accord. Je vais chercher mon carnet de chèques. »

L'employé, un jeune homme dont elle ne connaît pas le nom, porte des lunettes à larges verres plats qui réfléchissent la lumière, si bien qu'on a l'impression de le voir à travers une vitrine. Taylor, à vrai dire, a plutôt pitié de lui : quel travail détestable. Il lui a dit un jour, pour se justifier, qu'il travaillait en fait au service d'entretien des parcs de la ville. Il a dû prendre en charge les appartements pour arrondir ses fins de mois, quand sa femme a eu un bébé. Il a un vague duvet blond sur les joues et semble trop jeune pour avoir tous ces soucis.

Taylor vient juste de payer pour qu'on lui remette l'électricité, elle date donc son chèque du milieu de la semaine suivante, après le jour de paie, et essaie de trouver quelque chose à dire pour le distraire et éviter qu'il n'y regarde de trop près. Elle ne peut pas se permettre d'être impolie. Le type n'a sans doute que dix-neuf ans, mais son pouvoir sur sa vie à cet instant est infini.

Turtle fait légèrement pression sur la main de Taylor et regarde le bout de ses nouvelles tennis, qui manifestement brûlent de se mettre en route vers la cour de l'école.

Le samedi en fin de matinée, Taylor roule vers le sud sous une pluie battante en direction de l'aéroport. Si seulement elle pouvait s'envoler quelque part, au lieu de conduire à son avion un homme en fauteuil roulant. Elle travaille encore chez Handi-Van, comme remplaçante, et ce matin elle assure le service de Kevin. Il ne lui adresse plus la parole mais, personne d'autre n'étant disponible, il lui a laissé son service du samedi pour pouvoir se rendre à une vente d'ordinateurs. Taylor n'est pas vraiment enchantée de l'arrangement qu'elle a trouvé pour faire garder Turtle. Elle l'a confiée à une vieille voisine chinoise qui porte une perruque rouge et des bas noirs dans des sandales marron en plastique. La vieille femme coud à domicile des tenues pour les joueurs de base-ball, ce que Taylor a jugé plutôt rassurant. Mais comme elle ne parle pas anglais, Taylor n'a pas la moindre idée de la somme qu'elle va devoir débourser pour le baby-sitting. Avec un peu de chance, elle s'en sortira bien.

Elle n'a qu'un seul passager pour l'instant, l'homme qui se rend à l'aéroport. Il lui plaît bien : il ne doit pas être beaucoup plus âgé qu'elle, et il a un regard sympathique qui lui rappelle un peu Jax.

315

« Vous partez retrouver le soleil ? lui demande-t-elle.

– Pas vraiment, dit-il. Je travaille à la tour de contrôle.

– Ah bon ? » Elle ne sait trop quoi répondre. Elle s'imaginait que c'était un simple passager, pas un employé. « Comment c'est là-haut ? J'ai entendu dire que ça vous menait droit à la crise cardiaque.

– Seulement si on laisse les avions entrer en collision. Dans l'ensemble nous essayons de l'éviter.

– Mais comment peut-on tout avoir à l'œil ? Je ne serais vraiment pas douée pour ce genre de travail. Je panique complètement quand le téléphone et la sonnette de la porte d'entrée retentissent en même temps.

– Nous avons des écrans radar. Vous devriez monter faire un tour dans la salle de contrôle un jour. Demandez Steven Kant. »

Elle ralentit pour obliger un automobiliste impatient à la doubler. Les essuie-glaces battent sur le pare-brise comme le pendule d'un hypnotiseur qui lui demanderait d'avoir sommeil, très sommeil. Taylor essaie de ne pas penser à Turtle, assise dans l'appartement obscur de Mrs. Chin avec personne à qui parler, témoin muet de l'écran qui scintille pendant que la machine à coudre de Mrs. Chin tente de se frayer un chemin dans des couches et des couches de satin aveuglant. Quel plaisir elle ferait à Turtle si elle pouvait l'amener dans une tour de contrôle. « C'est une bonne idée, d'accord, dit-elle.

– Formidable. »

La large autoroute est remplie de voitures mais vide d'intérêt, lisse et mouillée, rien de plus, un endroit que tous les gens de la terre ont vu une fois dans leur vie. Le contrôleur du trafic aérien semble ne plus rien avoir à dire, ce qui est bien dommage. Steven Kant est sans doute le passager le plus sympa de toute l'histoire de la maison Handi-Van, et il est beau, ce qui ne gâche rien. « Au fait, je m'appelle Taylor, lui dit-elle. Je ne fais pas ce trajet habituellement. Vous devez sûrement le savoir.

— Non, je ne le savais pas. Je ne le fais pas non plus en général. Ma MG est en réparation.

— C'est la poisse.

— Oh, ça n'est pas désagréable de se faire conduire une fois de temps en temps. » Il cherche le regard de Taylor dans le rétroviseur et sourit. « Le service est chaleureux.

— Le meilleur qui soit. Installez-vous, monsieur, et servez-vous un verre de champagne.

— Dans mon métier, on regarde de travers les gens qui arrivent au boulot un peu pompette. Mais ce n'est que partie remise. »

Elle regarde à nouveau dans le rétroviseur, c'est peut-être une invitation. Elle décide que oui, mais il a fait ça si discrètement que si elle la laisse passer, personne ne se sentira mal à l'aise. Vivre dans un fauteuil roulant, ça doit vous éduquer à ce genre de savoir-faire.

« Vous conduisez vraiment une MG ?

— Oui. Décapotable. Jaune canari, avec des roues à rayons, des commandes manuelles et un porte-bagages ultrachic pour fauteuil roulant à l'arrière. Vous vous y connaissez en voitures de sport ? »

Taylor sourit. « Pas du tout, en fait. Il se trouve simplement que j'en ai vendu, mais pièce par pièce. »

Steven Kant se met à rire. « Un boulot de gangster ou je m'y connais pas.

– Non, rien d'aussi juteux. Un magasin de pièces détachées. » Taylor se rend compte qu'elle se rappelle à peine avoir travaillé chez Mattie. Elle se revoit dans le magasin, au milieu de toutes ces pièces de métal bien rangées, comme dans un rêve. Mais la fille culottée qui plaisantait avec les hommes lui fait maintenant l'effet d'une sœur aînée sûre d'elle-même. Quelqu'un qui a sa vie bien en main.

« Et si vous m'emmeniez faire un tour quelque part, quand votre MG sera réparée ? Mais pas au travail. J'ai un deuxième boulot dans le centre commercial le plus hideux qu'on puisse imaginer.

– D'accord. Les écluses, ça vous dirait ?

– Les écluses ?

– Ouais. Vous ne les avez pas encore vues ? Elles se trouvent entre le bras de mer et le lac, c'est là que passent les bateaux. Vraiment, vous n'y êtes jamais allée ?

– Je débarque dans cette ville, mon capitaine.

– Eh bien, c'est entendu. Je vais vous montrer les écluses. Et ensuite je vous emmènerai voir les saumons les plus frais que vous ayez jamais vus. Samedi prochain, ça vous va ? »

Le ventre de Taylor se réveille en entendant parler de saumons. La fraîcheur, pour tout dire, n'est pas vraiment son problème ; à l'heure qu'il est, elle n'hésiterait pas à ramener un saumon chez elle si elle en trouvait un mort sur la route. Le beurre de cacahuète lui sort tellement par les yeux qu'elle a cessé de faire croire à Turtle qu'elle est triste pour ces malheureuses cacahuètes.

« Samedi, ce serait parfait », dit-elle, après avoir fait semblant de réfléchir à la question. « Simplement, je préfère vous le dire franchement, j'ai une

318

petite fille qui adorerait venir aussi. Pas de mari ni rien de ce genre, mais une enfant. Ça ne vous ennuie pas ?

– Deux nanas pour le prix d'une, fait-il. C'est encore mieux. »

Taylor pense : ce ne sera pas pour le prix d'une. Elle mange elle aussi.

Jax a renversé une bouteille de bière pratiquement pleine dans son synthétiseur au beau milieu de *Dancing at the Zombie Zoo*. Il réussit à tenir jusqu'aux derniers accords, en effleurant à peine les touches, et décide d'attaquer sobrement le final pour cette fois-ci. Il espère seulement qu'il ne va pas s'électrocuter. Alors qu'ils diminuent sur le final, il fait signe à son guitariste solo qu'il a besoin d'une pause. Les projecteurs de scène s'éteignent et de la musique enregistrée s'échappe des amplis de la salle. Jax ôte son T-shirt et se met à éponger le clavier. Il va falloir tout démonter. Il ne sait pas s'il doit s'y mettre tout de suite, avant que la bière ne s'infiltre, ou attendre plus tard. Une jeune femme, avec des cheveux rouge cerise qui pendent tristement sur exactement la moitié de son crâne, est toujours en train de danser juste devant la scène. Il doit y avoir une heure qu'elle est là et Jax ne peut plus la supporter. Il dégage son clavier de son socle et, d'un coup de pied, éloigne les câbles pour lui ménager une place sur le sol.

Rucker, le guitariste solo, traverse la scène et se penche au-dessus de lui. « Mon vieux, tu l'as noyé.

– Ouais. Mais dans la bière, il est heureux. Tu t'y connais en respiration artificielle ?

– Jax, tu peux me dire ce que les femmes te

319

trouvent ? La petite brune qui travaille au bar te fait parvenir ce message. Elle dit que c'est urgent.

– Dis-lui que j'ai une maladie, d'accord ? »

Rucker déplie le billet, écrit à l'encre sur une serviette en papier. « Eh bien, c'est moi qui vais la lire cette petite lettre d'amour.

– J'ignorais que tu savais lire. » Jax s'agenouille, la tête près du sol, et scrute l'intérieur de sa machine.
« Qui est Lou Ann ? »

Jax lève les yeux. « Fais-moi voir ça.

– Lou Ann a appelé, lit Rucker. Super urgent, rappeler Taylor à ce numéro. »

Jax arrache la serviette de la main de Rucker et bondit de la scène, se cognant à la danseuse à moitié chauve qui se balance toujours, sans toutefois la réveiller. Il se dirige tout droit vers le téléphone à pièces entre le bar et la cuisine. Il n'y a aucun espoir de tranquillité, mais il n'est pas capable d'attendre d'être rentré chez lui. Taylor décroche à la première sonnerie.

« Jax ?

– Si je n'embrasse pas ton nombril dans l'heure qui vient, je vais mourir. Dis-moi que tu appelles du restoroute à l'entrée de Tucson.

– Non. Mais ça y ressemble fort. Je suis dans une cabine sur un parking situé entre un *Kwik-Mart* et, d'après ce que je vois, un festival en plein air de drogués.

– Où est Turtle ?

– Elle dort dans la voiture. Hé, toi, je sais même pas si je t'ai pardonné d'avoir baisé Gundi. Pourquoi est-ce que je te laisserais embrasser mon nombril ?

– Ah ! Tu es tout à fait toi-même. C'est que ça doit aller.

320

– Ça, je n'en sais rien. J'ai l'impression d'êt
enfer. Il faut payer le loyer et les charges en en

– Non, je crois qu'on règle toutes ses factures
avant d'y arriver.

– Jax, ma vie est un désastre.

– Je t'ai écrit une nouvelle chanson. Écoute.

– C'est toujours la même complainte tes chansons. Je sais pas si j'ai la force d'en entendre encore
une. Jax, on en a déjà parlé. C'est pas toi que j'ai
quitté. C'est une situation.

– Est-ce que tu veux bien écrire ça cinq cents fois
au tableau ? »

La voix de Taylor est paisible. « Tu me
manques, Jax, vraiment. Par moments, j'ai comme
une boule dans la gorge, je ne sais plus si tu
existes vraiment. Il y a tellement longtemps que je
ne t'ai pas vu. » Jax l'entend se moucher, le bruit
le plus réconfortant qu'il ait entendu de sa vie. Il
aimerait pouvoir programmer ce reniflement dans
son synthétiseur.

« J'ai même plus ta photo, ajoute-t-elle. Cette
salope de Barbie me l'a volée.

– C'est un crime contre la nature, fait Jax. Elle a
volé ma photo ?

– Enfin, il y avait de l'argent à la clé. C'est un peu
difficile à expliquer.

– Il a fallu que tu paies quelqu'un pour voler ma
photo ? »

Une serveuse, chemisier noué à la base de la cage
thoracique, passe près de Jax avec un plateau d'assiettes sales et promène son regard le long de son
torse nu.

« J'ai sacrifié mon T-shirt à une urgence médi-
cale », murmure-t-il.

La serveuse lève les yeux au ciel tout en se tournant pour ouvrir la porte de la cuisine avec ses fesses.

« J'aurais dû m'en douter, poursuit Taylor. Cette Barbie, c'était l'arnaque assurée. Ça me tue, d'avoir été aveugle à ce point, Jax. Tous les mauvais virages qu'on puisse prendre, je crois que je les ai pris.

– Un vrai carambolage, ta vie.

– C'est exactement ça. Et je t'ai pas tout dit. J'ai perdu mon boulot chez Handi-Van. J'ai pas réussi à trouver une solution pour Turtle. Ils m'ont gardée comme remplaçante, mais on fait pas souvent appel à moi. Maintenant je suis caissière dans un grand magasin. La lingerie féminine, pour être précise. Six dollars de l'heure.

– C'est pas si mal que ça. Quarante-huit dollars par jour pour vendre des soutifs. C'est presque mille dollars par mois.

– Très bien, monsieur l'as du calcul, sauf que c'est faux. Ils en retirent une partie pour les impôts, la Sécurité sociale et une police d'assurance obligatoire dont je ne peux même pas bénéficier avant six mois. Ça me fera environ sept cents dollars par mois.

– Dis donc, ça devrait faire fondre tes kilos superflus.

– J'ai calculé mon budget. Si on arrive à s'en sortir avec cent dollars par mois pour la nourriture, il devrait nous rester cinquante dollars pour les coups durs. Mais, Jax, on s'en sort pas. Aujourd'hui il manquait trente dollars dans ma caisse au magasin, et ils disent qu'ils les retiendront sur mon salaire. Je me dis, quel salaire ?

– C'est du vol.

– Non, c'est sûrement ma faute. Avec Turtle à surveiller dans le magasin, j'arrive pas à me concentrer. À son école ils ont une garderie réservée aux parents défavorisés, je suppose que j'en fais partie, mais même ça, c'est trois dollars par jour. Je ne les ai pas. Jax, la pauvreté c'est moche.

– Je peux t'emprunter cette citation ? Faire un autocollant ou quelque chose comme ça ?

– Je sais que toi non plus tu n'es pas riche. Mais là-bas c'était différent, parce qu'on partageait le loyer, et on pouvait toujours compter sur Lou Ann pour le baby-sitting.

– Taylor, écoute-moi. Reviens. Je vais t'envoyer l'argent. Je serais étonné que cette Annawake vienne te chercher.

– Tu serais étonné ?

– Elle m'a plutôt l'air du genre à se tapir dans un buisson et à faire des bruits qui vous donnent la chair de poule. »

Taylor se mouche à nouveau. « Si je pouvais venir par mes propres moyens, Jax, je le ferais. Je suis tout le temps fatiguée, j'ai l'impression que je pourrais me coucher et dormir cent ans. Mais tu peux pas te permettre de m'envoyer de l'argent. T'as même pas le loyer du mois prochain.

– Là, tu me vexes. Je pourrais l'emprunter à Mattie.

– Non ! crie Taylor.

– Bon Dieu, calme-toi. Ça ne la gênerait pas du tout, Mattie.

– Mais moi, si. Je vais m'en sortir. Je ne suis pas une imbécile, et je ne suis pas paresseuse. Je travaille dur, Jax, mais je sais pas, je vois pas le bout du tunnel.

– C'est pas ta faute, Taylor.

– C'est la faute de qui, alors ? Je devrais être capable d'avoir un toit sur la tête, si je fais ce qu'il faut pour ça.

– C'est de la foutaise. Tu te juges avec les critères du grand mythe culturel américain, mais l'histoire d'Horatio Alger, elle est bonne pour la poubelle, ma chérie. Elle n'a plus aucun rapport avec la réalité.

– Eh bien, dis-le à mon propriétaire.

– Ce qu'il te faut, c'est un gentil musicien pour s'occuper de toi.

– En voilà un, de mythe. T'as déjà vu un musicien s'occuper de qui que ce soit ?

– Pas même de son synthétiseur adoré, à l'heure qu'il est. Je viens de lui verser une bière dans l'estomac et je l'ai laissé agoniser sur la scène. On est en train de faire une pause.

– Tu devineras jamais, j'ai rencontré un contrôleur de trafic aérien.

– Merde, je le savais. Tu es amoureuse.

– Non. Mais Turtle et moi, on a eu droit à la salle de contrôle hier. C'est une pièce sombre pleine de minuscules écrans radar, avec une personne devant chaque écran. Ils passent leur journée assis là courbés, à regarder des petits points jaunes qui clignotent, boire du café et convaincre les pilotes de ne pas se rentrer dedans. Drôle de vie, tu trouves pas ? Ça ressemble un peu à un sous-marin.

– C'est à ça que ressemblent les sous-marins ? Je me suis toujours posé la question.

– J'en sais rien. Mais ça en avait l'air. Ça s'appelle la tour de contrôle radar. Turtle n'arrêtait pas de l'appeler cour de ton trole. Je me demande si elle a bien compris ce que ça représentait.

– T'en fais pas. Y'a pas grand-chose qui lui échappe.

– C'est vrai. C'était plutôt rassurant cette visite. Il y a au moins quelqu'un qui contrôle quelque chose dans ce monde.

– C'est de l'amour ou je m'y connais pas, dit Jax d'un ton misérable.

– Jax, je ne suis pas amoureuse de Steven Kant.

– Je l'aurais quand même à l'œil ce Steven Kant.

– Merveilleux. Tu me demandes de vivre comme une nonne, pendant que tu discutes plomberie avec la propriétaire. »

Jax rit, malgré lui. « Ça lui est complètement sorti de la tête, je te jure. Nos toilettes continuent à défier les lois de l'hydrodynamique.

– Je suis vraiment ravie de l'apprendre. Ça me contrarierait beaucoup de me dire qu'elle te fait des faveurs.

– Tu sais quoi ? Je suis content que tu sois jalouse. J'aurais moins de remords de ce que je ferai à Steven Kant quand je trouverai sa tour de contrôle.

– Je ne suis pas amoureuse, Jax. Il est sympa, mais il ne rit pas comme toi quand je plaisante. » Elle s'interrompt, mais Jax sait à la qualité de son silence qu'il faut continuer à écouter. Elle poursuit : « C'est dur à admettre, juste après t'avoir dit que je tenais à me débrouiller, mais il nous a emmenées Turtle et moi dans un bon restaurant à l'aéroport, et j'étais là à me dire que tout ce qui figurait sur le menu représentait plus d'une semaine de notre budget de nourriture. C'était un tel soulagement, de simplement manger. Parfois il est difficile de distinguer ça de l'amour. »

Au-delà du bar, Jax aperçoit la scène où ses musiciens sont en train de se rassembler. Rucker et son batteur sont penchés sur son synthétiseur comme des parents éplorés à une veillée mortuaire. La femme qui se balance continue à se balancer en un cercle lent. Soudain, alors que Jax la regarde, elle chavire comme un mannequin et heurte le sol avec un bruit effrayant. Jax comprend qu'il la méprise parce qu'elle est pitoyable.

« Je t'envoie deux billets d'avion. Dis-moi juste ton adresse. »

Taylor ne répond rien.

« J'ai du mal à lire sur tes lèvres.

– Non. N'envoie pas des billets d'avion. Je peux pas me permettre d'abandonner la voiture ici.

– La voiture n'a rien à voir avec ça.

– Jax, non.

– Tu ne baisseras donc jamais les bras ! »

Elle ne dit rien, et Jax retient son souffle, inquiet qu'elle ne raccroche. Puis sa voix revient : « Si c'est ainsi que tu me vois, ça m'est égal. J'ai pratiquement jamais eu plus d'un sou en poche, mais j'ai toujours su que je pouvais compter sur moi-même. Si je me tire d'ici, j'aurai même plus ça.

– Tu me brises le cœur, Taylor.

– C'est le mien que je suis en train de briser. Je n'arrive pas à croire que cette vie est la mienne. Je regarde dans le miroir et je vois une ratée. »

Jax regarde dans sa main la serviette qui dit : « Super urgent, appeler Taylor. » Pour une fois, Lou Ann n'a pas exagéré. Il donnerait n'importe quoi pour savoir comment répondre à cet appel.

Il y a quelque chose dans les écluses de Seattle qui rappelle le barrage Hoover. C'est la première chose que remarque Taylor quand elle les découvre au bout du petit parc d'accès. Le portail et le bâtiment à l'entrée ont ce même air d'avoir résisté au temps. Turtle l'a remarqué aussi. « Tu te rappelles, ces anges ? demande-t-elle.

– Bien sûr. J'étais justement en train de penser à eux.

– Quels anges ? demande Steven.

– Les anges gardiens du barrage Hoover, lui dit Taylor. Ils ont été placés sur le mémorial en souvenir des gens qui ont trouvé la mort en construisant le barrage. Nous y étions récemment, Turtle et moi.

– J'ai l'impression que tu aimes les édifices publics, dit-il à Turtle.

– Non. J'ai vu Lucky Buster tomber dans un grand trou. On l'a sauvé, mais après il y a des Indiens qui nous ont poursuivies. »

Steven rit. « Elle va devenir écrivain, cette petite, dit-il à Taylor.

– C'est possible. » Taylor serre la main de Turtle, message secret. Dans l'autre main, elle tient le parapluie de Steven, s'efforçant de les protéger tous trois de la bruine. Elle n'est pas très à l'aise. C'est la première fois qu'elle sort avec deux personnes qui lui arrivent à peine à la taille. Elle ne sait pas si elle doit poser la main sur le fauteuil de Steven ou simplement marcher à côté. Elle a été soulagée quand il a ouvert le parapluie et le lui a tendu.

Quand ils franchissent l'entrée, Turtle court quelques mètres devant eux, excitée pour une fois, ses nattes noires se balançant comme des cordes à sauter en cavale. Elle paraît grande et incroyablement maigre dans son T-shirt et ses lourdes tennis blanches. Taylor a l'impression qu'il y a quelque chose qui tire sur les pieds de Turtle la nuit – elle grandit, mais ne se remplit pas. Et sa peau n'a pas une allure normale. C'est seulement dans des moments comme celui-ci, où elle a le loisir de consacrer toute son attention à Turtle, que Taylor se laisse gagner par l'inquiétude.

Une fois arrivés à l'intérieur du périmètre des écluses, ils attendent tous trois à côté de la corde, et regardent en contrebas le long chenal d'eau équipé d'une vanne à chaque extrémité. Malgré la pluie, des couples joyeux ont fait une sortie en bateau : deux voiliers déjà à l'intérieur de l'écluse, maintenus par des cordes, et un long hors-bord agressif qui fait sa manœuvre pour quitter le bras de mer. Un homme en combinaison bleue dirige les opérations. Quand tout le monde est en sécurité, une sonnette d'alarme retentit, la vanne se ferme, et l'eau afflue dans l'écluse par en dessous. Les bateaux montent lentement sur la crête de cette marée artificielle, du niveau de la mer jusqu'au niveau du lac. Taylor regarde les passagers qui montent et descendent comme des jouets dans une baignoire.

Les bateaux sont presque parvenus au niveau du lac. La vanne du lac s'ouvre lentement et l'eau s'engouffre à l'intérieur de l'écluse en formant des remous qui font tanguer les bateaux. Steven fait traverser le pont à Taylor et à Turtle pour les conduire de l'autre côté.

« Maintenant on va voir comment s'y prennent les saumons, annonce-t-il.

– Pour quoi faire ? demande Turtle, en regardant Taylor.

– J'en sais rien. Demande à Steven.

– Pour passer de l'océan dans le lac, répond Steven. Ils vivent toute l'année dans l'océan, mais ensuite, il leur faut remonter les rivières d'où ils viennent, pour pondre leurs œufs.

– Je sais, fait Taylor. On m'a raconté qu'il doivent retourner à l'endroit exact où ils sont nés.

– S'ils le doivent, je ne sais pas, dit Steven. Mais

on dirait qu'ils en éprouvent toujours le besoin. Comme nous tous, je suppose.

– Pas moi. J'ai quitté le Kentucky à la seconde même où j'ai eu une voiture.

– Et tu n'y retourneras jamais ?

– Oh, pourquoi pas ? Il ne faut pas oublier ceux qui vous ont fait.

– Et toi, Turtle, où es-tu née ?

– Dans une voiture », répond-elle.

Steven regarde Taylor.

« C'était une Plymouth, précise-t-elle. C'est à peu près tout ce que j'en sais. Elle est adoptée.

– Je ne veux pas retourner vivre dans une voiture », déclare Turtle.

Et Taylor de penser : espérons qu'on n'en arrivera pas là.

Ils prennent l'ascenseur pour descendre jusqu'à la salle où, à travers la vitre épaisse aussi haute qu'un écran de cinéma, on voit des centaines de poissons grimaçants, au ventre pâle et aux nageoires roses, tous tournés dans la même direction, qui nagent de toutes leurs forces sans avancer vraiment. Ils font penser à des oiseaux pris dans un ouragan.

« La plupart d'entre eux sont des saumons argentés, explique Steven. Les rares qui sont plus gros sont des saumons royaux. »

Leurs nageoires ont bien triste mine. Ils ont l'air vaincu « Pauvres bêtes ! dit Taylor. Pourquoi est-ce qu'ils viennent se fourrer là-dedans ? On s'attendrait à ce qu'ils cherchent un passage plus facile. Une entrée gratuite dans les écluses, par exemple.

– Non, crois-le ou non, mais c'est la force du courant qui monte du fond qui les attire ici. Tu sais ce qui est vraiment triste dans cette histoire ?

329

– Quoi ?

– Il y a deux ou trois grosses otaries qui traînent au sommet à se pourlécher les babines, en attendant les pauvres vieux saumons à la fin de leur dure journée de labeur.

– Comme c'est triste.

– C'est la vie, j'imagine. La loi de la jungle. »

Les poissons se courbent, ruent et se jettent contre le courant, impatients d'arriver au sommet et de passer le flambeau. Taylor est debout, flanquée de Turtle et de Steven. Pendant un long moment ils restent tous trois immobiles devant la vitre, baignés de lumière verdâtre, face à ce mur d'opiniâtreté.

« Je sais ce qu'ils ressentent, dit Steven d'une voix amusée. C'est comme vouloir pénétrer dans un lieu qui n'a pas été conçu pour les fauteuils roulants. »

Je sais ce qu'ils ressentent, pense Taylor, et il ne s'agit pas d'entrer quelque part. C'est donner toutes ses forces pour avancer, et continuer à reculer. Elle tient Turtle le long de son corps pour qu'elle ne puisse pas lever la tête et voir ses larmes.

25

La cueillette

Alice a un rendez-vous. D'une seconde à l'autre
Cash Stillwater va venir la prendre pour l'emmener
voir les champs de myrtilles près de Leech. Elle ne
comprend pas pourquoi, mais c'est ainsi. Un parfait
inconnu lui a téléphoné et lui a dit : « Allons cueillir
des myrtilles. »

Sugar lui assure que Cash n'est pas un parfait
inconnu – Alice l'a rencontré le jour où elles ont fait
le tour de la ville. Qu'elle se rappelle donc, elles
l'ont aperçu qui tenait la porte du Sanitary Market
pour laisser sortir Pearl Grass, elles se sont même
avancées pour lui dire bonjour. Alice se raisonne : ce
doit être vrai, car la belle-sœur de Roscoe, Letty,
prétend que Cash a un faible pour elle, et comment
cela se pourrait-il, s'ils ne s'étaient jamais rencontrés ? Alice est bien obligée d'en convenir, c'est tout
à fait invraisemblable.

Elle est debout à la fenêtre de devant quand la
camionnette de Cash s'arrête devant la maison. Ses
longues jambes sortent d'abord, jean et bottes de
cow-boy au bout relevé, puis vient le reste. Son
visage est plat et large, la peau sombre plissée plus
que ridée. Il porte des lunettes cerclées d'or qui lui

donnent un air gentil et malicieux. Elle n'a jamais vu cet homme de sa vie. Ce qui ne veut pas dire qu'elle ne va pas aller faire un tour avec lui, du moins pour cette fois. Quand un homme a un faible pour vous sans jamais vous avoir rencontrée, se dit-elle, vous lui devez bien ça.

Elle l'accueille à la porte, saisissant son sac pour se donner une contenance.

« Prête à partir ? » lui demande-t-il. Il semble la détailler tout aussi minutieusement qu'elle l'observe.

« Aussi prête qu'on peut l'être, répond-elle en baissant les yeux vers son pantalon et sa chemise de travail. Ça ira ? ces chaussures de tennis ? Si nous devons marcher dans la boue, je ferais peut-être bien d'emprunter des bottes à Roscoe. Celles de Sugar me serviraient vraiment à rien, elle chausse du trente-sept. Elle a toujours eu des pieds minuscules.

– Peu de chances de tomber sur de la boue aujourd'hui, non. Je crois que ça ira très bien comme ça. »

Alice le suit alors qu'il fait le tour de la camionnette et ouvre la portière du passager. Il lui tend la main pour l'aider à grimper sur le marchepied. La camionnette a manifestement fait son temps, mais elle est étonnamment lisse, cuivrée. Le pare-brise est formé de deux vitres plates séparées au centre par un sombre ourlet de mastic. Alice se rappelle les conseils de Sugar : Cash est un bavard. Elle se dépêche d'entamer la conversation. « Y'a longtemps que vous avez cette camionnette ? »

Cash la met en marche. « Je l'ai pour ainsi dire toujours eue. Je lui mets régulièrement un nouveau moteur, et elle marche toujours. Si seulement c'était pareil pour moi. » Il se tapote doucement la poitrine, puis saisit le levier de vitesse et l'enclenche dans un fracas de tiroirs à couverts qui se referme.

« Ça se fait aujourd'hui. De mettre des cœurs, des foies tout neufs sur les gens, fait remarquer Alice.

– Je sais. Mais je trouve pas ça bien, d'échanger des pièces avec les morts juste pour rester là à embêter les jeunes. Quand on est usé, je dis que c'est le signe qu'il est temps de partir.

– Je suis bien d'accord », dit Alice. Elle remarque une fleur qui pousse dans le fossé, on dirait une fleur de pissenlit qui aurait perdu la raison. Elle est aussi grosse qu'une tête d'enfant.

« Posez-moi la question dans dix ans, je chanterai peut-être un autre refrain, poursuit Cash en riant.

– Je sais, c'est dur d'admettre qu'on est vieux, pas vrai ? Souvent je me dis, comment est-ce que c'est arrivé ? Soixante et un ans ! Quand j'étais jeune, je regardais les gens de cet âge et je pensais qu'ils devaient se sentir différents au fond d'eux-mêmes. Aussi différents de moi qu'un chien, ou un cheval. Je croyais que ça devait leur sembler tout naturel d'être ridés et courbés, au bout du rouleau.

– Et pourtant, on se sent pas comme ça, n'est-ce pas ?

– Non, dit Alice en passant la main dans ses cheveux courts. On se sent normal. »

Les arbres font un écran au bord de la route, chacun d'une nuance de vert différente. Les plus sombres sont les chênes. Leurs feuilles dirigées vers le sol semblent absorber davantage de lumière. La camionnette de Cash traverse un petit pont et au-dessous d'eux Alice aperçoit un ruisseau bordé d'une multitude de fougères, pointes levées vers le ciel.

« Vous êtes plus ou moins parente avec Sugar, c'est ça ?

– Cousines, répond Alice. On a grandi ensemble, mais on s'est perdues de vue après mon mariage.

– C'est forcément avec Sugar que vous avez des liens de parenté, et pas Roscoe. Si c'était Roscoe, je vous connaîtrais, parce que ma sœur Letty est la veuve du frère de Roscoe. Vous avez eu beaucoup d'enfants avec votre mari ?

– Non, juste ma fille. Il est même pas resté assez longtemps pour la ramener de l'hôpital, dit Alice en riant. Il a fallu que je trouve une infirmière pour nous conduire à la maison.

– Ça m'aurait bien plu d'avoir davantage d'enfants. Nous avons eu nos deux filles, puis le docteur a dit à ma femme qu'il fallait s'arrêter. Son sang était pas comme il faut. Elle avait un sang négatif, voilà ce qu'il avait dit. Elle avait toujours l'air d'être épuisée. »

Alice est un peu gênée, et interloquée, qu'au bout de dix minutes ils en soient déjà à parler des problèmes féminins de la défunte femme de Cash Stillwater. Mais ça n'a pas l'air de poser problème à Cash, il est seulement triste. Elle sent la tristesse qui monte de lui par vagues, comme on sent la chaleur d'un enfant fiévreux.

« Sugar m'a dit que vous revenez juste de quelque part.

– Du Wyoming », répond-il.

Ils passent devant un vieux cimetière dont les murs de pierre sont couverts de buissons de roses, puis devant une église de planches blanches enfoncée dans les bois.

« Pourquoi étiez-vous parti dans le Wyoming ? »

334

Cash s'étire un peu derrière son volant, mais il garde les yeux fixés sur la route. « Je tenais plus en place après la mort de ma femme. Je m'imaginais que si j'allais dans un endroit où tout le monde est riche, je m'en sortirais. Qu'être à côté du bonheur c'est la même chose que d'être heureux.

– Mon deuxième mari était comme ça. Il croyait que s'il voyait l'amour à la télé, c'était comme s'il l'avait fait. » Alice se cache le visage dans les mains, se disant qu'elle est sûrement allée trop loin, mais Cash se contente de rire.

« Combien de temps êtes-vous resté là-bas ? » demande-t-elle, sa gêne dissipée. Cette balade dans les bois en compagnie d'un homme bavard lui donne le vertige.

« Environ deux ans, répond-il. J'ai détesté ça. Tous ces riches qui vous traitaient comme si vous étiez un chien vagabond. Et même pas heureux de ce qu'ils avaient. Je faisais des bijoux de perles pour une boutique indienne, et le propriétaire, tenez-vous bien, un jour, il avale des pilules et on le retrouve raide mort. On a dit qu'il valait un million de dollars.

– Alors, pourquoi est-ce qu'il voulait mourir ?

– Je crois qu'il était déprimé parce que les Indiens étaient tous partis. » Cash pointe sa grosse main en direction du pare-brise. « Il aurait dû venir ici jeter un coup d'œil. »

Ils passent devant une petite cabane délabrée avec une petite maison d'oiseaux sur un poteau à côté, et Alice pense : S'il avait vu ça, il les aurait pris ses pilules, pas de doute. Mais elle sait que ce n'est pas entièrement juste.

« Autrefois il y avait un magasin ici, dit Cash soudainement, comme s'il avait oublié ce détail depuis

335

longtemps. Un magasin général. Je me demande ce qui lui est arrivé. Nous, on habitait tout là-bas dans ces bois. C'est ici qu'on achetait notre saindoux. Il fallait venir avec son seau. Et ma mère et moi, on apportait des poulets à rôtir ou autre chose, on les attrapait, on les attachait et on allait au magasin. Et des œufs aussi.

— Oh, je me rappelle quand je portais des œufs, s'écrie Alice. C'était un crime d'obliger un enfant à faire ça, porter des œufs.

— On dirait que ça vous est arrivé.

— Oh, oui. J'ai grandi dans un élevage de cochons dans le Mississippi. Mais on n'avait pas que des cochons. Nous avions un grand potager, et nous avions des poulets, et des vaches à traire. Nous vendions du lait et de la crème. Les gens venaient en chariot nous en acheter.

— C'est une chose qui me manque, fait Cash. De conduire des mules. Nous avions un attelage de mules et un chariot.

— Je suis bien d'accord, acquiesce Alice, soulagée de se sentir en terrain plus sûr. Même dans les années 40 on avait encore des chevaux, des mules et des chariots. On voyait des voitures à Jackson, mais c'était pas courant d'en avoir une. Nous on pensait que c'était un peu pour faire de l'épate. Pour se rendre quelque part, ou pour tirer quelque chose, il fallait un chariot et un attelage de mules.

— C'était la bonne époque pour être gosse, vous trouvez pas ? demande Cash. Tandis que nos enfants, ils ont eu à se débrouiller avec l'alcool, les voitures rapides, les films osés et tout le reste. Pour nous, la pire chose qui pouvait nous arriver c'était de casser un œuf.

– C'est bien vrai, approuve Alice. Vous savez ce qui me semble drôle, quand je pense à autrefois ? La moindre petite chose nous enthousiasmait. Un homme qui jouait du violon et faisait danser une petite marionnette en bois avec son pied. Même les adolescents s'arrêtaient pour admirer quelque chose comme ça. Maintenant c'est tout juste s'ils ont la curiosité de s'arrêter pour un accident de voiture. Ils ont déjà tout vu.

– C'était comme ça à Jackson Hole. C'est pour ça que j'ai voulu revenir. Ils avaient tous l'air de gens qui ont déjà vu le spectacle et attendent juste d'avoir fini leur pop-corn.

– Vous savez, j'ai vu tous les petits-enfants de Sugar, et ça a l'air de les intéresser bigrement d'attraper des poissons pour leur grand-mère. J'aurais jamais cru qu'il puisse exister des adolescents aussi gentils.

– Les enfants cherokees connaissent leur famille, ça c'est sûr, dit Cash. Ils connaissent l'anniversaire de leur mère, l'anniversaire de mariage, tout ça. On fait toujours frire un cochon ce jour-là.

– Vous devez bien profiter de vos filles.

– C'est-à-dire qu'on a eu des malheurs dans ma famille. Ma fille aînée, Alma, est morte.

– Oh, je suis vraiment désolée », dit Alice, se disant qu'elle aurait dû s'en douter, à voir ses épaules voûtées. Elle cesse d'essayer de parler pendant un moment, car il n'y a rien à dire sur la perte d'un enfant.

Ils passent devant des petites maisons aux toits de tôle et des caravanes rassemblées dans les clairières. Des réservoirs de propane trônent dans les cours, et on aperçoit parfois une essoreuse ou un réchaud à gaz, ou un banc de musculation dans une allée. Impossible de prévoir ce que l'on va trouver ici. Dans l'une de ces maisons semble se tenir une réunion de famille : des vieux sont assis dans des chaises longues, et six ou sept gosses sont alignés à califourchon sur le réservoir de propane comme si c'était un vieux poney docile.

« Voici des sassafras », dit Cash, désignant de larges feuilles en forme de mitaines poussant parmi les cèdres sombres de la haie. « Ils l'utilisent pour les infusions pendant les danses rituelles.

– Qu'est-ce que ça vous fait ?

– Oh, ça vous donne un coup de fouet, surtout. » Cash semble regarder au loin sur la route quand il parle. « Mon père, il connaissait toutes les racines sauvages pour faire tous les médicaments qu'on puisse imaginer. Il a essayé de m'apprendre à quoi ils servaient, mais j'ai complètement oublié. Quand j'étais môme, j'ai jamais vu des gens avoir des opérations du rein et de la vésicule comme ça se fait maintenant. Et vous ?

– Non, dit Alice. Les gens ne subissaient pas tant d'opérations. Ils s'en remettaient, ou alors ils mouraient.

– Quand j'avais mal au ventre, je prenais un sac de farine, je mettais des cendres dedans et je me l'appliquais sur le côté. Et la douleur partait. Les gens venaient toujours le consulter, mon père. Il est mort le jour du nouvel an, en 1940, et je ne l'ai su que seize jours après. J'étais pensionnaire.

– Ils ne vous l'ont pas dit ? »

Cash reste un moment sans répondre.

« C'est pas facile d'expliquer le pensionnat. Les professeurs étaient blancs, ils parlaient pas le cherokee, et on s'habituait à ne jamais comprendre ce qui se passait. On oubliait sa famille. On dormait dans un grand dortoir, et au bout de quelques années, on en venait à se dire que c'était comme ça qu'on fabriquait les enfants. On les trouvait dans ces lits, alignés les uns à côté des autres, comme des biscuits dans un moule.

– Ça a l'air affreux, on dirait une prison pour enfants.

– C'en était une, plus ou moins. La moitié de la journée, école, et l'autre moitié, travail : salle de couture, salle à manger, cuisine, lessive. Les garçons faisaient la lessive. On se mélangeait pas avec les filles. Sauf le dimanche, quand on avait catéchisme, mais je pouvais pas toujours y aller, il fallait que je reste à la cuisine. »

Alice essaie de se représenter un troupeau de petits garçons bien sages en train de faire la lessive et de laver des casseroles. Elle n'y arrive pas.

« Vous avez appris à faire la cuisine au moins ?

– Pas beaucoup. Vous savez ce qui m'a sauvé, après la mort de mon père ? Il y avait une grande fenêtre sur le mur ouest de la salle à manger, et Miss Hay, c'était elle qui dirigeait la cuisine, elle avait un oranger dans un pot qui faisait à peu près cinquante centimètres. Au départ elle avait planté une graine. Je le regardais. Il y avait deux oranges sur cet arbre quand je suis parti. Elles étaient pas encore jaunes, juste vertes.

– Vous ne vous êtes pas sauvé ? Moi, je crois que je l'aurais fait.

– J'ai essayé, plusieurs fois. Mais finalement ma mère a dit qu'on avait besoin de moi à la maison, et ils m'ont laissé rentrer chez moi. Je suis allé jusqu'en

339

cinquième, c'est tout. Ils ont bien essayé de m'apprendre l'anglais, mais j'ai pas retenu grand-chose.

– En tout cas, vous le parlez maintenant », dit Alice, étonnée. Elle n'a jamais rencontré un homme qui parle autant que Cash Stillwater. Elle a peine à imaginer ce que ça donnerait s'il parlait anglais mieux que ça.

« Oh, vous savez, on finit par le parler. On ne parlait plus cherokee à la maison quand mes filles ont commencé à grandir.

– Pourquoi ?

– Je sais pas. Je leur parlais cherokee quand elles étaient bébés, et elles le comprenaient très bien. Mais au bout d'un moment ça a disparu. Quand elles mesurent un mètre vingt et se retrouvent avec les autres enfants, vous savez, en deux semaines elles oublient tout. J'ai l'impression que je leur ai fait du tort, d'une certaine façon. Comme s'il y avait eu quelque chose qu'elles attendaient que je leur dise et que je n'ai jamais trouvé. »

Alice sent à nouveau sa tristesse. Elle aimerait pouvoir poser la main sur sa vieille patte brune qui tient le levier de vitesse. Ils sont à présent sortis du bois et traversent de grands champs ondulés couverts de fléole des prés. À l'entrée d'un chemin de terre, une poignée de cailles s'élancent sur la route et s'envolent à tire-d'aile.

Alice se sent tout excitée, comme si elle faisait voile vers des rives inconnues. Elle ne saurait dire pourquoi. Les petites têtes de fleurs dorées se balancent dans le vent, et les bords du champ sont brodés de grandes fleurs blanches qui lui rappellent son enfance : des dentelles de la reine Anne. Elles sont aussi jolies que leur nom, mais si vous

vous aventuriez à les regarder de trop près, elles vous piqueraient les yeux jusqu'aux larmes.

Il fait presque nuit quand ils arrivent chez Sugar avec deux pleins seaux de myrtilles à l'arrière de la camionnette. Alice en a mangé tout en les cueillant. Cash la taquinait, lui disant que sa langue bleue la trahirait. Elle a l'impression d'être redevenue une jeune fille.

Dans l'allée de Sugar, un coq menace de passer sous les roues de la camionnette. Alice a le souffle un peu coupé.

« Il va se sauver, la rassure Cash. Sinon, on fera des boulettes de viande. »

Il tourne la clé de contact mais le moteur continue un moment à haleter, comme Cash, qui ne semble pas pouvoir s'arrêter de parler. « Une semaine après Noël ces coqs se mettent à chanter toute la nuit », lui dit-il. Il cherche dans sa poche et glisse quelque chose dans la main d'Alice. C'est sec, plat et pointu comme une dent. Elle regarde de plus près.

« Une pointe de flèche ? D'où est-ce qu'elle vient ?

– Trouvée. Pendant que vous vous gaviez de myrtilles.

– Alors, elle est à vous, dit-elle, bien qu'elle ait plaisir à sentir contre son pouce sa morsure dentelée et n'ait pas envie de s'en défaire.

– Non, gardez-la. J'en ai au moins une centaine à la maison.

– Vous en avez trouvé tant que ça ?

– Non. Il y en a que j'ai trouvées, mais la plupart je les ai fabriquées. »

Alice fait tourner la fine lame dans sa main.

341

« Comment vous avez appris à faire des pointes de flèches ?

– Oh, c'est une longue histoire. La première, je l'ai trouvée quand j'avais cinq ans. Une petite blanche à peu près comme ça. Mais elle était cassée, elle valait pas grand-chose. Je suis descendu de cheval et je l'ai ramassée, puis j'ai ramassé un autre morceau de silex blanc exactement pareil, et plus tard j'ai commencé à en faire des pointes. J'ai plus ou moins appris tout seul. Pendant un certain temps j'ai travaillé à Tahlequah, je faisais des pointes de flèche que je vendais à une boutique pour touristes.

– J'en reviens pas. C'est étonnant.

– Oh, pas du tout. Quand j'étais gosse, on fabriquait toutes sortes de choses. On faisait des sarbacanes avec les cannes des rivières. On les faisait chauffer au-dessus du feu puis on les redressait. Il suffit de mettre une petite flèche à l'intérieur et de souffler. On peut tuer un oiseau ou un écureuil avec ça. » Cash rit. « Mais c'est pas l'idéal. Maintenant j'ai un fusil. »

Alice se demande quel effet ça ferait d'avoir un homme qui parte le matin avec son fusil pour vous ramener votre repas du soir. Elle ouvre la portière et se dépêche de descendre de la camionnette avant de se laisser aller à y penser trop longtemps. Cash descend à son tour et soulève un des lourds seaux du plateau de la camionnette.

« Il y a une danse rituelle bientôt, samedi prochain, lui dit-il.

– Je sais. Sugar m'en a parlé.

– Vous avez l'intention d'y aller ?

– Pourquoi pas ?

– Vous voulez profiter de ma voiture ? Je serais content de vous y conduire.

342

« – D'accord, fait-elle. À bientôt. »

Alice se dirige vers la porte de Sugar. Elle sent les yeux de Cash posés sur elle. Quand elle entend la camionnette démarrer, elle se retourne et agite la main. Les lunettes de Cash scintillent alors qu'il s'éloigne, le bras à la fenêtre.

Alice n'a pas le souvenir de l'amour romantique ; il y a si longtemps qu'elle n'a rien éprouvé de tel que s'il lui prenait la fantaisie de lui décocher une flèche elle ne saurait pas le reconnaître. Tout ce qu'elle sait est que cet homme, Cash Stillwater, l'a choisie. Il l'a vue quelque part et il l'a distinguée. Cette seule pensée remplit Alice d'un mélange de chaleur, d'espoir et d'indigestion qui pourrait très bien être de l'amour.

26

Flamme ancienne

Le soir de la danse rituelle, Cash vient chercher Alice à minuit moins le quart. Elle trouve que c'est une heure bien tardive pour entamer une soirée avec quelqu'un, mais Sugar lui a assuré que les danses commencent à une heure avancée et se poursuivent toute la nuit. « Tu sais, chez nous, Cendrillon aurait pas eu sa chance, lui a dit Sugar. Elle serait rentrée dans ses haillons avant même que quelqu'un d'important soit arrivé. »

Alice fait cliqueter ses boucles d'oreilles en perles, espérant connaître meilleure fortune. Alors que la camionnette de Cash roule à travers les bois, elle plaisante sur l'heure tardive. « Je me demande si je vous connais assez pour passer la nuit dehors, dit-elle.

– Nous aurons au moins deux cents chaperons, dit-il, avec un sourire jusqu'aux oreilles. Telle que je connais ma sœur Letty, y'a peu de chances qu'ils nous quittent des yeux. »

Alice est tout excitée à l'idée que les gens parlent d'elle et de Cash.

« Je peux vous poser une question ? demande-t-elle.

344

– Allez-y.

– Je voudrais pas vous importuner, mais je suis désolée, je me rappelle pas la première fois où nous nous sommes rencontrés. »

Il lui jette un coup d'œil, et les lumières du tableau de bord irisent le bord inférieur de ses lunettes. « Moi, la première fois que je vous ai vue, c'était à la porte de chez Sugar, le jour où on est allés cueillir des myrtilles.

– Qu'est-ce que c'est que cette histoire ? » Alice ne sait trop comment poursuivre.

« Je ne vous avais pas appelée avant ? demande Cash.

– Si.

– C'est Letty qui m'a dit de le faire. » Il regarde Alice à nouveau et arrête sa camionnette, inutilement, à un croisement tranquille sur une route absolument déserte. La vitre d'Alice est complètement baissée, elle entend des oiseaux dans la forêt, occupés sans doute à mener leur vie d'oiseau. « Elle m'a fait savoir que vous étiez intéressée », dit Cash finalement.

Alice est stupéfaite. « Je l'aurais sans doute été, si j'avais su qui vous étiez, mais c'était pas le cas. Sugar m'a dit, elle m'a dit que Letty avait dit... » Elle n'arrive pas à terminer.

Cash se met à rire. Il repousse son chapeau de paille sur le sommet de sa tête, frappe le dessus de son volant de ses deux paumes, et rit à nouveau. Alice le regarde bouche bée.

« Il faut connaître ma sœur Letty. » Il passe son index sous sa paupière inférieure, derrière ses lunettes. « Oh, mon Dieu, fait-il. Si elle pouvait mener le monde à sa guise, elle se ferait un plaisir de caser le pape avec une gentille veuve. »

345

Alice rougit profondément dans l'obscurité.

Cash tend le bras et frôle la joue d'Alice du revers de la main, puis il redémarre. « Et une fois de temps en temps, cette vieille pipelette déniche deux personnes qui sont faites pour s'entendre. »

À l'entrée du lieu de cérémonie une pancarte annonce : VISITEURS BIENVENUS, PAS DE BOISSONS, PAS DE CHAHUT. Alice et Cash se sont tus. Il y a plusieurs camionnettes devant eux et un break derrière, qui tous franchissent le portail pour pénétrer dans une forêt de petits chênes. Ils passent devant une bonne douzaine d'abris ouverts avec des toits de cèdre et des réchauds à l'intérieur, où les femmes sont rassemblées en bouquets compacts et animés. Sur les toits, les tuyaux de cheminée envoient des bouffées de fumée comme des garçons qui fument en cachette dans les bois.

Le chemin de terre se termine à l'orée d'une clairière, au centre de laquelle Alice aperçoit un monticule rond fait de cendres amassées, cinquante centimètres de haut et deux mètres cinquante de diamètre. Le feu y brûle déjà, rougeoyant à l'intérieur d'un tipi de grosses bûches. Autour du feu, quatre bûches pointées dans quatre directions lui donnent un air de sérieux et de précision, comme une boussole. Cash a prévenu Alice que ce feu n'est pas un feu ordinaire. Il est aussi vieux que les Cherokees eux-mêmes ; quelqu'un en emporte les braises dans un seau à la fin de chaque cérémonie et les entretient pendant un mois, jusqu'à la cérémonie suivante. Ce feu a été transporté sur la Piste des Larmes, explique-t-il, quand on a chassé les Cherokees de l'Est pour les amener jusqu'ici. Alice n'a

346

qu'une idée très vague de ce que cela signifie, sinon que ça représente beaucoup de temps pour maintenir en vie une vieille flamme.

L'autel est entouré d'un anneau de terre battue d'environ vingt mètres de diamètre, doublé d'un cercle de chênes vieillissants pleins de grâce, avec leurs troncs bien droits et leurs branches supérieures qui se touchent à peine. Les gens commencent à se rassembler et à s'asseoir sous les chênes sur des bancs de rondins taillés, face au feu. Cash sort une paire de chaises pliantes et ils s'installent devant la calandre de la camionnette.

Un vieil homme approche d'un pas tranquille pour bavarder avec Cash. Il a un visage merveilleusement rond et comme tous les autres hommes ici, il porte un chapeau de cow-boy en paille, qui a foncé pour se conformer au crâne de son maître. Cash le présente comme étant Flat Bush, laissant Alice se demander s'il s'agit là de son prénom, de son nom, ou des deux à la fois. Les deux hommes parlent un moment en cherokee. Alice est surprise de pouvoir suivre le sens général de la conversation, grâce à des mots comme « quincaillerie » et « tête de delco » qui surgissent régulièrement, brillants et anguleux, dans l'étrange et douce musique de la conversation.

Les gens commencent à arriver vraiment. Ils garent leurs camionnettes autour du feu. Elle jette des coups d'œil furtifs aux vieilles femmes nichées tout près de là dans des chaises de jardin affaissées. Elles portent toutes des robes de coton fleuries, des bas foncés, des chaussures sombres, et des lainages noirs ou rouges. Leurs longues chevelures blanches sont emprisonnées derrière la nuque dans des boucles de perles, et elles ont les bras croisés sur la poitrine. Alice espère

347

qu'elle n'a offensé personne avec son pantalon et ses cheveux courts. Mais c'est stupide ; on ne lui a jusque-là manifesté rien d'autre que de la gentillesse et on ne l'a jamais regardée de travers. Elle épie la conversation des femmes et c'est la même chose que de l'autre côté, sauf que les mots brillants et anguleux sont « Soupline », « vésicule biliaire » et « margarine ».

Des bandes d'adolescents vont et viennent à travers les bois : des filles aux longs cheveux en jean et en baskets, et des garçons aux longs cheveux en jean et chaussures de sport sophistiquées. Certains garçons ont des airs de durs, avec leurs fronts brillants ceints d'un bandana noir noué derrière la tête. Ils s'interpellent à travers les bois en anglais, mais quand ils s'adressent à des personnes plus âgées, leurs salutations se font en cherokee. Même les bambins, quand ils viennent poser leurs mains sales sur les jupes sombres, ouvrent leurs petites bouches et laissent échapper des bribes d'étranges chansons cherokees. Alice est fascinée. Elle pense aux églises du Mississippi.

Bien que tout le monde soit encore en train de parler, on a soudain une impression de silence. Les hommes se dirigent vers leurs camionnettes. En se levant, Cash se penche vers Alice. « Ledger vient d'arriver, explique-t-il.

– Qui ?

– Ledger Fourkiller, notre *medicine man*. »

Alice le repère : de petite taille, avec son jean, son chapeau et sa chemise écossaise en flanelle, il n'est vraiment pas de ceux qu'on remarque dans une foule. Elle ne sait pas à quoi elle s'attendait, certainement pas à des peintures de guerre, mais tout de même. « Où est-ce que vous allez ? demande-t-elle à Cash.

– Nulle part. Juste chercher ma plume d'aigle. »

Les autres hommes font de même, chacun sortant de sa boîte à gants une grande plume marron à glisser dans le ruban de son chapeau. Alice cherche Boma Mellowbug et ne la trouve pas. Elle aperçoit à la place une femme à la démarche d'oursonne qui se dandine dans sa direction avec deux tasses de café. La femme se penche vers Cash : « *Siyo* ». Cash présente à Alice sa sœur Letty.

« Heureuse de vous connaître », dit Alice, même si elle ressent à peu près toutes les émotions possibles et imaginables sauf du bonheur. Elle accepte cependant le café avec gratitude. La nuit, contre ses bras nus, est devenue fraîche et claire.

« Vous aviez l'air d'avoir froid. J'ai pensé qu'un café bien chaud vous ferait du bien. » Elle regarde Cash bizarrement, mais Alice n'a aucune idée de ce que cela signifie. Il se penche vers Alice et lui touche la main. « Je vais fumer cette pipe. À plus tard. »

Les bancs se sont entièrement remplis et le chef se tient à présent près du feu. Brusquement, Alice se rend compte que Sugar est assise sur la chaise à côté d'elle, tout essoufflée. Elle se penche et attrape le bras d'Alice comme si c'était une copine de classe. « Je voulais pas être importune. »

Alice commence à en avoir assez que la Nation cherokee au complet organise sa vie amoureuse.

Le chef lève brusquement la tête et adresse aux branches d'arbres une bénédiction limpide et pure. Sa voix est si claire qu'elle semble sortir d'un endroit au-dessus de ses oreilles. Quand il se déplace vers le côté est du feu il semble grandir, du simple fait qu'il avance à longues enjambées. Il prend du tabac dans sa bourse et en fait offrande au feu. Il s'adresse au feu même, comme on demanderait à un vieux chien aimé de prendre un os dans votre main. Le feu accepte son offrande, et le chef marche à nouveau, sans cesser de parler. Il remplit une fine pipe blanche aussi longue que le bras d'Alice. Les vieilles personnes s'approchent du feu, puis les autres se rassemblent en file indienne derrière eux, formant une ligne qui fait tout le tour de la clairière.

Sugar se penche en avant pour se relever. « Il faut que je fume la pipe maintenant, murmure-t-elle. Ensuite, tu viendras t'asseoir avec moi sur les bancs du clan des Bird. Tu peux pas rester avec Cash. C'est pas un Bird. Il appartient au clan des Wolf. » Elle adresse un clin d'œil à Alice. « C'est pas plus mal. On n'a pas le droit de se marier à l'intérieur de son clan. »

Sugar se hâte de rejoindre la file, laissant Alice perplexe et légèrement agacée. Elle n'avait certes pas conscience d'appartenir à un clan. Et de surcroît, elle est apparemment la seule personne à des kilomètres à la ronde, si l'on excepte Cash, à ne pas échafauder des projets de mariage.

Le chef remet la pipe au premier vieil homme, qui referme ses lèvres sur le tuyau, ferme les yeux, et aspire. Puis il fait subir à la pipe une rotation complète, parallèlement au sol. C'est un geste étrange qui requiert les deux mains. Il tend la pipe à la femme qui se tient derrière lui dans la file. Le vieil homme fait cinq ou six pas mesurés en direction de l'est et prend place au bord de la clairière. Quand la femme a eu accompli les mêmes gestes, elle le rejoint. Une par une, chaque personne prend la pipe, même les enfants.

Alice aperçoit Annawake dans la file, derrière un garçon au torse en forme de barrique et une kyrielle d'enfants, et voici Cash, qui, telle une herbe généreuse, domine un bouquet de femmes chrysanthèmes. Il arrondit les épaules, très à l'aise, chaque fois qu'il fait un petit pas en avant. C'est un lent processus. Alice ne quitte pas des yeux deux petites jumelles vêtues de la même robe à volants empesée, qui avancent patiemment dans leur file. Quand vient leur tour, leur mère porte la pipe d'abord à sa bouche, puis aux lèvres de ses enfants, en les aidant à la faire tourner ensuite. Quand la dernière personne de la file a fumé la pipe et que tout le monde s'apprête à s'asseoir, Sugar fait signe à Alice de venir s'installer sur les bancs du clan des Bird. « Les troisièmes en partant de l'est, dans le sens inverse des aiguilles d'une montre, dit-elle en les désignant du doigt. Ainsi tu pourras les retrouver.

– J'ai rien contre ce banc, mais je vois pas pourquoi j'y aurais ma place. »

Sugar ouvre de grands yeux. « Alice Faye, tu es une Bird tout autant que moi. Grand-mère Stamper était une pure Cherokee. On tient son clan du côté maternel. »

Alice n'a pas connu la mère de sa mère, une femme de réputation douteuse qui mourut jeune de façon dramatique, elle ne sait trop comment, dans un bateau. D'après ce qu'on raconte, elle ne possédait même pas les vêtements dans lesquels elle s'est noyée. Il n'était jamais venu à l'esprit d'Alice qu'elle puisse tenir de cette femme son appartenance à un clan. Mais elle ne discute pas, car le chef a recommencé à prier, ou à parler. Les bras croisés il arpente le cercle de terre battue, les yeux parfois levés vers le ciel, mais s'adressant principalement au feu. Ses paroles semblent très paisibles, plus proches de la conversation, pense Alice, que d'un sermon. Mais Sugar dit qu'il fait un sermon. « Il explique comment être bon, si tu veux. Les petites fautes de tous les jours, et les grandes fautes. Ne soyez pas jaloux, ce genre de chose. C'est pareil à chaque fois. »

Qu'importe. Alice se sent transportée. Ses mots se fondent les uns aux autres en une chanson ininterrompue, aussi lisse que de l'eau sur la pierre.

Un setter traverse la clairière devant le chef et s'allonge près du feu parmi un groupe de chiens. Ils relèvent tous la tête pour le regarder. De temps en temps une camionnette tardive s'arrête dans les bois, rejoint le cercle, et éteint ses lumières respectueusement. Cette attention centrée sur la clairière, Alice a l'impression qu'elle pourrait la toucher, comme un vase de cristal qui, étroit au niveau du sol, irait s'élargissant en pénétrant dans les branches des chênes.

D'un seul coup, le chef élève considérablement la voix, et quelque chose qui ressemble à un grognement d'approbation monte de la foule. Le vase vole en éclats. Il n'y a plus que du silence. Puis les bébés se mettent à caqueter bruyamment, les hommes âgés se lèvent pour serrer les mains des femmes âgées qu'ils n'ont pas encore vues, et tous les chiens se dirigent vers les cuisines.

« Maintenant, on va pouvoir danser », dit Sugar excitée. Une douzaine d'adolescentes sortent du rang, s'observent avec sérieux et se placent côte à côte en un cercle serré autour du feu. Elles portent toutes des jupes en vichy qui leur arrivent aux genoux et leurs sonnailles de carapaces de tortues remplies de pierres. Sur les jambes des jeunes filles, au-dessous de leurs robes, elles forment des bosses pareilles à des ruches. Les adolescentes se mettent à exécuter des séries de deux petits pas glissés, qui font naître un sifflement sonore. Plusieurs hommes âgés se mettent en rang derrière elles, ils dodelinent de la tête et entonnent un chant qui ressemble à s'y méprendre à celui de l'engoulevent. Alice sent des frissons danser le long de sa colonne vertébrale. Les autres entament alors une chanson, et les jeunes femmes marchent, marchent, marchent autour du feu dans le sens inverse des aiguilles d'une montre. Au fur et à mesure que d'autres gens entrent dans le cercle, ils se prennent par les mains derrière les chanteurs et les porteuses de chaînes, formant un long serpent qui s'enroule languissamment autour du feu. D'un seul coup, quand le chef lève la main, tous les pieds s'immobilisent dans la poussière et les danseurs poussent un cri de joie. C'est le son de l'allégresse.

« Oh, ça a l'air formidable, dit Alice à Sugar. Tu sais pas le faire ?

– Oh, si. J'y vais. Tu devrais venir toi aussi. T'as pas besoin d'attendre qu'on t'y invite. Si tu en as envie, tu peux y aller quand tu veux. »

Une nouvelle danse commence aussitôt. La chanson semble un peu différente, mais la danse est toujours ce même piétinement doux, en cercle. Seules les filles avec leurs carapaces exécutent les pas compliqués, très concentrées, sans mouvements superflus du haut du corps ; tous les autres se contentent de traîner des pieds, vieux comme jeunes, en battant légèrement des bras comme des coureurs fatigués. Il y a à présent plusieurs cercles de gens autour du feu, et la foule ne cesse d'augmenter. Alice est fascinée par les filles qui restent dans le cercle intérieur près du feu, à la place d'honneur, à se démener de la sorte. On est à des lieues des modèles de magazines avec leurs longues jambes qui n'en finissent pas. Ces filles aux jambes arquées dans ces chaînes bulbeuses ont atteint une sorte de grâce, pense Alice – une étrange féminité.

La danse est interminable. Un vieil homme sort un tambour. On entend maintenant un petit tambour de peau, des voix profondes, surtout masculines, et dominant le tout, le sifflement des carapaces de tortues, comme un grand vent qui vous emporte. Plus tôt, quand Alice avait demandé à Cash de lui parler de la danse et de la musique, il avait répondu que ce serait une musique qui ressemblerait aux bois, et Alice décide que c'est juste. Pas de parfums artificiels. C'est la première fois qu'elle assiste à un spectacle indien, se dit-elle, qui n'a rien à voir avec le tourisme. Ce sont simplement des gens qui passent un bon moment en compagnie les uns des autres, parce qu'ils en ont envie.

« De quoi parlent les chansons ? » demande-t-elle à Sugar. Alice n'entend rien d'autre que « oh-oh-wey-yah », et par moments le chant du chef qui domine tout le reste, comme s'il jodlait. Sa voix se brise et monte de belle façon, et la foule répond avec les mêmes mots.

« Je pourrais pas vraiment le dire, répond enfin Sugar. C'est plus difficile à comprendre que des paroles normales. Peut-être que ça ne veut rien dire.

– Mais ça doit bien vouloir dire quelque chose. »

L'idée que ça n'ait aucun sens ne semble pas perturber Sugar. « Allons-y, dit-elle soudain, attrapant Alice par la main. Entre après les sonnailles, recommande-t-elle. Ne passe pas devant les filles. » Alice ne se le serait jamais permis.

Elle entre dans le cercle à la suite de Sugar, tremblante d'émotion, et d'un seul coup elle y est, à piétiner comme tout le monde. Au début elle n'a conscience de rien sinon de son propre corps, de sa personne, et elle observe les autres, imitant la façon dont ils tiennent leurs bras. Mais elle a également conscience d'être en train de faire une chose étrange et incroyable. Une chose qui la fait se sentir entièrement vivante, des pieds à la tête. D'un seul coup, avec un léger choc, elle comprend exactement ce qu'elle avait toujours voulu dire à Harland : être là en personne, ce n'est pas la même chose que regarder. On voit peut-être mieux les choses à la télévision, mais on ne saura jamais si l'on était vivant ou mort pendant qu'on regardait.

De temps en temps, Alice pense à Cash avec un pincement dans la poitrine. Elle le cherche des yeux, mais ne voit que les gens qui se trouvent devant elle et à côté d'elle dans les autres courbes du serpent. La chanson est courte, et Alice constate avec déception que tous les danseurs quittent la clairière pour aller s'installer sur les bancs de leurs clans respectifs. Même après si peu de temps, elle sent ses mollets tout contractés. Elle a l'impression d'avoir pédalé une soirée entière.

Sugar est occupée à ronger une aile de poulet et à présenter Alice aux uns et aux autres. Alice est trop fatiguée pour retenir des noms, mais elle note que Sugar est très fière de faire remarquer l'appartenance d'Alice au clan des Bird.

« Je sais que nous avions la même grand-mère, finit par lui dire Alice, mais tu oublies que je ne suis pas indienne.

– Tu es tout aussi indienne que moi. Mon père était blanc, et ma mère aussi, si on met à part ce qui lui vient des Stamper.

– Par le sang, peut-être, convient Alice. Mais toi, t'as épousé Roscoe et t'as vécu ici presque toute ta vie. Est-ce qu'il ne faut pas s'inscrire quelque part pour être cherokee ?

– Pour voter, oui. » Sugar tient l'aile de poulet à bout de bras, la tournant d'un côté et de l'autre comme si elle était en train de la sculpter. « Il faut s'inscrire. C'est pas difficile. Il suffit de prouver qu'on descend de quelqu'un qui figure sur le registre de recensement, qui remonte aux années 1800. Et c'est ton cas.

– Eh bien, même si c'est vrai, je trouve pas ça normal. Je ne me sens pas indienne. »

Sugar place les os de poulet dans un sachet à l'intérieur de son sac, et applique une serviette sur sa bouche. « Comme tu voudras. Mais c'est pas un *country club* ou quelque chose dans ce genre. C'est simplement une famille. C'est comme si on faisait partie d'une Église. Si tu finis par décider que tu es cherokee, Alice, alors tu le seras. »

Alice n'arrive pas à croire qu'il est déjà deux heures du matin. Les gens continuent d'affluer. La foule a atteint plusieurs centaines de personnes. Les filles aux carapaces de tortue se rassemblent à nouveau autour du feu, et quand la danse commence, Sugar et Alice sont parmi les premières debout. Alice sent une énergie nouvelle pénétrer peu à peu tout son corps. Cette fois-ci le chant dure plus longtemps, et elle oublie ses bras et ses jambes. C'est étonnamment facile. La musique et le mouvement sont réconfortants, répétitifs et hypnotiques, et son corps trouve doucement sa place dans ce balancement interminable. Aussi loin qu'elle se souvienne, c'est la première fois qu'Alice se sent complètement intégrée.

Dès qu'une danse prend fin, elle est à nouveau consciente de son corps, de ses muscles et de sa fatigue. Elle comprend alors que si elle continuait à danser, elle pourrait continuer longtemps. De l'oubli du corps naît une espèce d'énergie intense et paisible. Elle voit pourquoi cela va durer toute la nuit.

Au milieu de la deuxième chanson, elle s'aperçoit que Cash est venu se placer dans la file qui se trouve derrière elle. Elle sourit tout en faisant bouger son corps au rythme des sifflements des tortues. Il reste là un moment, et à peine la chanson suivante a-t-elle commencé qu'il est remplacé par quelqu'un d'autre. À côté d'elle, elle aperçoit un instant Annawake. Elle croit voir Boma Mellowbug aussi, sans sa plume. Pendant un moment elle essaie de ne pas perdre Cash de vue, puis elle oublie d'y penser, parce qu'elle n'arrive pas à se situer vraiment elle-même dans ce groupe. Elle sait seulement qu'elle est à l'intérieur.

À la fin de chaque chanson les voix se taisent et alors il n'y a plus que le sifflement des carapaces qui vibre dans un silence de cristal. C'est un son qui perd ses composantes individuelles, de même que les applaudissements deviennent grondement dans les mains d'une foule. C'est autant de galets qu'il y en a sur une plage. La vie d'Alice, sa solitude, ces choses qui l'ont conduite ici, se sont évanouies. Elle ressent un amour profond et las pour les braises rouges tapies au centre de ce monde. Ce feu bien-aimé qui a tout traversé depuis le début, que quelqu'un a transporté sur la Piste des Larmes, que quelqu'un a apporté ici ce soir, et que quelqu'un emportera chez lui et rapportera à nouveau.

La lumière du matin filtre sous les stores jaune clair de la chambre que lui a prêtée Sugar. Alice, allongée dans son lit, serre son cœur qui bat. Elle a peur de s'endormir. Elle se répète qu'elle est bien là, sans en croire un traître mot. Sa valise noire bâille contre la porte du placard, découvrant un fouillis sans nom, et près du lit elle voit la planche à repasser de Sugar surchargée de linge froissé.

Si elle s'endort, la magie risque d'avoir disparu quand elle se réveillera dans cette pièce. Elle pourrait très bien se retrouver simplement ici, dans la buanderie d'une cousine, sans le moindre souvenir de ce qui s'est passé ce soir. Cela lui semble un conte de fées, et les histoires disent que les charmes se rompent et que la magie ne dure pas. Les gens ne s'aiment pas vraiment, ils ne dansent pas dans les bois dans le seul but de répandre le bien, de s'oublier, et de maintenir un vieux feu en vie.

27

Histoires de famille

Une jeune femme avec des tas de bijoux et une coiffure compliquée conduit Alice et Sugar à travers le hall du sous-sol du Cherokee Heritage Center. Elle ouvre la porte d'une petite pièce au centre de laquelle se dresse une énorme table de chêne.

« Vous avez besoin d'aide pour trouver quelqu'un ? » demande-t-elle. Alice a remarqué que la fille s'efforce de ne pas mâcher le chewing-gum qu'elle a dans la bouche pendant qu'elles la regardent. Est-ce à ça que pensent les jeunes quand ils voient des vieilles femmes ? À leur institutrice ?

« Non merci, ma belle, c'est pas la première fois que je viens », répond Sugar.

Leur guide les abandonne pour regagner la boutique de souvenirs du premier étage en mâchant son chewing-gum avec application, histoire de rattraper le temps perdu. La grande table est couverte de vieux classeurs marron, attalés les uns contre les autres comme des ouvriers agricoles pendant une pause. L'un des murs de la pièce est couvert d'une vieille carte des districts du pays cherokee, et une espèce de visionneuse est tapie contre l'autre mur. Alignés au fond de la pièce, il y a une série de meubles

359

classeurs vieillots en bois comme on peut en trouver dans le cabinet d'un médecin de campagne. De fait, Alice se sent aussi nerveuse que si on allait lui faire une piqûre, pour son bien.

Sugar s'assied sur l'une des chaises en plastique. « Ça, c'est l'index des registres Dawes », dit-elle en soulevant un classeur assez épais pour rehausser un enfant à la table du dîner. « 1902 à 1905 », lit-elle. Elle ajuste ses lunettes, passe la langue sur son pouce, et commence à le feuilleter.

« Tu crois vraiment que c'est bien, ce qu'on est en train de faire ? »

Sugar lève les yeux vers Alice par-dessus ses lunettes. « Alice, je te jure, je te reconnais pas. Rappelle-toi, c'était à celle qui entraînerait l'autre à sortir en cachette pour aller boire de la bière. Et maintenant tu as peur de ton ombre alors qu'on ne fait vraiment rien d'extraordinaire.

– Je ne veux pas enfreindre la loi.

– Pour l'amour du ciel, assieds-toi et regarde. Ce n'est rien d'autre qu'une longue liste de noms. Des gens qui ont vécu ici et qui ont obtenu des concessions entre telle et telle année. Je vais juste te montrer le nom de ta grand-mère. Elle va pas sortir le bras de sa tombe pour te chatouiller les pieds.

– Elle pourrait, si elle savait que j'essaie de rouler les Cherokees.

– Alice Faye, tu ne roules personne. »

Alice se lève et arpente nerveusement la pièce, laissant Sugar à ses recherches. « Qu'est-ce que c'est que ça ? » demande-t-elle, en soulevant un journal jauni, apparemment très ancien, couvert d'étranges fioritures.

Sugar jette un coup d'œil par-dessus ses lunettes.

« Le *Cherokee Advocate*. C'est un vieux journal, il n'existe plus. C'est à ça que ressemble l'écriture pour les Cherokees. C'est joli, tu trouves pas ? Roscoe sait la lire, mais moi j'ai jamais appris. »

Alice étudie les titres, essayant de relier leur rondeur avec les douces voix gutturales qu'elle a entendues le soir de la danse rituelle. « Ils avaient leur propre journal ?

– Et leur propre terre, oui, répond Sugar sans lever les yeux de son livre. Ça a été le premier journal de l'Oklahoma. Pendant que les fameux cowboys mangeaient avec leurs couteaux de poche, les Cherokees, eux, organisaient les choses ici, m'a dit Roscoe. Oh, regarde, je l'ai trouvée, juste ici. » Tout en faisant signe à Alice d'approcher elle garde précieusement la grand-mère Stamper sous le bout de son doigt. « Note ce numéro de recensement : 25844. »

Alice plonge la main dans son sac pour y chercher un crayon, passe le bout de la langue sur la mine, et note consciencieusement le numéro dans son carnet d'adresses. À la lettre *z*, car il semble improbable qu'elle rencontre un jour quelqu'un dont le nom commence par un *z*. De fait, en dehors de trois pages de numéros barrés concernant Taylor, son carnet d'adresses est pratiquement vide.

« Maintenant il ne te reste plus qu'à prouver que tu descends d'elle. L'idéal est d'avoir le certificat de naissance, mais elle en avait pas. Ce que nous avons fait, quand Roscoe m'a aidée à faire ces démarches, c'est que nous avons écrit au bureau de recensement du Mississippi et nous avons obtenu un rapport sur les circonstances de sa mort. Puis nous avons simplement apporté ce papier au bureau de la Tribu, expliqué qu'elle était ma grand-mère, et voilà. Il me semble que je leur ai montré des photos de famille, ce genre de chose. Ils sont assez compréhensifs. »

Alice a les yeux rivés sur le registre rempli de noms. Elle n'arrive pas à définir qui, exactement, elle a l'impression de tromper. Tous les gens qui figurent sur cette liste, pour commencer. Et le fait qu'ils soient morts n'y change rien. Sugar n'a pas été très inspirée de suggérer qu'ils pouvaient sortir de leurs tombes pour venir lui chatouiller les pieds. « Je trouve que c'est pas bien, insiste-t-elle. J'ai toujours su que nous avions un peu de sang indien, mais j'ai jamais pensé que ça suffisait pour être recensé.

– Une goutte suffit. Nous sommes tous tellement délayés ici, de toute façon. T'as vu ces petits blondinets à la danse rituelle, les Threadgill ? Ils sont inscrits. Et Roy Booth, à la station-service, il est inscrit aussi, et il n'a pas plus de deux centièmes de sang cherokee. Et ses enfants également. Alors que sa femme, elle est un quart cherokee, mais c'est une vraie méthodiste, et elle ne veut pas signer. Faut pas en faire toute une histoire. Être cherokee, c'est plus ou moins un état d'esprit.

– Alors, peut-être que j'ai pas le bon état d'esprit. Et si je le faisais juste pour obtenir quelque chose ?

– Ma chérie, le mieux que tu puisses espérer obtenir de la Nation, en matière d'argent, c'est un nouveau toit, et tu risques d'attendre tellement longtemps que tu finiras par décider de le réparer toi-même. Il y a les hôpitaux et toutes ces choses, mais personne n'ira te refuser ça. Ils demanderont à ton assurance de les rembourser, si t'en as une, qui que tu sois. »

362

Alice sent son secret appuyer contre son diaphragme. Ça lui rappelle la fin de sa grossesse. Elle commence même à avoir des maux d'estomac. « Sugar, t'es vraiment une amie, dit-elle. Tu m'as jamais demandé pourquoi j'étais venue ici. J'apprécie.

– Oh, je me suis dit, un mariage raté, mais peu importe. Puis quand tu m'as posé des questions sur les Fourkiller, j'ai pensé que tu devais être à la recherche de Ledger, que quelqu'un devait être malade. » Sugar regarde Alice avec plus d'intensité, puis elle pose la main sur son avant-bras. « Chacun a ses problèmes, et ses raisons de vouloir repartir à zéro. Les gens sont toujours curieux de connaître les détails, mais à mon avis c'est juste parce qu'on espère que la vie des autres est plus catastrophique que la nôtre. »

Alice sent un besoin aigu de s'effondrer ici sur les registres et de tout raconter. Mais elle a si peur. Sugar pourrait retirer cette main qu'elle a posée sur son avant-bras et les années de tendresse contenues dans ce geste. Il y a un mois, Alice n'aurait pas cru possible que quelqu'un vienne contester que Turtle appartenait à Taylor et seulement à Taylor. Aujourd'hui elle voit que nombreux sont ceux qui y seraient prêts.

« Les raisons de ma venue sont différentes de celles de tous les gens dont tu as entendu parler, dit-elle à Sugar. Je veux te le dire, mais je ne peux pas encore le faire. Ce que je pense, c'est que ça pourrait aider ma cause de m'inscrire ici et de devenir cherokee. »

Sugar incline la tête sur le côté et regarde Alice. « Dans ce cas, il faut le faire. Je ne pense pas qu'on doive se sentir coupable de venir cueillir une pomme sur un arbre. »

Alice sait qu'elle doit cueillir la pomme. Mais au fond de son cœur, ou plus profond, dans son ventre contracté, elle sait que cela fera du mal à l'arbre.

L'après-midi est humide et infesté d'insectes. Tout en marchant, Alice balaie de la main les moucherons qui semblent surgir de l'air même. Elle regrette de ne pas s'être mise en short. Encore que, quand elle essaie de se représenter une vieille femme dans un short flottant qui descend un chemin en direction de la rivière en agitant frénétiquement les mains, l'image qui lui vient ressemble à s'y méprendre à Boma Mellowbug. Elle a bien fait de mettre son pantalon en lainage. Elle tient à faire bonne impression.

Alice a demandé à Annawake s'il était possible qu'elles se rencontrent autre part qu'au café ; elle ne tient pas à ce que tous les gens du coin puissent entendre ce dont elle veut discuter. Annawake a suggéré la péniche de son oncle Ledger. Alice a la conviction qu'elle s'est perdue. Mais alors qu'elle sent l'inquiétude la gagner, elle aperçoit l'étendue aveuglante du lac à travers les arbres. Puis le toit de tôle ondulée d'une espèce de maison flottante entourée d'une galerie de bois. D'épaisses cordes l'amarrent à la terre, et des cordes plus minces courent du bateau jusqu'au sommet des arbres comme un début de toile d'araignée. Toutes sortes de choses y sont suspendues : des jeans d'homme aux jambes bien droites, des seaux, aussi, et des cuillères à longs manches. Elle aperçoit Annawake assise, les jambes plongées dans l'eau.

« Ohé ! » crie Alice. Elle ne veut pas surprendre Annawake qui à cet instant ressemble à une enfant perdue au pays des rêves. Annawake lève les yeux et lui fait de grands signes, et Alice est surprise de la trouver si jolie, dans son short et son T-shirt rouge. La fois précédente, au café, Annawake lui était apparue sous un jour plus aigu, tenant à la fois du lapin apeuré et du chien lancé à sa poursuite. Ses cheveux semblaient délibérément décoiffés. Entre-temps, elle les a fait couper bien droit juste sous le lobe de l'oreille, et ils brillent. Sa peau couleur d'érable est magnifique.

Alice traverse la passerelle de planches branlantes qui relie la berge au bateau, en se cramponnant à la grossière main courante de corde pour ne pas tomber dans l'eau. Le flanc du bateau est entouré de vieux pneus, comme des pare-chocs.

« Vous appelez ça un lac ? s'étonne Alice. On pourrait presque jeter un caillou sur l'autre rive.

– C'est vrai, tel qu'il est, je crois qu'il mériterait davantage le nom de rivière, reconnaît Annawake. Vous avez eu du mal à nous trouver ?

– Non. » Elle jette un regard circulaire pour localiser le « nous », mais ne voit qu'Annawake et une quantité impressionnante de libellules. Annawake lui avait dit que Ledger devait aller bénir une nouvelle camionnette à Locust Grove.

« J'espère que vous ne voyez pas d'inconvénient à vous asseoir ici ? Les moustiques ne vont pas tarder à arriver, mais l'eau est délicieuse.

– Pas du tout. » Alice s'assoit à côté d'Annawake et reprend son souffle. Puis elle ôte ses tennis et roule son pantalon jusqu'aux genoux. Quand elle plonge les pieds dans l'eau froide, elle a l'impression d'être régénérée.

« Votre coiffure vous va très bien », dit-elle à Annawake, maternelle malgré elle.

Annawake se passe la main dans les cheveux. « Merci. Je les avais complètement sacrifiés quand je suis partie faire mes études de droit, un coup de folie. Je crois que je me sentais en deuil. On dirait qu'ils repoussent à présent.

– C'était une bonne idée de se donner rendez-vous ici. C'est agréable.

– Nous ne serons pas dérangées. Quand on était gosses, on venait passer l'été ici, et on avait l'impression d'être partis en Californie. La maison d'oncle Ledger, ça nous semblait être à cent miles. Si quelqu'un m'avait dit qu'on pouvait y venir à pied en une demi-heure, je ne l'aurais pas cru. Parce que personne ne le fait jamais.

– Il m'a fallu moins que ça. Vingt minutes.

– Vous marchez vite.

– C'est vrai. J'ai toujours été comme ça. Si on va quelque part, alors autant y aller. »

Elle et Annawake se regardent un instant dans les yeux, puis font marche arrière.

« Vous avez donc quelque chose à me dire.

– À vous demander, plutôt.

– Allez-y. »

Alice prend sa respiration. « Est-ce que ça changerait quelque chose à la question de savoir qui aura Turtle, si j'étais, si sa mère et moi étions membres de la tribu ? »

Annawake regarde Alice, la bouche légèrement entrouverte. Au bout d'un moment elle la ferme, puis demande : « Vous avez du sang cherokee ?

– Oui. J'ai trouvé ma grand-mère hier dans vos registres.

– Les registres Dawes », complète Annawake. Elle regarde l'eau, clignant des yeux. « C'est une surprise. Je pensais savoir ce que vous veniez me dire aujourd'hui, et je me suis trompée.

– Alors, est-ce que ça changerait quelque chose ? Est-ce que ça ferait de nous des Indiennes ?

– Laissez-moi réfléchir un instant. » Elle passe la main sur sa tempe, pour ramener ses cheveux en arrière. Enfin, elle pose sur Alice un regard plus professionnel. « Pour commencer, oui, si vous êtes inscrite, alors vous êtes cherokee. Nous ne tenons pas particulièrement à la pureté ethnique, comme vous l'avez probablement remarqué. C'est ce qu'il y a de curieux dans nos tribus de l'Est, nous avons un sang mélangé depuis très longtemps, même nos sachems et nombre de nos chefs historiques. Comme John Ross. Il n'était qu'à moitié indien. Ce n'est pas une tare.

– C'est juste que ça me semble bizarre, de pouvoir devenir membre si tard. Vous trouvez pas ?

– Je suppose que cela pourrait être jugé opportuniste, dans votre cas. » Annawake adresse à Alice un sourire des plus étranges, les coins de la bouche dirigés vers le bas. « Mais en règle générale, il n'y a pas de raison pour que l'inscription soit réservée aux gens de race pure, ou moitié-moitié, ou du pourcentage qu'on veut. Quiconque vit notre vie devrait avoir le droit d'appartenir à la tribu. Et ce n'est certainement pas aux étrangers de venir nous dire qui peut s'inscrire.

– Est-ce que ça ne dilue pas un peu les choses, de laisser entrer tout le monde ? »

Annawake rit. « Croyez-moi, les gens ne se pressent pas sur la route de Muskogee dans l'espoir de faire partie de la tribu.

– Donc je serais tout aussi cherokee que n'importe qui ici, si je m'inscrivais ?

– Légalement, oui. Et je vais être honnête avec vous, ça ne nuirait pas à votre cas.

– Eh bien dans ce cas, je vais m'inscrire.

– Mais c'est passer à côté de la question, pour ce qui est de votre petite-fille. En droit, vous seriez cherokee, mais pas sur le plan culturel.

– C'est si grave que ça ? »

Annawake presse le bout des doigts les uns contre les autres et les fixe. « Quand nous plaçons des enfants cherokees dans des familles adoptives non indiennes, nous leur fournissons une liste de choses susceptibles d'aider l'enfant à connaître sa culture. Lui faire visiter le Cherokee Heritage Centre, se procurer des enregistrements de la langue cherokee, l'emmener à des manifestations du Cherokee National Holiday, des choses comme ça. Mais cela ne changera rien au fond du problème. C'est comme si on disait : " Si vous adoptez un bébé éléphant, vous devez promettre de l'emmener au zoo de temps en temps. " En réalité, un bébé éléphant doit être élevé par des éléphants.

– Turtle n'est pas un éléphant. C'est une petite fille.

– Mais si elle grandit dans une culture totalement blanche, un jour viendra où elle se sentira blanche elle aussi. Et elle aura autant de petits copains que si elle l'était. Mais en rentrant du lycée, elle se jettera sur son lit et dira : " Pourquoi est-ce que j'ai un nez si long ? " »

Alice a envie de rétorquer qu'il y a des choses plus graves. Elle n'en trouve aucune. Mais elle n'est pas prête à s'avouer vaincue. « Admettons que je sois cherokee, et Taylor aussi, ne serait-ce qu'un peu. Nous avons très bien vécu sans le savoir. Alors pourquoi n'en serait-il pas de même pour Turtle ? »

Annawake pose son poignet brun sur celui d'Alice. « La couleur de la peau. Comme la vie est simple. Vous pouvez passer pour blanche, tandis que Turtle non. Quand je l'ai vue à la télé, il ne m'a fallu que dix secondes pour savoir qu'elle était cherokee. »

Alice croise les bras sur sa poitrine.

« Alice, il y a autre chose. J'avais l'intention de vous appeler d'ici deux ou trois jours. Il apparaît que nous avons une raison incontournable de déposer une requête pour annuler cette adoption. » Elle prononce ces paroles en observant Alice avec attention. « Quelqu'un est venu me trouver pour me demander de l'aider à localiser une parente disparue qui pourrait être Turtle. » Elle continue à regarder Alice droit dans les yeux.

« Oh, fait Alice, sentant son cœur qui se met à cogner.

– Vous n'étiez pas au courant ? »

Alice a la bouche sèche. « Non. Je vois pas qui me l'aurait dit. Pas Sugar, ni personne d'autre, pour la simple raison que personne d'autre que vous ne sait pourquoi je suis ici.

– Je vois. » Annawake fixe à nouveau ses mains. « De toute façon, il n'y a aucune certitude. Nous n'avons à notre disposition que l'âge de l'enfant, et les circonstances dans lesquelles elle a été retirée à sa famille. Il se pourrait très bien que l'enfant qu'ils recherchent ne soit pas elle du tout. Mais, soyons honnête, je pense qu'il y a des chances pour qu'il s'agisse de Turtle. J'ai des motifs suffisants pour citer Taylor à comparaître et lui demander d'amener l'enfant pour vérification d'identité. »

Alice observe la rivière plate où des arbres dansent tête en bas et des fléoles des prés s'étirent vers le ciel bleu au-dessous d'elles. Il y a véritablement tout un monde inversé autour de ses pieds.

« Je pensais que vous lui aviez déjà dit qu'elle devait venir ici avec Turtle.

– Non, je le lui ai suggéré, mais je n'ai pas encore déposé ma demande. Je préférerais nettement que Taylor se décide à faire ce qu'elle a à faire d'elle-même. Pour le bien de l'enfant, j'aimerais conduire cette affaire avec le minimum de contrariétés.

– Vous savez, Taylor en a déjà eu son lot, de contrariétés. Elle vit cachée. Voilà la vérité. Je passe mon temps à attendre qu'elle m'appelle. Je ne sais même pas dans quel état elle se trouve. »

Annawake secoue la tête lentement. « Je m'obstine à penser qu'il doit y avoir une manière de vous expliquer les choses pour que vous n'ayez pas le sentiment que nous n'avons qu'une idée, arracher un bébé aux bras de sa mère.

– Et vous pouvez me dire comment vous appelez ça ? »

Annawake a un air pensif. « Vous vous souvenez de cette affaire de subrogation légale il y a quelques années ? La mère voulait avoir la garde de son bébé, mais le juge l'avait confié au père biologique et à sa nouvelle femme.

– J'étais folle de rage ! J'ai jamais compris cette décision.

– Je vais vous dire ce qui l'a motivée. J'ai lu le compte rendu de l'affaire. Le père biologique s'est levé et a raconté aux jurés l'histoire de sa famille. Il avait perdu tous ceux qu'il aimait, tous ses parents, dans un camp de concentration pendant la Seconde Guerre mondiale. Cette enfant était la dernière personne à posséder les gènes de sa famille, et il tenait désespérément à la garder pour pouvoir lui parler de la famille dont elle était issue. » Annawake jette un regard de biais à Alice. « Nous sommes comme eux. Notre tribu. Nous avons subi un holocauste dévastateur, et nous avons besoin de rassembler ce qui nous reste de notre famille. »

Alice regarde l'eau, où des douzaines de vairons se sont agglutinés autour de ses mollets. Ils tortillent violemment leurs minuscules corps, ils se repoussent les uns les autres, se disputant le privilège de mordiller les poils de ses jambes. Elle éprouve un plaisir étrange à être embrassée par des petits poissons jaloux.

« Vous pensez que j'en rajoute ? demande Annawake.

Je ne sais pas.

– Avez-vous entendu parler de la Piste des Larmes ?

– J'en ai entendu parler. Mais je ne connais pas l'histoire.

– Cela s'est passé en 1838. On nous a fait quitter de force les terres de nos ancêtres dans le sud des Appalaches, la Caroline du Nord, le Tennessee, toutes ces régions. C'est dans ces montagnes que se situent nos histoires, parce que c'est là que nous avons toujours vécu, jusqu'à ce que les immigrants européens décident que notre droit prioritaire à la terre entravait leur agriculture. Alors l'armée est venue frapper à nos portes un matin, ils ont volé la vaisselle et les réserves de nourriture, ils ont brûlé les maisons, et ils ont emmené tout le monde dans des camps de détention. Les familles ont été divisées, personne ne comprenait ce qui se passait.

371

L'idée consistait à traîner ces gens vers l'Ouest, vers un morceau de terre sans valeur, dont personne d'autre ne voudrait jamais. Ils ont marché. Les vieux, les enfants, tout le monde. Ce n'était qu'un mur de gens qui marchaient et qui mouraient. La nourriture qu'on leur donnait ne ressemblait à rien de ce que ces gens de la forêt avaient toujours connu, de la farine pleine de vers et du porc salé, tout le monde souffrait de diarrhées, et de malaria, à cause des moustiques le long du fleuve, parce que c'était l'été. Les anciens de la tribu supplièrent le gouvernement d'attendre quelques mois, jusqu'à l'automne, de façon à ce que davantage de personnes puissent survivre à cette expédition, mais cela leur fut refusé. La petite vérole faisait rage, et les gens mouraient d'épuisement, tout simplement. Les mères continuaient à porter des enfants morts pendant des jours. Délire ou solitude. Ou à cause des loups qui les suivaient. »

Alice, qui comprend davantage qu'elle ne le voudrait, croise et décroise les bras sur sa poitrine. Elle sait que cette histoire, Annawake l'a portée en elle toute sa vie. Un hors-bord passe en gémissant, loin de l'autre côté de la rivière. Longtemps après que le bateau a cessé de gémir, elles sont bousculées par la déchirure qu'il a ouverte dans l'eau.

« On pense qu'environ deux mille d'entre eux sont morts dans les camps de détention, poursuit Annawake tranquillement. Et bien davantage encore sur la route. On ne sait pas au juste. »

Une guêpe jaune vif voltige au-dessus de l'eau près de leurs pieds, puis se pose avec la précision d'un hélicoptère. Elle flotte, ses ailes claires bien droites, comme des petites voiles raides.

372

Annawake a un rire étrange, amer. « Quand j'étais gosse, j'ai lu tous les récits, tout ce qui a été écrit sur la Piste des Larmes. J'ai toujours eu ça en tête. »

Alice a le sentiment qu'elle pourrait glisser dans l'eau sans chercher à se retenir. C'est monstrueux ce que les hommes peuvent faire aux autres hommes.

Annawake et Alice ne parlent plus. Elles contemplent le corps écartelé du lac Tenkiller, chacune à ses propres conclusions.

« Il y en a bien qui ont dû s'en sortir, dit finalement Alice. Vous êtes ici. J'ai vu les journaux et toutes ces choses qu'ils avaient à l'époque.

– Eh bien, le côté positif, c'est que pendant un certain temps nous avons eu la libre disposition des lieux, sans ingérence d'aucune sorte. Un peu avant 1900 nous avions reconstitué nos lois. S'il est vraiment dans votre intention de devenir cherokee, vous devriez aller faire un tour au musée. En 1902, à l'occasion de la danse rituelle, Gee Dick et son orchestre jouaient sur la pelouse du palais de justice, pour célébrer l'arrivée du premier train. Les Blancs qui sont sortis du train se sont mis à fureter partout, ils n'arrivaient pas à croire comment ils avaient pu nous faire un tel cadeau. Tout était parfait. En moins de quatre ans, le gouvernement de notre tribu a été dissous par ordre fédéral. Le gouvernement des États-Unis a mis en place les pensionnats pour les Indiens, divisant les familles, vendant les terres. Alors, dites-moi, qui doit-on accuser ?

– Je ne sais pas. L'époque. L'ignorance. L'idée que les gens semblent toujours avoir, qu'ils savent ce qui est bien pour les autres. Au moins, tout ça est terminé, on ne vous chasse plus.

– Non, maintenant ils se contentent d'essayer de nous prendre nos enfants. »

Alice reçoit cette remarque en plein cœur. « Turtle était pratiquement laissée pour morte, dit-elle. Sans ma fille elle aurait crevé de faim dans un parking, ou pire. J'aurais pensé que vous pourriez être reconnaissante.

– Je suis reconnaissante qu'elle soit vivante. Ce sont les circonstances qui me déplaisent.

– Peut-être que vous et moi, on va pas pouvoir faire autrement que d'être ennemies, dit Alice.

– Je ne le pense pas. Mais je veux que vous compreniez à quel point ces sentiments sont profonds. Pendant tout ce siècle, jusqu'en 1978 où nous avons obtenu la mise en place de la Charte des droits de l'enfant indien, les travailleurs sociaux arrivaient ici sans avoir la moindre idée du fonctionnement de nos familles. Ils voyaient un enfant qui avait été confié à quelqu'un d'autre que son père et sa mère, et ils appelaient ça abandon. Pour nous, c'est un raisonnement qui n'a pas de sens. Nous ne faisons pas la distinction entre le père, l'oncle, la mère, la grand-mère. Nous ne connaissons pas cette notion de parents éloignés. Nous vous regardons, vous les Blancs, et nous pensons que vous avez des familles réduites.

– C'est vrai », dit Alice en pensant à son carnet d'adresses vide. Comment le nier ? Elle l'avait elle-même constaté alors qu'elle était encore dans le Kentucky. Elle voulait quitter Harland mais ne voyait pas dans quel autre endroit elle aurait pu se sentir chez elle.

« Nous étions incapables de comprendre pourquoi ils nous séparaient. Mon frère Gabe, que l'on a envoyé vivre avec un homme et une femme au Texas alors que nous avions une famille entière ici. J'ai vu des bébés emmenés avec autant de désinvolture qu'un sac de sucre roux acheté au marché. Un joli petit cadeau pour une famille, rien de plus. Les familles mormones aiment nos enfants, parce qu'ils pensent que nous sommes la tribu perdue d'Israël. Des petits bébés païens qui un jour vous escorteront au paradis ! »

Les yeux d'Annawake ruissellent de larmes. Elle lève la tête vers le ciel qui s'assombrit. « Ces enfants-là étaient nos enfants, dit-elle à Alice, et au ciel. Des milliers. Nous avons perdu plus d'un quart de nos enfants vivants. »

Il y a à présent une véritable escadrille de guêpes jaunes posées sur le lac. Une brise trop légère pour être perçue par Alice les fait glisser à la surface de l'eau selon la même diagonale. L'une après l'autre, elles s'élèvent dans les airs.

Annawake s'essuie le visage du revers du poignet, et regarde Alice. « Je vous concède que Turtle a été abandonnée. Elle n'a pas été volée. Elle a été perdue et trouvée. Ce n'est pas la première fois qu'un parent indien abandonne un enfant, je suis obligée de vous accorder ça. Mais notre législation voit les choses ainsi : la mère ou le père n'ont pas ce droit. »

Alice tend un mouchoir à Annawake. Les jeunes n'en ont jamais sur eux. Annawake plie et déplie le carré de coton sur ses genoux. « Nous voyons tant d'images négatives de nous-mêmes, Alice. Surtout en dehors des réserves. Parfois, les filles partent pour la ville. Elles s'imaginent sans doute qu'elles vont apprendre à être blondes, mais elles développent un tel mépris d'elles-mêmes qu'elles abandonnent leurs bébés dans des hôpitaux ou à l'aide

375

sociale. Ou dans un parking. Plutôt que de s'en remettre à la famille.

– C'est triste, dit Alice. Mais si vous enlevez à Turtle la seule maman qu'elle connaisse, vous allez briser deux vies.

– Je le sais. » Annawake a baissé la tête. Elle ramène derrière son oreille une mèche qui retombe immédiatement. « Je pourrais aussi vous dire que des vies brisées retrouveraient leur sens. Il n'y a pas de réponse facile. Je fais tout mon possible pour éviter de faire intervenir la loi. J'avais plus ou moins trouvé une solution, mais ça n'a pas l'air de marcher. » Elle observe attentivement Alice à nouveau, comme si elle attendait quelque chose.

« Que dit la loi ?

– C'est simple. La Charte des droits de l'enfant indien dit qu'un enfant doit être placé dans sa famille s'il en a une, ou chez d'autres membres de sa tribu, ou, troisième possibilité, avec un membre d'une autre tribu indienne. La loi est claire.

– Et votre conscience ? » demande Alice.

Annawake sort les pieds de l'eau et éclabousse les vairons qui s'enfuient. « Au fond, je ne suis ni désabusée, ni cynique. Mon patron pense que je suis une incurable idéaliste. C'est la raison pour laquelle je me suis attachée à cette affaire au lieu de m'occuper de mes oignons. Au moment où j'ai rencontré votre fille, je n'avais jamais connu de crise de conscience. »

Alice regarde le ciel, tellement plus lumineux et silencieux que celui réfléchi au-dessous. « J'aimerais bien pouvoir dire que je sais toujours ce qui est juste », dit Alice.

Annawake frôle la main d'Alice, si doucement qu'elle l'a peut-être imaginé.

28

Rendez Dorothy

Le tonnerre gronde au loin et la pluie déferle sur le pare-brise de la Dodge comme de l'eau contre un rideau de douche. Taylor cogne sur le volant. « C'est pas une ville, c'est une station de lavage de voiture ! »

Turtle, le nez collé à la vitre, regarde ostensiblement ailleurs. Elles se sont garées en face du Kwik-Mart, en espérant que la pluie va se calmer un peu et que Taylor pourra passer un coup de fil depuis la cabine publique.

Taylor serre le volant dans ses mains, jusqu'à ce que la faiblesse qu'elle ressent dans ses avant-bras afflue vers ses épaules et son cou. Elle soupire. « Pardonne-moi, ma chérie. Je suis pas en colère après toi, je suis en colère après la pluie. »

Turtle marmonne quelque chose, tout en faisant rouler distraitement Mary sur ses genoux.

« Quoi ? »

Toujours sans la regarder, elle déclare : « T'es toujours en colère.

– Oh, Turtle ! » Taylor est obligée de se mordre la langue pour s'empêcher de riposter. « C'est pas vrai ! » Si elle n'était pas si malheureuse, elle rirait d'être aussi mauvaise mère. « Comment c'était l'école aujourd'hui ?

– Bien.

– C'est tout ?

– Oui.

– En tout cas, je suis contente que t'aies moins souvent mal au ventre. »

Turtle ne répond pas.

« Tu ne te sens pas mieux ?

– Non, répond Turtle faiblement.

– Non ? » Taylor sent une vague de panique.

« J'ai mal presque tout le temps.

– Enfin, Turtle. C'est ridicule. Tu n'as jamais été malade.

– Désolée, maman, mais j'ai mal au ventre. C'est pas ma faute.

– Oh, Turtle.

– Maman, il ne pleut plus. Regarde. »

C'est vrai, l'assaut bruyant est passé, mais le pare-brise reste voilé par une bruine compacte. « Pauvre gosse, t'as oublié ce que c'est que le beau temps. Tu dois te dire qu'une journée ensoleillée c'est quand on n'a besoin que d'un imperméable au lieu d'un parapluie.

– Non, je me souviens du soleil.

– Et de Tucson ?

– Ouais.

– Qu'est-ce que tu te rappelles le mieux ? »

Turtle ferme les yeux un long moment. « Il n'y a pas de mieux. Tout me plaisait.

– Pourtant, nous n'avions pas beaucoup d'argent non plus à ce moment-là.

– Mais on avait Jax. Et Lou Ann, et Dwayne Ray. Et Mattie, à ton magasin.

– T'as raison. On les avait.

– Ils nous laisseront revenir ?

378

– On a pas assez d'argent pour payer l'essence. Et on peut dire à personne où on est.

– Mais si on avait de l'essence, est-ce que Jax et tout le monde voudraient encore qu'on vienne habiter là-bas ?

– Oui, Jax oui.

– Il est pas fâché qu'on soit parties de la maison ? » Taylor baisse sa vitre, ferme les yeux et laisse la nuit sifflante lui lécher le visage comme un chat. « C'est ça avoir un chez-soi, Turtle. Même s'ils se mettent en colère, ils doivent toujours vous reprendre. »

Enfin Alice répond au téléphone.

« Maman, ça fait je ne sais combien de fois que j'essaie de t'appeler aujourd'hui. Où étais-tu ?

– Mon Dieu, Taylor, je serais bien incapable de te le dire. Un endroit qui s'appelle Lip Flint Crick, ou Flinty Chip Lick, je sais plus. Je faisais un pique-nique.

– Un pique-nique ? Je croyais que tu devais aller discuter avec cette Fourkiller.

– J'y suis allée. Et ensuite nous sommes partis faire un pique-nique.

– Vous avez discuté, et ensuite vous êtes parties faire un pique-nique ?

– Non, pas avec elle. Je me suis trouvé un copain.

– Maman, je peux pas te laisser seule une minute ! » Taylor sent dans sa voix une amertume de peau de pomme de terre verte, mais elle n'arrive pas à endiguer le flot.

Alice se tait.

« Je suis contente pour toi, maman, vraiment. Comment est-ce qu'il s'appelle ? »

Réponse catégorique : « Cash.

– Ça sonne plutôt bien ! Il est riche ? »

Alice rit, enfin. « Crois-moi, Taylor, c'est pas ici qu'il faut venir si tu cherches un milliardaire. » Elle s'interrompt. « Comment ça va chez vous ? J'avais hâte que tu appelles.

– Pas au point de te poster à côté du téléphone, à ce que je vois. »

La voix d'Alice change. « Taylor, quelle mouche t'a piquée ? Je sais pas pourquoi tu es en colère après moi.

– Je suis pas en colère après toi. Turtle vient de me dire la même chose. Elle prétend que je suis tout le temps en colère. Mais c'est pas vrai. C'est juste que j'accumule les coups durs et j'arrive pas à retomber sur mes pieds. » Taylor fait toutes les poches de son jean à la recherche d'un mouchoir, mais elle n'en trouve pas. Elle arrache une page jaune à l'annuaire humide posé sous le combiné. « Je crois que je suis en train de m'enrhumer.

– Tu l'as toujours ce boulot ?

– Ouais, mais ils ne laissent plus Turtle traîner dans les rayons. Elle est obligée de rester sur le parking enfermée dans la Dodge pendant deux heures, jusqu'à ce que j'aie fini.

– Dans la voiture ? Grand Dieu. Tu devrais quand même peut-être lui laisser quelques trucs pour qu'elle puisse jouer, au cas où.

– C'est ce que je fais. Je lui ai donné des cartons d'emballage et des trucs du magasin. Elle se plaint pas, tu sais bien comment elle est. Mais je me sens criminelle. Tout ce que j'ai fait, pendant cet été fou, je l'ai fait dans l'unique but de garder Turtle. Je pensais que c'était la seule chose qui comptait, qu'on reste ensemble. Mais maintenant j'ai le sentiment que ce n'est peut-être pas vrai. Je l'aime bien sûr, mais juste elle et moi, c'est pas assez. On est pas une vraie famille.

– Je sais pas. La moitié des familles qu'on voit de nos jours, quand on réfléchit, c'est juste une mère et des gosses.

– Eh bien, c'est pas marrant pour autant. On n'a rien à quoi se raccrocher.

– Qu'est-ce que c'est ce bruit ?

– Oh, rien, les pages jaunes. Je viens de me moucher sur la moitié des paysagistes de la ville.

– Ça leur apprendra.

– Maman, je crois que je vais rentrer à la maison.

– Ne raccroche pas !

– Non, je veux parler de Tucson. Je suis à bout de ressources ici. Jax m'a proposé d'envoyer de l'argent pour couvrir les frais d'essence. Si mes pneus tiennent le coup. Je suis inquiète pour mes pneus.

– Oh, Taylor !

– Quoi ?

– J'ai une mauvaise nouvelle. »

Taylor se fige. « Qu'est-ce que c'est ?

– J'ai parlé à Annawake Fourkiller. Elle dit qu'il y a des parents d'une petite fille disparue qui selon eux est Turtle ; ils veulent la voir. Annawake a dit qu'elle allait t'envoyer une... je sais plus. Un mot compliqué. Des papiers, en tout cas. Qui disent que tu dois te présenter ici au tribunal.

– Une citation à comparaître ?

– C'est ça.

– Oh, mon Dieu. Alors je peux pas rentrer à la maison. » Taylor a l'impression que son sang envahit brutalement ses membres, trop vite, un raz-de-marée. Elle regarde fixement les rangées symétriques de trous sur la paroi métallique de l'abri du téléphone. Sa vie n'a plus de sens.

La voix d'Alice lui arrive par le combiné, câline et maternelle. « Taylor, ne sois pas en colère si je te dis quelque chose.

– Pourquoi est-ce que tout le monde pense que je suis en colère ? Je ne vais pas me mettre en colère. Dis-moi.

– Je pense que toi et Turtle, vous devriez venir ici. »

Taylor ne réagit pas. Elle tourne le dos aux rangées de trous et à travers la pluie regarde sa voiture. Elle sait que Turtle est dedans, mais les vitres sombres et muettes sont comme des yeux sans amour, elles ne révèlent rien.

« Allons, emprunte cet argent et viens. C'est un jeu d'enfant pour nous trouver ici. Tu prends l'autoroute jusqu'à Tahlequah, Oklahoma, et tu demandes Heaven. Tout le monde connaît le chemin. »

Taylor ne parle toujours pas.

« Ce serait juste pour discuter de la situation.

– Maman, il n'y a rien à discuter avec Annawake Fourkiller. J'ai aucun atout dans ma manche. Il y a Turtle et moi, et c'est tout. » Elle raccroche.

Il y a si longtemps que Taylor est assise en compagnie de Turtle dans la salle d'attente du dispensaire qu'elles ont eu tout le loisir d'attraper toutes les maladies du monde. Un petit garçon n'arrête pas de se lécher la main et de venir la présenter sous le nez de Turtle, sans doute pour lui offrir une vue imprenable de ses microbes. À chaque fois, Turtle rentre légèrement le menton dans son cou comme une femme presbyte qui essaie de régler sa vue sur des petits caractères. Le petit garçon glousse et repart à fond de train en direction de sa mère en faisant crépiter ses couches jetables.

De temps en temps, la porte de la salle d'attente s'ouvre et tout le monde lève les yeux avec espoir vers l'infirmière qui annonce le nom de quelqu'un d'autre. Derrière elle, dans le couloir vivement éclairé, Taylor entend des gens pressés qui s'affairent. Plus l'attente se prolonge, plus Taylor se représente avec netteté une pièce remplie de corps en pièces détachées.

Enfin l'infirmière appelle le nom de Turtle, avec cette légère gêne qu'ont toujours les étrangers, comme s'ils s'attendaient à ce que l'enfant qui répond à ce nom ait un défaut ou qui sait, une carapace. Alors qu'elle chemine derrière Turtle le long du couloir, Taylor se demande si elle n'a pas fait une erreur en officialisant ce nom bizarre. Elle n'a aucune indulgence pour les gens qui affublent leurs enfants de noms comme « Arc-en-ciel » et « Tournesol » pour satisfaire on ne sait quel caprice. Mais « Turtle » est un nom que Turtle elle-même a imposé, et il lui va, on ne peut rien y changer.

Elles se retrouvent dans une salle vide de corps en pièces détachées. Les bocaux de verre alignés sur le comptoir près de l'évier ne contiennent que des boules de coton et des abaisse-langue de bois. Turtle grimpe sur la table d'examen recouverte de papier boucher blanc pendant que Taylor énumère ses symptômes et que l'infirmière les consigne sur une tablette. Quand elle sort et ferme la porte derrière elle, la pièce semble douloureusement petite.

Turtle, couchée à plat sur le dos, fait des bruits de papier gaufré.

« On va me faire une piqûre ?

– Non, pas aujourd'hui. Il y a peu de chances.

– Une opération ?

– Certainement pas. Je peux te le garantir. On est dans une clinique gratuite, et une opération c'est jamais gratuit.

– Et les bébés, c'est gratuit ? »

Taylor suit le regard de Turtle, posé sur une affiche accrochée au mur, réalisée dans des tons de rose de bande dessinée, qui montre une moitié de femme enceinte avec un bébé douillettement lové la tête en bas dans la capsule ovale de son utérus.

« Et les bébés quoi ? Tu demandes si les bébés sont gratuits ?

– Ouais.

– Attends, que je réfléchisse. On n'a pas besoin de les acheter. Pratiquement n'importe quelle femme peut en avoir un qui lui pousse dans le ventre. En fait, je dirais que moins on a d'argent, plus il est facile d'en avoir un. Mais quand ils sont sortis, il faut acheter toutes sortes de choses pour eux.

– De la nourriture, des couches, tout ça.

– Voilà.

– Tu crois que c'est pour ça que la vraie maman qui m'a eue dans son ventre ne me voulait pas ?

– Non, elle est morte. Tu te rappelles pas ? Sa sœur, la femme qui t'a déposée dans ma voiture, m'a dit que ta mère était morte, et c'est pour ça qu'ils ont été obligés de t'abandonner. Un jour tu m'as dit que tu avais vu ta maman être enterrée, que tu t'en souvenais.

– Oui, je m'en souviens », dit Turtle. Elle continue à examiner l'affiche du bébé.

« Bonjour, je suis le docteur Washington », dit une grande femme en blouse blanche qui entre en coup de vent dans la salle comme si elle courait depuis longtemps et ne voyait pas de raison de ralentir. Elle a de longs pieds plats dans des mocassins noirs et une coiffure afro courte et nette qui lui couvre la tête comme un casque de bicyclette. Elle embrasse la pièce du regard comme si elle s'attendait effectivement à recevoir un coup sur la tête. Ses yeux se posent un instant sur Turtle, mais son corps reste tendu. Elle tient sa tablette dans une main et un crayon dans l'autre, qu'elle fait tourner entre le pouce et l'index.

« Mal au ventre ? demande-t-elle à Turtle. Des crampes, de la diarrhée ? Depuis deux ou trois mois ? »

Turtle, d'un signe de tête solennel, reconnaît tout.

« Eh bien, nous allons voir ça. » Elle lève les yeux vers le plafond, auquel elle semble accorder toute sa concentration, alors qu'elle remonte le T-shirt de Turtle et lui explore le ventre avec ses longues mains froides.

« Ici ? »

Turtle acquiesce, faisant crépiter le papier blanc sous sa tête.

« Et ici ? Ça fait mal ? »

Turtle secoue la tête.

Le docteur Washington abaisse le T-shirt de Turtle et se tourne vers Taylor.

« En quoi consiste le régime de cette enfant. » C'est davantage une affirmation qu'une question.

Taylor sent que son esprit est un trou noir, comme autrefois à l'école pendant les contrôles d'histoire. Elle essaie de se calmer. « Je veille à ce qu'elle ait des protéines, dit-elle. Nous mangeons beaucoup de beurre de cacahuète. Et du thon. Et elle ne manque jamais de lait. Tous les jours, quoi qu'il arrive.

– Eh bien, en fait, c'est peut-être bien là son problème.

– Quoi, le lait ? »

Le médecin se tourne vers Turtle. « Qu'est-ce que tu penses du lait, mon petit ?

– J'ai horreur de ça, répond Turtle en regardant le plafond.

– Quelle sorte de lait lui donnez-vous ?

– Je ne sais pas », répond Taylor sur la défensive, comme si les deux autres faisaient front contre elle. « La marque qui se vend au supermarché. À deux pour cent.

– Essayez donc de supprimer le lait à partir d'aujourd'hui. Je pense que vous constaterez une différence tout de suite. Ramenez-la dans une semaine ou deux, et si les troubles persistent, nous envisagerons d'autres possibilités. Mais je suis convaincue qu'en supprimant le lait, le problème sera réglé. » Elle écrit quelque chose sur sa tablette.

« Excusez-moi, mais je ne vous comprends pas. Je croyais que le lait était la nourriture par excellence. Des vitamines, du calcium, tout quoi. »

Le docteur Washington, à présent appuyée contre le comptoir, a perdu quelques-uns de ses imposants centimètres et a rétrogradé à une vitesse inférieure. « Le lait de vache, c'est très bien pour les Blancs, dit-elle, en regardant Taylor droit dans les yeux, mais soixante à quatre-vingt-dix pour cent du reste d'entre nous manifestent une intolérance au lactose. Ce qui signifie que notre système ne possède pas les enzymes nécessaires pour digérer une partie

386

du sucre contenu dans le lait de vache. Alors il fermente dans les intestins et cause toutes sortes de désordres.

– Mince. Je ne le savais pas.

– Le yaourt passera peut-être, et les fromages vieillis. Vous pouvez essayer. Et certains jus d'orange sont enrichis en calcium, ça peut contribuer à ce qu'elle ait son compte de calcium. Si vous tenez absolument à lui donner du lait, vous pouvez vous procurer la qualité qui est réduite en lactose. Il y a une importante population asiatique dans cette ville, vous en trouverez dans la plupart des supermarchés.

– Ma fille n'est pas asiatique. Elle est cherokee. »

Le docteur hausse les épaules avec lassitude. « Asiatiques, Indiens, Africains, nous sommes tous dans le même bateau. Souvent les symptômes n'apparaissent pas avant l'âge adulte, mais ils peuvent aussi commencer à se manifester à son âge. »

Taylor ne comprend pas comment une vérité de cette importance a pu lui échapper. « J'ai toujours pensé que le lait était excellent pour la santé. Les gens ont l'air tellement guillerets dans les publicités. »

Le docteur tape la gomme de son crayon contre sa joue et regarde Taylor avec une expression qui pourrait grossièrement être qualifiée de sourire. Elle a des yeux si noirs que le tour des iris paraît presque bleu, et ses paupières à demi fermées lui donnent un regard de lézard. « Et c'est qui, à votre avis, qui fabrique ces publicités ?

– Les gardiens de la vérité, dit Taylor d'un air maussade. Désolée, je n'y avais pas pensé. »

Pour la première fois, le regard condescendant de

reptile du docteur Washington fond en une sympa-
thie véritable. « Ne vous inquiétez pas. Vous n'êtes
pas la seule. J'apprends cette chose-là à des parents
de toutes les couleurs douze fois par semaine. Vous
faisiez de votre mieux, c'est ce qui compte. »

Sa blouse blanche retombe à la verticale, et disparaît.

Turtle glisse sur le papier cadeau de la table d'examen et bondit hors de la salle comme un chiot qu'on
lâche de son enclos. Taylor se rend compte qu'elle
n'arrive pas à se lever de sa chaise. Elle est paralysée
par le souvenir de l'avertissement qu'Annawake
Fourkiller lui avait lancé, à Tucson, juste avant de
prendre congé. « Je parie qu'elle déteste le lait. »

Taylor rattrape Turtle à l'extérieur de la clinique.
Turtle, la main en visière, regarde droit vers le ciel,
pour une fois miraculeusement vide de nuages. Un
avion à réaction a laissé une balafre blanche qui est
en train de s'effacer aussi laide que des graffiti.

« C'est les avions qui font ça », l'informe Turtle, et
Taylor se demande comment elle le sait. C'est une
de ces choses, il y en a des millions, dont elles n'ont
jamais parlé en particulier. Est-ce qu'elle l'a appris à
l'école ? Et puis est-ce qu'on doit obligatoirement
avoir entendu parler de tout, pour savoir ? L'idée
d'élever Turtle épuise Taylor. Elle a envie de
s'étendre quelque part, ou de vivre dans un monde
plus simple. Elle aimerait vivre avec Turtle dans un
de ces vieux dessins animés, avec des animaux à la
tête ronde qui se balancent tous ensemble au rythme
de la musique et sans le moindre arrière-plan.

« Tu as raison, répond Taylor. Un avion à réaction.

– Pourquoi est-ce qu'il fait ça ? »

Taylor se demande quel niveau de réponse Turtle attend. Pourquoi est-ce qu'un avion à réaction crache de la poussière blanche dans le ciel ? (Elle n'en sait rien.) Ou, quelle est la motivation de cet avion à réaction en particulier ? (Ce que peut-être personne ne sait.)

« Tu te rappelles Dorothy, quand la sorcière écrivait dans le ciel ?

– Oui, très bien, répond Taylor. Dans *Le Magicien d'Oz*. Elle écrivait : " Rendez Dorothy. "

– Est-ce que ça voulait dire qu'ils devaient donner Dorothy à la sorcière ?

– C'est ce qu'elle demandait, oui.

– Tu vas me donner aux Indiens ?

– Non, ça, je ne le ferai jamais. Mais je crois qu'il faut qu'on aille leur parler. Tu as peur ?

– Oui.

– Moi aussi. »

29

Le secret de la création

Cash va et vient, il passe prestement de l'évier au
réchaud, s'arrête, hume l'air. On dirait un écureuil
efflanqué. Si tant est que les écureuils sachent faire
la cuisine. À côté, Alice, occupée à séparer les noix
de leurs coquilles écrasées, se sent tout à fait dans la
peau de la femme paresseuse de l'écureuil. « Calme-
toi, Cash, lui dit-elle. Tu me fatigues les yeux.

— Je fais toujours cet effet-là aux femmes, répond-
il. Je suis laid, voilà tout.

— Taratata, c'est pas vrai. » Alice retire une noix
presque intacte du logement torsadé de sa coquille
et la laisse tomber dans le saladier.

Cash lui a expliqué que cette cabane en rondins
était l'habitation d'origine de la famille. Vide pendant des années, elle lui a semblé juste à sa taille
quand il est revenu du Wyoming. L'unique pièce qui
la compose est équipée à un bout d'une cuisine, et à
l'autre, de chaque côté du rideau de dentelle, d'une
paire de fauteuils de salon. Pour l'été, il a sorti son
lit sur la galerie, on y respire mieux. Son fusil, sa
brosse à dents, et un fer à cheval porte-bonheur sont
suspendus au-dessus de la cheminée de pierre. La
cabane semble assez robuste pour résister à une tor-

nade, ou assez petite pour y échapper au bénéfice de la grande maison, construite plus tard, où Letty habite maintenant. La cabane a été occupée par la plupart des enfants de Letty à un moment ou à un autre ; ce sont eux qui ont installé la plomberie, et amené le fil électrique qui aujourd'hui alimente les quelques ampoules de Cash et – Alice a constaté avec dépit – le petit téléviseur qui trône sur le comptoir de la cuisine parmi les saladiers et les boîtes de farine. Il l'a éteint dès son arrivée. Accordons-lui au moins ça.

« T'as pas besoin d'enlever toutes ces coquilles. Juste les gros morceaux, lui dit-il. Tu regardes maintenant ? Il faut que tu saches faire du *kunutche* si t'as l'intention de signer bientôt pour devenir cherokee.

– Ah bon ? On va me faire passer un examen ?

– Oh, oui, probablement. Mais si tu t'inscris pas, alors, c'est pas la peine de te casser la tête.

– Dans ce cas je vais peut être m'en dispenser, et continuer à te laisser faire tout le boulot. » Alice se rend compte de ce qu'elle vient de dire. Comme si l'avenir allait de soi ! Si Cash éprouve un agacement quelconque, il ne le montre pas. Il jette bruyamment les noix dans un seau de métal cabossé et les pile d'un geste habile avec une espèce de gourdin en bois.

« Pour commencer, il faut piler jusqu'à ce que ça devienne de la poudre, explique Cash. Puis on en fait des boules à peu près grosses comme ça. » Il joint le geste à la parole, poing droit levé, poignet en avant, en surveillant qu'elle ait bien compris. « Il y a assez d'huile dedans pour que ça ne se détache pas Quand on est prêt à démarrer, il suffit de rompre une partie de la boule et de la plonger dans l'eau bouillante, et ensuite on l'égoutte dans une chaussette bien propre pour éliminer les petits morceaux de coquille, et on mélange le tout avec du riz ou de la bouillie de maïs. Ça a un peu la consistance d'une soupe.

– Ça m'a l'air bon », dit Alice avec respect. Dans sa vie elle n'a eu l'expérience ni des hommes qui parlent ni de ceux qui font la cuisine, et en voici un qui fait les deux à la fois. Elle aurait donné cher pour voir une chose pareille, et elle aurait eu raison.

« Je l'aime beaucoup avec de la bouillie de maïs, ajoute-t-il. L'odeur du *kunutche*, ça vous met en accord avec l'automne.

– C'est ta femme qui t'a appris à le faire ?

– Voyons. » Il fixe un instant le calendrier mural. « Non, je crois que c'est ma mère. Ma femme faisait la cuisine en général, mais c'était toujours moi qui pilais le *kunutche*. Elle disait que tous ces grincements, ça lui faisait mal aux os. »

Alice se lève et marche jusqu'à l'autre bout de la cabane, dans l'espoir de trouver des photos de famille, quelque chose qui l'aiderait à situer Cash. Ses yeux s'arrêtent sur sa brosse à dents, qui paraît petite et comme échouée là-haut, puis sur son fusil. « Tu tues quelque chose avec ce fusil ?

– Oh, un écureuil à l'occasion, s'il reste tranquille assez longtemps pour se faire avoir. Mes yeux ne sont plus ce qu'ils étaient. En général je les manque trois ou quatre fois, et puis il y en a un qui se retourne et meurt d'une crise cardiaque. »

Alice a envie de le prendre dans ses bras. Si seulement les hommes savaient ! Elle palpe ses boucles d'oreilles dont les minuscules perles frissonnent au contact de ses doigts. Elles lui ont été livrées un matin dans une enveloppe qui disait seulement : « De la part d'un admirateur secret. » Sugar, plantée à respirer au-dessus de la tête d'Alice tandis que celle-ci déchirait l'enveloppe, avait aussitôt reconnu les bijoux de turquoise et d'argent de Cash et lui avait appris qu'il vendait des boucles d'oreilles exactement comme celles-là à la boutique du Heritage Center.

Alice avait simplement répondu : « Un grand merci et un gros baiser de celle qui pense à vous en secret. » Elle avait donné le mot à poster à Sugar, et avait été mortifiée plus tard en apprenant que Sugar était tombée sur Letty en ville et lui avait demandé de le remettre en mains propres.

« Sugar m'a dit que tu faisais des bijoux pour la boutique. C'est vrai ?

– Un peu. Ça me détend le soir.

– Quelqu'un m'a envoyé ces boucles d'oreilles. Tu te rends compte ? Ce type doit penser qu'il suffit d'une plume pour me renverser. »

Cash sourit. « J'ai eu ton mot.

– Je parie que Letty l'a décacheté et l'a lu la première.

– On dirait bien. » Le visage de Cash s'épanouit en un sourire qui semble s'installer.

« Je crois que je vais essayer de voir de quoi je suis capable, dit-elle, en venant se poster près de lui. Soit ça marche, soit je chante pour payer mon souper. Des deux je crois que t'as intérêt à me faire écraser des noix. »

Il l'aide à placer ses mains sur le gourdin, puis se recule pour la regarder. « Ça, j'en suis pas si sûr. C'est très agréable de t'entendre parler. L'autre jour je pensais, si j'avais le téléphone j'appellerais

Alice juste pour entendre sa voix. Je parie que tu chantes comme un oiseau.

– Un vautour, plaisante Alice.

– Allons, je te crois pas. Je donnerais un dollar pour t'entendre chanter. Regarde, ça aide parfois, si on appuie un peu avec l'épaule. »

Il se place derrière elle, les bras au-dessus des siens, lui saisit délicatement les mains et exerce une poussée vers le bas. Une sorte de sifflement emplit la cuisine, poudre de noix contre métal. Alice entend un bruit similaire dans sa poitrine.

Elle laisse aller sa tête contre lui en même temps qu'il soulève les bras contre sa poitrine et enfouit son visage dans ses cheveux.

« Cash, fait-elle.

– Hm ? » Il la retourne vers lui, la garde dans le cercle de ses bras. Elle lève les yeux vers son visage, qui vu de près et sans lunettes est flou, mis à part l'éclat des fenêtres réfléchies dans ses yeux.

« Peut-être qu'après tout tu arriverais à me renverser avec une plume, dit-elle. Ça vaudrait le coup d'essayer. »

La cabane de Cash est perdue dans les bois, à cinq cents mètres du jardin de Letty. Depuis le lit de fer, à l'abri de la moustiquaire, Alice se demande quel effet ça ferait de se réveiller chaque matin et de ne voir rien d'autre que des feuilles.

« Est-ce que tu sais ce qui est arrivé à ce Mr. Green ?

– L'éleveur d'autruches ? demande Alice. J'ai entendu dire que ses autruches aiment se balader et laisser tomber leurs plumes de l'autre côté de la clôture. »

Cash passe le doigt le long du nez d'Alice. Sans lunettes, ses yeux semblent doux et pleins d'espoir, comme s'ils attendaient quelque chose. Alice honnêtement ne se rappelle plus la dernière fois où elle s'est retrouvée nue sous un édredon avec un homme qui ne dort pas, et pourtant, ni elle ni Cash ne semblent très pressés. C'est un tel plaisir de seulement constater qu'ils sont allés jusque-là. Et de se parler.

« Il a essayé de se faufiler dans la maison de Boma pour récupérer sa plume, lui dit Cash.

– Mon Dieu ! Elle était chez elle ?

– Non. Ils étaient tous partis à un mariage. Tu te rends compte ? Il avait dû lire sur le journal qu'il y avait un mariage, parce qu'il n'était pas invité, ça c'est sûr. Et le voilà qui va cambrioler la grand-mère du marié ?

– Et alors, il l'a récupérée ?

– Tu parles ! » Cash roule sur le dos et rit, puis il claque la langue. « Je devrais pas rire. Il est à l'hôpital.

– Avec ?

– Avec neuf mille piqûres d'abeilles. »

Alice en a le souffle coupé. « Et toujours pas de plume, je parie.

– Non. Mais ça serait bien de Boma, de la lui envoyer dans un grand vase de fleurs. Avec une carte de prompt rétablissement de la part des abeilles.

– En espérant que vous serez bientôt de nouveau en pleine forme, cher ami », fait Alice, qui commence à attraper le fou rire.

« On est méchants.

– C'est vrai, dit Alice. Qu'est-ce que nos enfants penseraient de nous ? »

Les rides autour des yeux de Cash s'adoucissent. Alice sent qu'il n'est plus là. Elle suit la crête de son sternum du bout du doigt, profondément triste de ce qui l'emporte, parfois, à la mention de sa famille. Elle ferait n'importe quoi pour alléger ce fardeau. Elle trouve la main de Cash, qui reposait sur sa taille, et la porte à ses lèvres. « Je sais pas ce qui t'arrive, dit-elle. Mais je suis désolée. »

Cash s'avance pour l'embrasser. Il a le goût de la fumée de bois et la couleur des feuilles. Quand il touche sa poitrine, elle sent la peau de ses bouts de seins qui se tend. Elle est transpercée par le souvenir à la fois doux et aigu du temps où elle allaitait Taylor, et quand il les prend dans sa bouche elle ressent à nouveau ce désir d'être vidée, de se donner tout entière. Lentement Cash se glisse contre elle, et puis très doucement en elle, et elle sent cette même attente qui passe du corps de Cash dans le sien. Ils tanguent l'un contre l'autre, et les oiseaux de la forêt élèvent la voix pour noyer le secret de la création.

30

Six cochons et une mère

Alice est réveillée par des bruits de voix qui lui parviennent de l'intérieur de la maison, dans la cuisine. La moitié de Cash apparaît dans l'encadrement de la porte, ses pans de chemise dehors, un sourire aux lèvres. Il tient dans sa main gauche une spatule, comme si c'était une tapette à mouches. « Tes œufs, tu les aimes comment ? »

Alice, un peu perdue, regarde autour d'elle comme si elle avait pu pondre sans s'en rendre compte. « C'est qui dans ta cuisine ?

– Kitty Carlisle.

– Kitty Carlisle habite dans l'Oklahoma ?

– Non. Elle est dans " Bonjour l'Amérique " à la télé. »

Alice se passe la main dans les cheveux, essayant de revenir sur terre. Elle se trouvait dans un rêve où il y avait de l'eau et des animaux pleins de poils. « Tu peux me dire pourquoi t'as besoin d'avoir la télé allumée ? »

Cash hausse les épaules. « Pour rien. Juste pour la compagnie, j'imagine.

– Eh bien, je vais me lever et te tenir compagnie. » Elle entreprend de rassembler ses membres, les testant pour s'assurer qu'ils sont chacun à leur place.

« Non, reste où tu es encore une minute. Je vais t'apporter le petit déjeuner au lit. Je te sers le café dehors dès que tu m'as dit si tu veux tes œufs au plat, avec le jaune dessus ou dessous. »

Elle réfléchit. « Dessous, et avec le jaune crevé, si tu tiens vraiment à le savoir. Ciel, le petit déjeuner au lit ? Je suppose que si j'étais Kitty Carlisle j'aurais un peignoir à fanfreluches à me mettre sur le dos.

– Je vais chercher mon peignoir de bain », dit-il en disparaissant. Alice se passe la langue sur le palais, tout en regardant les feuilles agglutinées à la moustiquaire comme des visages curieux et ravis. Cash revient avec un vieux peignoir de bain de flanelle écossais, et le lui pose sur les épaules. Elle le tient serré contre son corps comme une dame à l'église son étole de fourrure, et de sa main libre accepte une tasse de café noir. La première gorgée réveille son palais et ses poumons.

Cash est très occupé. Il place précautionneusement une petite table près du lit et y installe les assiettes où sont disposés les œufs, le jambon, le pain grillé, du beurre et de la confiture de myrtilles. Il apporte un tabouret de l'autre côté. Alice passe ses bras dans les manches du peignoir et s'assoit au bord du lit, en face de lui, pour ne pas se sentir traitée comme une malade.

« J'ai pas l'habitude qu'on me serve à manger, dit-elle en souriant à son assiette, mais je vais essayer de m'y faire. »

Pendant un moment ils restent silencieux, faisant des petits bruits métalliques avec leurs fourchettes. Cash souffle sur son café.

« Je me demandais jusqu'à quand tu avais l'intention de rester ici, dit Cash finalement.

– Oh, chez Sugar ? Je sais pas. Jusqu'à ce qu'elle
en ait assez de me voir, je suppose. En fait, je suis
pas venue seulement pour rendre visite à Sugar.
J'avais une affaire à régler.

– Avec la famille ?

– Non, avec la Nation cherokee. Je sais pas si c'est
avec la Nation exactement. » Elle enfonce le couteau
dans ses œufs, qui sont parfaits. La plupart des gens
ne vous croient pas vraiment quand vous leur dites
que vous voulez les jaunes crevés, et ils ne vont pas
jusqu'au bout ; ils les laissent entiers et baveux, pour
votre bien évidemment. « J'avais un problème à discuter avec Annawake Fourkiller. Ça concerne ma
fille et ma petite-fille. » Son cœur cogne dans sa poitrine. Elle n'a pas décidé de parler à Cash, elle sait
seulement qu'elle va le faire. « J'ai une petite-fille
qu'elle a vue à la télé. Tu connais Annawake ?

– Oh, évidemment. Son oncle Ledger est
l'homme-médecine. Tu l'as vu à la danse rituelle,
non ?

– Oui.

– Il y a quelques années, cette petite Annawake
le suivait partout comme un chien. » Cash mâche
son pain grillé. « Aux cérémonies, quand Ledger se
levait pour parler, elle se plantait debout devant lui
et se mettait à déclamer des sermons. »

Alice voit très bien la scène. Avec Cash, il est facile
de perdre le fil de sa confession. « Alors je suppose
que ça va être elle, le prochain homme-médecine.

– Non, c'est quelqu'un de plus jeune. Je sais pas
encore qui, mais c'est déjà fait. Quand l'enfant est
choisi, il est beaucoup trop petit pour en garder le souvenir, mais ça influence la façon dont il grandit. C'est
seulement plus tard qu'on lui transmet le savoir.

– Ça me semble un peu risqué, non ? Et si le gamin qui a été choisi pour être le prochain homme-médecine se révèle être un voyou ? »

Cash paraît très sérieux. « C'est impossible. L'homme-médecine est capable de voir comment l'enfant va être plus tard. Faut pas que ce soit quelqu'un de tapageur, ou un bagarreur, rien de tout ça. Faut que ce soit quelqu'un de calme. »

Ils retournent à leur petit déjeuner. Alice entend Kitty Carlisle, ou une femme en tout cas, qui se parle à elle-même dans la cuisine.

« Combien de temps vous avez été mariés toi et ta femme ? demande-t-elle.

– Oh, ça remonte à loin, elle était trop jeune pour faire la différence entre un faucon et une scie à main. Je l'ai rencontrée à une danse rituelle, je venais de quitter le pensionnat. Elle habitait vers la route de Kenwood. » Son corps tout entier s'incline légèrement vers l'arrière avec le plaisir du souvenir. « Je vais te dire, j'ai commencé à y aller uniquement pour rencontrer des filles, et pour manger. Ils faisaient des choses délicieuses aux cérémonies à l'époque : des boules de haricots, des boulettes à l'écureuil. Des œufs. Les gens allaient y passer toute la journée. Ils venaient en chariot et à cheval. Ils montaient une tente, installaient des bancs, jetaient un édredon dessus, et c'est là qu'ils dormaient. J'y arrivais toujours tôt, pour le jeu de balle.

– Le jeu de balle ? s'étonne Alice.

– On joue à une espèce de jeu de balle, avant la danse. T'as vu cet immense mât avec un poisson tout en haut, sculpté dans le bois ? Dans la clairière, tu sais, là où la terre est toute tassée. »

Alice fait un signe de tête, parce qu'elle a la

400

bouche pleine. Ce qu'il y a de bien avec Cash, c'est qu'on a le temps d'avaler de grandes bouchées tout en l'écoutant.

« C'est les filles et les femmes contre les garçons et les hommes. C'est ainsi qu'on joue. Tu envoies la balle ou tu la projettes là-haut avec une batte, en essayant de toucher le poisson. C'est trop dur pour les petits enfants et les vieux. C'est un jeu très sérieux. Je sais pas vraiment comment expliquer ça. Disons que maintenir son corps en bon état, c'est important pour être quelqu'un de bien. Mais à cette époque la seule chose qui m'intéressait c'était d'être le meilleur. Chaque fois que tu envoies le ballon et que tu touches le poisson, ton camp marque un point

– C'est pas toujours les garçons qui gagnent ?

– Non, madame, pas du tout. Tu devrais voir certaines de ces filles. Annawake, par exemple, elle est redoutable. Et ma femme aussi l'était. C'est ainsi qu'on s'est rencontrés, en jouant à la balle. J'ai marqué un point, puis ça a été son tour, on a continué comme ça pendant toute une partie, alors on s'est dit qu'il fallait se marier. »

Alice rit. « C'est une bonne raison. La plupart des jeunes n'en ont pas d'aussi bonne.

– J'ai cessé d'y assister, pendant un certain temps, après sa mort. Je te l'ai pas dit, mais l'autre soir, quand nous y sommes allés ensemble, c'était la première fois que j'y retournais depuis longtemps.

– Et pourquoi, Cash ?

– Je ne pourrais pas le dire. J'étais parti, et à mon retour, ça me paraissait trop dur. Ça me rappelait les enterrements.

– Il y a des enterrements là-bas ?

– Bien sûr. Ils font faire au cercueil trois fois le tour du feu, dans le même sens que pendant la danse, et ensuite ils le portent en marchant à reculons. Et ensuite on va au cimetière pour l'inhumation. Il y a des seaux de thé à l'extérieur du cimetière, et en sortant, on se passe du thé sur le visage et les mains pour se laver du chagrin et le laisser là. »

Cash semble enfoncé dans le malheur. Alice lui dit doucement : « J'ai pas l'impression que tu l'aies laissé entièrement derrière toi.

– Peut-être qu'il y en avait eu trop à la fois. Il y a quatre ans, nous avons eu trois enterrements au cours de la même saison : ma mère, elle était vieille bien sûr. Puis ma femme, morte d'un cancer. Et puis ma fille aînée, Alma. Elle était en voiture et elle s'est jetée du haut d'un pont. On a retrouvé sa voiture retournée dans la rivière Arkansas. Elle avait une toute petite fille quand elle a fait ça. Ce soir-là, elle avait laissé son bébé à sa sœur, celle qui était partie à Tulsa avec un vaurien et qui ne m'adresse plus la parole. Pendant un certain temps, j'ai continué à lui téléphoner. Elle était méchante, tu peux pas savoir, mais j'arrivais pas à m'en empêcher, parce que je m'inquiétais pour le bébé d'Alma. Lacey, elle s'appelait. Et voilà qu'un jour elle abandonne cet enfant. Un soir elle va dans un bar et le donne à une fille qui passait par là en voiture. »

Alice a l'impression qu'on vient de lui couper la respiration, exactement comme si elle était tombée d'un toit. Elle n'arrive pas à avaler de l'air.

« Comment sais-tu qu'elle a donné ce bébé ?

– Elle me l'a dit. Tu te rends compte ? Elle me fait : " Papa, je pars vivre à Ponca City, je peux t'emprunter ta camionnette le week-end prochain ? J'ai

402

donné le bébé d'Alma. " J'étais tellement découragé que j'ai tout mis dans ma camionnette ce même week-end et je suis parti. Je pouvais plus supporter la vue de ma propre famille. »

Alice place une main sur sa poitrine et retrouve sa respiration. Il faut qu'elle parle avant de changer d'avis. « Cash, c'est ma fille qui a cette enfant. »

Cash pose sa tasse de café et regarde Alice. Il ne doute pas un seul instant de ce qu'elle vient de dire.

« C'est pour ça que je suis venue ici. Annawake a vu Taylor et la petite fille à la télé, elle racontait comment elle l'avait adoptée. Annawake s'est dit qu'elle appartenait aux Cherokees, et elle les a retrouvées. Taylor a pris la fuite. Et maintenant elle vit cachée, pour ne pas avoir à s'en séparer. Elle l'aime, Cash. Ma fille a été pour cette enfant la meilleure mère que tu trouveras jamais.

– Dieu du ciel, répond Cash.

– Je sais pas ce qu'il faut penser, dit Alice.

– Non, moi non plus.

– Je sais plus où j'en suis. T'as l'intention de te mettre en colère ? Il faut que je te dise ma façon de voir les choses. Ma fille n'a rien fait de mal, rien. Elle protège son petit, comme n'importe quelle femelle sur cette terre le ferait.

– Non, dit Cash. Elle a rien fait de mal. C'est juste que j'arrive pas à me persuader que Lacey est quelque part, entière. Elle marche, je suppose. Dieu, qu'est-ce que je dis ? Elle marche, elle parle, elle ramasse des brindilles. Elle doit avoir six ans et demi.

– Elle s'appelle pas Lacey. Que tu le veuilles ou non. Elle s'appelle Turtle.

– Mais, c'est pas un nom, ça.

– Et Able Swimmer, c'est un nom ? » riposte Alice.

Cash ne relève pas. « J'arrive pas à y croire, poursuit-il. Quand je suis revenu du Wyoming, il y a peu de temps de ça, je suis allé voir ces filles à l'aide sociale pour essayer de la retrouver. Elles ont répondu qu'elles avaient peut-être une piste, mais j'avais pas vraiment espoir. Seigneur Dieu tout-puissant. Et nous qui nous sommes rencontrés, sans même nous en douter. »

Il regarde interminablement Alice pendant que les arbres dehors continuent à pousser.

« C'est Letty qui a manigancé tout ça. Elle devait savoir.

– Non, elle ne savait rien, Cash. Personne, absolument personne n'était au courant de mon histoire, à part Annawake. Je n'en ai même pas parlé à Sugar.

– Mais pourquoi donc ?

– Je sais pas. Je me méfie des miracles. Il y a presque toujours quelque chose qui se cache derrière.

– Sugar ne savait rien ?

– Non, je le jure sur la Bible.

– Je pensais que pour nous deux, c'était un coup de Letty et de Sugar.

– Alors, c'était Annawake, dit soudain Alice. Oui. J'en suis sûre. Elle a dit qu'elle avait une idée en tête, je te jure, je pourrais lui botter les fesses ! Elle essaie de trouver un biais pour ne pas avoir à faire face à ses responsabilités envers Turtle. »

Cash est sur ses gardes. « Qu'est-ce que tu veux dire ? »

Alice le regarde à son tour. « Rien n'est réglé, n'est-ce pas ? »

404

Cash pose son couteau sur le bord de son assiette.
« Non, rien n'est réglé. »

Alice a passé tout le dimanche après-midi à chercher Annawake, le mors aux dents et le cœur animé
d'intentions meurtrières. La première chose qu'elle
a faite en rentrant chez Sugar a été de lui déverser
toute l'histoire, du début à la fin, en n'omettant que
les détails de la veille avec Cash, qui ne regardent
personne. Sugar lui a accordé qu'Annawake méritait
un bon sermon pour s'être mêlée des affaires des
autres. Elles ont mis Roscoe à contribution pour les
accompagner chez Annawake à Tahlequah. Sugar,
dans la voiture entre Alice et Roscoe, serrait la main
d'Alice comme si elle allait mettre un enfant au
monde alors qu'elle allait peut-être en perdre un.
Une fois à Tahlequah, Sugar et Roscoe ont
attendu dans la voiture pendant qu'Alice frappait à
la porte et parlait à une robuste fille avec un bébé
dans les bras, qui a dit qu'Annawake était dans son
bureau. Ils ont repris la route en direction des locaux
administratifs de la Nation, pour trouver l'endroit
complètement désert. Il y avait une seule secrétaire
en tout et pour tout, qui leur a indiqué le bureau
d'Annawake de l'autre côté de la rue. Fermé. Alice
a jeté un coup d'œil à l'intérieur, mais n'a vu que des
plantes. Après avoir passé près d'une heure dans la
voiture à fulminer, elle a décidé de retourner parler
à la fille, qui, il faut le reconnaître, était gentille
comme tout Elle leur a appris qu'entre-temps
Annawake était revenue et repartie, à la pêche cette
fois-ci, sur la péniche de son oncle. Alice a surpris
Sugar et Roscoe en déclarant qu'elle connaissait le
chemin pour se rendre chez Ledger Fourkiller.

Quand ils l'ont déposée sur le sentier qui descend à la rivière, ils ont proposé de l'attendre, mais Alice leur a fait signe de poursuivre leur route.

« Je connais le chemin. Si elle n'est pas ici, je rentrerai à pied.

– Enfin, ma chérie, ça fait des kilomètres et des kilomètres, a protesté Sugar. Et il fait nuit. Tu risques de te retrouver nez à nez avec une mouffette. »

Mais au moment où elle s'élance sur le sentier, Alice est farouchement déterminée, mouffette ou pas. Si l'une d'elles venait à cet instant à croiser sa route, elle n'aurait qu'à bien se tenir. Elle n'a pas fermement décidé d'étrangler Annawake une fois qu'elle l'aura trouvée, mais elle n'exclut pas cette possibilité.

Annawake ne fait même plus semblant de pêcher. Personne dans ce lac n'a faim, et, pour être honnête, elle pas davantage ; il semble raisonnable de faire une trêve. Elle décrit des cercles dans l'eau avec ses jambes et regarde les reflets des étoiles qui tremblent les unes à côté des autres. L'eau est plus chaude que l'air, et glisse sur sa peau comme si elle lui voulait du bien. Elle essaie de ne pas se demander depuis combien de temps elle n'a pas été dans les bras de quelqu'un qui ne soit pas de la famille.

Elle entend des pas sur la passerelle, ou plutôt, elle sent leurs vibrations qui approchent, comme une araignée maîtrise le moindre recoin de sa toile. « Ledger ? » appelle-t-elle.

Une silhouette humaine surgit dans l'obscurité, et ce n'est pas Ledger Fourkiller. Plus petite, plus menaçante. Son cœur cogne.

« Tiens, tiens ! Mademoiselle courrier du cœur ! »

Annawake connaît cette voix. Réfléchit vite.

« C'est vous, n'est-ce pas, qui m'avez jetée dans les bras de Cash ?

– Alice Greer ? »

Elle approche avec la lenteur d'un chien hors de son territoire. Elle est maintenant à moins de deux mètres, mains sur les hanches, à la fois furieuse et hésitante.

« Vous êtes en colère ? Je vous ai vus tous les deux, vous rigoliez comme des gamins. J'aurais plutôt pensé que vous alliez m'envoyer une carte de remerciements.

– C'est moche ce que vous avez fait, et en plus c'est sournois. Vous vous êtes dit que j'allais avoir un faible pour Cash et que j'aurais pas le cœur de lui enlever son bébé. »

Annawake sent la colère de cette femme, aussi tranchante qu'un couteau de chasse. « Vous n'avez jamais pensé que ça pourrait marcher dans l'autre sens ? Que ça pouvait être lui qui vous aime à ce point ?

– Je crois pas que c'était là ce que vous espériez.

– Si on s'asseyait et qu'on en discute ? »

Alice hésite un moment comme une libellule avant d'engager son avenir et de pondre ses œufs sur l'eau. Finalement elle se lance. S'assoit et enlève ses chaussures.

Annawake bat lentement des pieds. « Si vous voulez savoir la vérité, Alice, je ne pourrais pas vous dire ce que je pensais. Je ne crois pas que je pensais, pour une fois. Je me suis laissé guider par mes tripes. Je me suis dit que ma théorie des relations entre les Indiens et les Blancs avait besoin d'une touche d'humanité.

– Et Cash et moi, nous sommes allés comme des agneaux à l'abattoir.

– Je ne croyais pas que vous mettriez si longtemps pour découvrir ce que vous aviez en commun. J'étais sûre que vous lui parleriez tout de suite.

– Eh bien, peut-être que nous les vieux, nous ne nous emballons pas comme vous les jeunes.

– Il me semble que c'est exactement le contraire. Vous étiez si occupés à vous emballer que vous en avez oublié d'exposer votre cas. »

Aussi incroyable que cela puisse paraître, Annawake entend Alice réprimer un fou rire.

« J'ai sans doute été trop loin, dit-elle à Alice. Je suis désolée. »

Pendant le long silence qui suit, un hibou en amont lance un cri. Annawake l'imagine les yeux grands ouverts, à l'affût, essayant de voler quelques miettes à l'obscurité.

« Vous ne pensiez sans doute pas à mal.

– Croyez-moi, Letty m'a donné un sacré coup de main.

– Cette Letty, renchérit Alice, avec un humour un peu forcé. Elle irait fouiller dans une tombe si elle était sûre de pouvoir y trouver quelques commérages à se mettre sous la dent. »

L'adrénaline qui s'est répandue dans les membres d'Annawake au moment où elle a senti de la colère tapie dans l'obscurité se retire progressivement. Son corps ne demande à présent qu'à s'étirer. Elle cambre le dos.

« Enfin, dit Alice. Rien n'est encore réglé.

– Je sais.

– Taylor est en route. Elle m'a appelée d'une gare routière à Denver.

– Elle revient ? » Annawake, curieusement, éprouve de l'appréhension. Pendant des mois elle a été incapable de se souvenir de Taylor, leur rencontre a été si brève, mais maintenant, brusquement, elle la voit. Le visage fin, confiant, les longs cheveux bruns, cette façon qu'elle avait de se tenir parfaitement immobile quand elle vous écoutait. Elle revoit Taylor à sa fenêtre, pliée en deux par une peur animale, et c'est ainsi qu'elle l'imagine, dans une cabine téléphonique à Denver, le combiné sous un rideau de cheveux bruns.

« Je croyais que vous alliez bondir de joie, s'étonne Alice.

– Oh, c'est pas trop mon style. J'ai souvent du mal à communiquer avec mon propre cœur.

– Letty a jamais essayé de vous venir en aide ? » Annawake lève la main en l'air. « Quelle question ! Letty Hornbuckle a essayé de me caser avec tout ce qui se tient sur ses deux jambes pour pisser. Malheureusement, là n'est pas mon problème.

– Oh. »

C'est maintenant au tour d'Alice de faire des ronds dans l'eau, elle crée des courants contraires qui font se bousculer les étoiles. Annawake jurerait les entendre tinter.

« Regardez, là-bas, au milieu de la rivière, il y a la Petite Ourse, la tête en bas. Vous la voyez ?

– J'y vois pas bien la nuit.

– On la voit dans le ciel aussi. Tout droit au-dessus de ce chêne mort qui a l'air blanc, là-bas sur la berge.

– Je crois que je la vois, dit Alice d'une voix flûtée d'avoir trop levé la tête.

– Ne regardez pas droit dessus. Regardez juste un tout petit peu à côté, et elle sera plus brillante. C'est oncle Ledger qui m'a appris ça.

– Tiens, c'est vrai », s'écrie Alice au bout d'un moment. Puis elle ajoute : « Incroyable. Je vois les sept étoiles des sept sœurs quand je fais ça.

– Vous, alors ! Ce doit être pour ça que les Blancs ont pris possession du monde. Vous voyez les sept sœurs.

– Pourquoi ? Pas vous ?

– Nous les appelons les six cochons au paradis.

– Les quoi ? Les cochons ?

– C'est une histoire. L'histoire de six vilains petits garçons qui ont été changés en cochons.

– Ça a dû les faire réfléchir. Qu'est-ce qu'ils ont fait pour être changés en cochons ?

– Oh, vous savez bien. Ils n'ont pas écouté leur mère, ils n'ont pas fait ce qu'on leur demandait. Ils ont passé leur temps à jouer à la balle. Alors leurs mères leur ont préparé quelque chose de vraiment mauvais à manger, pour essayer de leur donner une bonne leçon. Est-ce que vous avez vu ces petites balles de cuir avec lesquelles nous jouons ?

– Cash m'en a montré une très vieille. Elle était tout esquintée, il y avait du crin qui en sortait.

– C'est ça, du crin animal. Les mères ont préparé un ragoût avec ça, et l'ont donné aux garçons quand ils sont rentrés déjeuner. Les garçons ont fait : " Pouah ! c'est de la nourriture pour les cochons ! " Et les mères leur ont répondu : " Si c'est vrai, alors, c'est que vous devez être des cochons. " Les garçons se sont levés de table, sont partis sur le lieu des cérémonies et se sont mis à courir en cercle. Ils criaient, ils criaient. Les mères ont essayé de les rattraper,

410

prêtes à pardonner et à oublier toute l'histoire, mais sous leurs yeux les garçons ont commencé à se transformer en cochons. Elles ont supplié les esprits de les leur rendre, mais il était trop tard. Les cochons couraient si vite qu'on ne les voyait presque plus. Puis ils se sont mis à monter vers le ciel. Les esprits les ont mis là-haut pour toujours. Pour rappeler aux parents qu'ils doivent toujours aimer leurs enfants, quoi qu'il arrive, j'imagine, et leur laisser la bride sur le cou. »

Alice garde longtemps les yeux levés. « Je vous jure qu'il y en a sept », dit-elle.

Le hibou hulule à nouveau, plus près cette fois.

« Peut-être », dit Annawake.

31

Pommes de poules

Sur la route, un tatou mort gît les quatre pattes et la queue pointées vers le ciel. À la vue de ce corps tout raide et recroquevillé, Taylor pense à un nounours, abandonné là sur le dos. Elle ouvre la boîte à gants et met ses lunettes de soleil pour que Turtle ne voit pas ses yeux.

Alice donne ses instructions sans regarder la route, elle est en pays connu. Turtle, qui a pris l'habitude de se mettre devant pendant le long trajet depuis le Nord-Ouest, s'est maintenant attribué une place entre sa mère et sa grand-mère. Quand Taylor lui a proposé le siège arrière, elle a catégoriquement refusé. Plus tôt dans la journée, Taylor a confié son désarroi à Alice : depuis quelque temps Turtle n'en fait qu'à sa tête. Alice a répondu : Il serait plus que temps.

« C'était là qu'il fallait tourner à droite, tu es allée trop loin, dit Alice.

– Eh bien, bravo, maman. Pourquoi est-ce que tu ne m'as pas laissé faire un kilomètre de plus avant de me le dire ? »

Alice se tait pendant que Taylor tourne le volant, un bras puis l'autre, exagérant l'effort nécessaire

412

pour faire braquer la Dodge. Taylor ne supporte pas de se disputer avec Alice. Les trois femmes regardent droit devant elles la route de Muskogee. Elles n'ont pas la moindre idée de ce que va devenir la famille.

Alice reprend la parole, cette fois-ci bien avant le croisement. « Tu vois ce stop là-bas. Tu t'engageras dans le parking juste après. Son bureau se trouve à côté d'une parfumerie, y'a sur la porte Turnbo, avocat je sais plus quoi. »

Avant le feu, Taylor s'arrête à un fast-food. « Je vais vous déposer toutes les deux ici, d'accord ? J'ai besoin de lui parler d'abord. Vous pouvez manger un morceau et venir me rejoindre dans un petit quart d'heure. Tu veux bien, Turtle ?

– Ouais.

– Rappelle-toi, pas de milk-shake, maman. Elle est allergique au lactose.

– Elle est quoi ?

– Elle ne peut pas boire de lait.

– C'est parce que je suis indienne, déclare Turtle avec satisfaction.

– Toi, alors, t'es quelqu'un ! » lui dit Alice en l'aidant à sortir de la voiture. Depuis que Turtle est arrivée dans l'Oklahoma, Alice est complètement gâteuse. Elles s'entendent comme larrons en foire.

« Un quart d'heure, d'accord, maman ?

– D'accord, à tout à l'heure. » Alice a un moment d'hésitation avant de claquer la porte. « Ma chérie, nous sommes tous bouleversés. Mais tu sais que je suis de ton côté. T'as encore jamais laissé échapper quelque chose que tu voulais vraiment. Tu vas réussir, je le sais. »

Taylor repousse ses lunettes de soleil sur le

413

sommet de sa tête et s'essuie les yeux, soudain inondés de larmes. « T'as un mouchoir ? »

Alice sort de son sac un paquet de kleenex bleu pâle. « Tiens. Un pour la route.

– Maman, tu es la meilleure.

– Tu penses ça parce que c'est moi qui t'ai élevée. » Alice avance la main pour serrer l'épaule de Taylor, puis elle ferme la portière. Turtle est déjà partie, ses nattes fouettant l'air alors qu'elle court vers le cube de verre du restaurant. Taylor prend sa respiration et entame les derniers deux cents mètres vers sa destinée.

Dans la rangée de commerces, elle repère le bureau des affaires juridiques. Il semble désert, mais dès qu'elle frappe à la porte de verre, Annawake apparaît derrière la vitre éblouissante. La porte s'ouvre légèrement. Le visage d'Annawake est l'image même de l'angoisse, et ses cheveux ont changé, un court rideau noir qui se balance autour de son visage.

« Je suis contente que vous soyez arrivée », dit-elle en jetant un coup d'œil au parking et en constatant que personne d'autre ne sort de la Dodge.

« Elle sera ici dans un moment, explique Taylor. J'ai laissé Turtle avec ma mère au restaurant d'en face pour pouvoir vous dire certaines choses d'abord.

– Pas de problème, entrez donc. Taylor, je vous présente Cash Stillwater. »

Taylor doit s'y reprendre à deux fois avant de distinguer l'homme assis dans le coin près du caoutchouc. Ses vieilles bottes pointues sont plantées sur le tapis et ses épaules sont tellement voûtées qu'il a l'air affaissé, comme s'il était une plante lui aussi et qu'il manquait de lumière.

« Taylor Greer », fait-elle dans un élan de chaleur factice, en lui tendant la main. Il se penche en avant, la rencontre à mi-chemin, et se laisse retomber dans son fauteuil. Timidité ou douleur, derrière ses lunettes cerclées d'or, son visage sombre semble être rentré en lui-même.

Taylor s'assoit dans l'un des fauteuils chromés, et Annawake se racle la gorge. « Cash nous a demandé de l'aider à trouver sa petite-fille, Lacey Stillwater. Je suppose qu'Alice a dû vous le dire.

– Ma mère m'a dit qu'il existait peut-être un parent. Je ne vois pas comment vous pourriez prouver une chose pareille.

– Il y a les analyses de sang, mais je ne crois pas qu'il soit nécessaire de parler de ça pour le moment. Cash voudrait seulement que je vous donne les informations qu'il possède. Sa petite-fille aurait six ans maintenant, sept au mois d'avril prochain. À la mort de la fille aînée de Cash dans un accident de voiture, elle a été confiée à la garde de sa plus jeune fille, une alcoolique. L'enfant a été remise à une inconnue dans un bar, au nord d'Oklahoma City, il y a eu trois ans en novembre dernier. Nous avons des raisons de penser que cette inconnue est peut-être vous.

– Je ne peux rien dire à ce sujet.

– Nous n'éprouvons aucun ressentiment à votre égard. Mais que votre fille adoptive soit ou non la petite-fille de Cash, il y a problème. Si l'enfant est cherokee, l'adoption n'a pas été conduite légalement. Vous ne connaissiez pas la loi et je ne vous tiens responsable en aucune façon. Je suis en colère après les professionnels qui vous ont mal conseillée, parce qu'ils ont causé beaucoup de souffrance. »

415

Taylor est si loin au-delà de la souffrance qu'elle pourrait se mettre à rire. À cet instant elle craint plutôt que son cœur ne s'arrête simplement de battre. « Bon, allez-y et dites-le. Est-ce que je dois la laisser, ou non ? »

Annawake est assise contre la fenêtre, et quand elle repousse ses cheveux derrière ses oreilles, celles-ci sont cerclées de rose comme celles d'un lapin. « Ce n'est pas un simple oui ou non. D'abord, si l'enfant est cherokee, son destin relève de la juridiction de la tribu. La tribu pourrait soit décider de vous la laisser, soit vous demander de la rendre à notre garde. Il y a un précédent important. Je vais vous lire ce qu'a dit la Cour suprême. »

Sur le bureau qui se trouve derrière elle, elle prend ses lunettes et un épais document agrafé. Elle le feuillette, le tournant sur le côté de temps à autre pour lire des choses écrites dans les marges. Puis elle lit : « La Cour suprême des États-Unis ne décidera pas si le traumatisme qui consiste à enlever ces enfants à leur famille adoptive doit peser plus lourd que les intérêts de la tribu, et peut-être des enfants eux-mêmes ; dans ce cas, la Cour suprême doit s'en remettre à l'expérience, la sagesse, et la compassion de la tribu pour élaborer une solution appropriée. »

« Alors, dit Taylor en essayant de ne pas regarder l'homme silencieux sous le caoutchouc. Que dit la voix de la sagesse et de la compassion ?

– Je ne sais pas. Je ne suis pas cette voix. Ce sont les services de protection de l'enfant qui ont pouvoir de décision. Ils peuvent accorder ou refuser la permission d'adopter un enfant. À condition, dans le cas qui nous occupe, que Turtle relève effectivement de notre juridiction. Une fois que nous aurons rassemblé tous les faits, je rendrai mes conclusions à Andy Rainbelt, qui représente la Protection de l'enfant, et il prendra une décision.

– Est-ce que je pourrai lui parler ?

– Bien sûr. Il a prévu de vous rencontrer cet après-midi. Et j'ai accepté de ne pas rendre de conclusions tant que je n'aurai pas entendu ce que vous avez à dire. »

Taylor ressent avec acuité qu'elle est ici la seule personne blanche. Depuis son arrivée dans l'Oklahoma, elle ressent sa couleur comme une espèce de chaleur qui sortirait de sa peau, un peu comme une ampoule qu'on a laissé allumée par erreur et qui brûle dans une pièce remplie de gens réprobateurs. Elle se demande si Turtle a déjà éprouvé ça, dans un monde de gens plus clairs.

« Monsieur ? » Taylor s'adresse à l'homme, Mr. Stillwater.

Il se penche légèrement en avant.

« Comment elle était votre petite-fille ? »

Il croise une cheville sur son genou, regarde sa main. « Je ne pourrais pas vous le dire. Elle était si jeune. Moi et ma femme, nous nous sommes beaucoup occupés d'elle quand elle était toute petite. Je dirais que c'était un bébé vraiment très sage. Fine comme une abeille. Très calme.

– Est-ce qu'elle parlait ?

– Eh bien, elle a commencé. Elle disait "Mommom", c'est comme ça qu'elle appelait sa grand-mère. Vous savez bien, des petits mots de bébé. » Ses yeux alors s'éclairent, derrière ses lunettes. « Une fois elle a dit " pomme de poule ". C'est comme ça que j'appelais les œufs, pour la taquiner, quand on jouait dans la cuisine. Et un matin je l'avais prise avec moi dans la cour.

On avait une poule qui volait toujours le nid des autres, et j'étais en train de chercher les œufs. La petite a traversé le carré de haricots à quatre pattes, elle s'est enfoncée dans les herbes et tout à coup je l'entends qui crie : " Pomme de poule ! " le plus claire-ment du monde. » Il essuie le coin de ses yeux. « Ma femme n'a jamais voulu me croire, mais c'est vrai. »

Taylor et Annawake évitent de se regarder.

« Puis après la mort de sa maman, elle s'est plus ou moins arrêtée de parler. Naturellement, je la voyais pas beaucoup. Elle était avec mon autre fille et un jeune gars là-bas à Tulsa. »

Taylor se mord la lèvre, puis demande. « Est-ce qu'elle est allée à l'enterrement de sa mère ? »

Il la regarde fixement un long moment. « Tout le monde va aux enterrements. Ça fait partie de nos coutumes. Les enterrements se passent sur le lieu des cérémonies, et puis ensuite on procède à la mise en terre proprement dite.

– Vous avez des photos ?

– De quoi ? De l'enterrement ?

– Non. De l'enfant. »

Il se plie en deux comme un canif et tire de sa poche un portefeuille marron déformé. Il en retire une toute petite photographie aux contours irrégu-liers. Taylor la prend sans oser la regarder. Mais cette photo n'a rien à voir avec Turtle. C'est simple-ment un minuscule nouveau-né à la peau sombre, les traits tordus par une contrariété récente. Sa tête est tournée sur le côté et son poing ridé contient plus de défiance que Turtle n'en a jamais manifesté. Jusqu'à la semaine dernière.

« Voici sa mère, ma fille Alma. Première journée de classe. » Il lui tend une deuxième petite photo.

De la gorge de Taylor monte un bruit étouffé, une sorte de petit cri. L'enfant porte des chaussures bicolores et une robe à carreaux à col Claudine, elle est debout, bien droite sur les marches d'une galerie, les épaules carrées. Ses sourcils sont posés sur son grand front comme deux points d'interrogation. C'est Turtle.

Taylor tient la photographie par le coin et détourne les yeux. Elle n'est pas sûre de survivre aux minutes qui viennent. La photo quitte ses doigts mais elle ne regarde pas Cash la ranger.

Taylor dit : « La petite fille que j'ai élevée m'est arrivée quand elle avait environ trois ans. Elle avait été atrocement maltraitée. La nuit où elle m'a été donnée, elle avait des bleus sur tout le corps. C'est la raison pour laquelle je l'ai gardée. Pensez-vous honnêtement que j'aurais dû la rendre ? Plus tard, quand je l'ai amenée chez un docteur, il a dit que ses bras avaient été cassés. Il s'est passé presque un an avant qu'elle puisse parler, ou regarder les gens normalement, ou jouer comme jouent les autres enfants. Elle a été victime d'abus sexuels. »

Mr. Stillwater parle à ses bottes d'une voix à peine audible. « J'étais mort de peur, quand ils l'ont emmenée à Tulsa. Ce garçon battait ma fille. Elle s'est retrouvée deux fois à l'hôpital avec une mâchoire brisée. » Il se racle la gorge. « J'aurais dû aller la chercher. Mais ma femme était morte, et j'en ai pas eu l'énergie. J'aurais dû. J'ai mal fait. »

Il y a un très long silence. Une feuille jaune se détache du caoutchouc. Ils la suivent tous les trois des yeux.

« Moi non plus, je n'ai pas toujours fait ce qu'il aurait fallu, dit Taylor. Je lui ai fait boire du lait alors que j'aurais dû voir que ça la rendait malade. » Elle continue à regarder la feuille enroulée sur le sol, libérée de sa branche. « Depuis le début de cette histoire, nous vivons aux limites de ce dont je suis capable. J'ai été obligée de la laisser seule dans la voiture parfois parce que j'avais pas les moyens de payer une baby-sitter. Nous n'avions pas assez d'argent, et nous n'avions personne pour nous aider. » Taylor serre et desserre son poing sur l'épais mouchoir bleu au creux de sa main. « C'est pourquoi je me suis finalement décidée à venir ici. Turtle a besoin de ce qui existe de meilleur, après ce qu'elle a subi, et je n'ai pas le sentiment d'avoir été une bonne mère. » Sa voix se brise, et elle croise les bras sur son ventre. Elle sent déjà le coup. Comment sera la vie sans Turtle. Elle sera impossible. Sans amour, sans espoir, aveugle. Elle oubliera les couleurs.

Elle sent les yeux d'Annawake tournés vers elle, grands ouverts. Mais elle ne parle pas.

Quand sa voix lui revient, Taylor la reconnaît à peine et ne sait pas ce qu'elle va dire. « Turtle mérite mieux que ce qu'elle a eu, à tous points de vue. Je l'aime plus que je ne peux vous le dire, mais le fait que je l'aime ne suffit pas, si je ne suis pas capable de lui donner davantage. Nous n'avons aucun soutien. Je ne veux plus avoir à vivre ça, me cacher et la tenir à l'écart des autres. Ça lui fait du mal. »

Taylor et Annawake se regardent comme des animaux surpris par leurs propres reflets.

Soudain deux ombres apparaissent derrière la porte, une grande et une petite. Annawake bondit pour les faire entrer. Turtle est si proche des genoux d'Alice qu'elles cognent l'une contre l'autre comme

420

une créature à trois jambes. Ses yeux sont ronds et ne quittent pas un seul instant l'homme assis dans le coin.

« Turtle, je veux te présenter des gens », dit Taylor à travers l'enrouement de sa gorge.

Turtle se dégage d'Alice d'un demi-pas. Son regard est fixe. Soudain elle tend les bras vers Cash comme un bébé qui veut être soulevé dans les nuages. Elle demande : « Pop-pop ? »

Cash ôte ses lunettes et laisse tomber sa tête dans ses mains.

32

Le serpent Uktena

« Où est-ce que vous avez bien pu dénicher un nom chichiteux comme Lacey ?

– Je sais pas, répond Cash à Alice, sans lâcher son volant, regardant droit devant lui. C'est Alma qui en avait eu l'idée. Je crois qu'elle aimait cette série à la télé avec la femme flic. Lacey et je sais plus qui.

– Si c'est pas la meilleure ! » Alice se tourne brusquement sur son siège et regarde le paysage. Elle n'a pas eu tellement le choix pour se faire raccompagner. Taylor et Turtle devaient se rendre directement aux services administratifs de la Nation pour rencontrer le responsable de la Protection de l'enfant et Annawake dont la voiture était en panne attendait que son frère vienne la récupérer. Restait Cash. Elle aurait dû rentrer à pied.

« Qu'est-ce qu'elle est grande ! dit Cash. Je vois exactement comment elle est. Du genre à garder ses pensées pour elle, comme sa mère. »

Dans les champs sur le bord de la route le foin est roulé pour l'hiver en espèces d'édredons géants. Une grange au milieu d'un pré penche dangereusement vers l'est, défi à la loi de la pesanteur.

« Alors, t'es décidée à signer et à demander ta carte d'électeur ?

– Ma foi, déclare Alice aux fermes qui défilent. Ça me permettra de faire réparer mon toit !

– Ne commence pas à me parler des Indiens au chômage.

– J'en avais pas l'intention.

– Eh bien, c'est parfait. Tu sais que mon peuple possédait de magnifiques demeures en Géorgie ? Tout ça pour les voir complètement brûlées, et aboutir dans ce pays où il n'y avait rien, rien que du silex et des serpents à sonnettes. » La voix de Cash atteint d'un seul coup le registre d'un ténor à l'église.

« Mais qu'est-ce qui m'a pris de me laisser embarquer avec une famille qui trouve les noms de ses bébés dans les feuilletons télévisés, crie Alice tout aussi fort. Kitty Carlisle dans la cuisine ! Tu peux te la garder ta Kitty Carlisle. J'ai déjà eu un mari qui était amoureux de son poste de télévision. Pas deux fois, non merci !

– Qui te l'a demandé ?

– Je voulais juste t'éviter de perdre ton temps, c'est tout. »

Au plus profond de sa colère et de son chagrin, Alice sent quelque chose qui se dénoue en elle. Elle éprouve une satisfaction profonde à crier après quelqu'un qui au moins est assez attentif pour lui répondre.

Les bureaux des affaires de la tribu se trouvent un peu à l'écart de la route dans un complexe moderne et simple de brique rouge et de dalles de béton, avec des arbustes le long des trottoirs. Taylor attendait quelque chose de plus typique, sans trop savoir ce qu'elle entendait par là.

Turtle serre très fort la main de Taylor, alors qu'elles font le tour du bâtiment à la recherche de la bonne entrée.

« Tu te rappelles ton grand-père, n'est-ce pas ? » demande Taylor, qui se force à parler pour contenir la terreur qui la gagne.

Turtle hausse les épaules. « Sais pas.

– T'as le droit de te rappeler. Tu peux le dire.

– Ouais.

– Qu'est-ce que tu te rappelles d'autre ?

– Rien.

– Ta première maman ? »

Turtle hausse les épaules à nouveau. « C'est le gentil, Pop-pop. C'est pas le méchant.

– Tu te rappelles un homme qui t'a fait du mal ?

– Je crois.

– Turtle, c'est très bien. Je veux que tu te souviennes de lui pour pouvoir t'en débarrasser. »

Leurs chaussures font des bruits doux et poisseux sur le trottoir chaud. Turtle allonge le pas pour éviter les lézardes. Le bâtiment, qui doit faire huit cents mètres de long, possède des entrées affectées à toutes les catégories de problèmes possibles. Santé. Développement économique. Taylor est sidérée par la tournure que prennent les événements. Il y a des années qu'elle attend cette chose qui vient d'arriver à Turtle, et brusquement, alors qu'elles marchaient à moitié égarées, entre une haie de genévriers et la route de Muskogee, voilà qu'elle s'est souvenue.

Enfin elles trouvent le bon service. À l'intérieur, le bâtiment au sol moquetté est plus accueillant. Dans les larges couloirs, des réceptionnistes sont

424

assises à des bureaux circulaires, et des tableaux accrochés au mur montrent les membres du conseil de la tribu, certains coiffés de chapeaux de cow-boy. Quand Taylor demande qu'on lui indique le bureau d'Andy Rainbelt, la réceptionniste se lève et lui montre le chemin. Elle a des talons plats et un air de gentille mère de famille.

« Voici son bureau. S'il vous attend, j'imagine qu'il sera ici dans un instant. Il est peut-être retardé par un autre rendez-vous.

– Merci. Nous allons patienter. »

À peine sont-elles assises qu'elles entendent la réceptionniste saluer Andy au bout du couloir. Il apparaît à la porte, souriant, immense. Il porte une queue de cheval, et, avec ses jeans et ses bottes, il a l'air d'un homme de rodéo endimanché. Ce qui ne gêne aucunement Taylor. Elle préfère nettement les rodéos aux interviews d'assistantes sociales.

« Je m'appelle Andy. Heureux de vous rencontrer, Miz Greer. Bonjour Turtle. » Sa poignée de main est agrémentée d'une grosse bague de turquoise. Dès qu'elles s'assoient, Turtle se glisse sur les genoux de Taylor. Taylor la serre contre elle, s'efforçant d'avoir l'air un peu moins perdue qu'elle ne l'est.

Il prend appui sur ses coudes, se penche en avant, et pendant un grand moment il regarde simplement Turtle en souriant, jusqu'à ce qu'elle ait fini d'examiner le plafond, la poignée de la porte, le sol, et qu'elle lève la tête vers Andy Rainbelt. Enfoncés sous ses sourcils en arcade, ses yeux sont pleins de bonté. « Alors, parle-moi de ta famille, Turtle.

– J'en ai pas. »

Taylor donnerait cher pour ne pas être en vie.

« Eh bien, avec qui tu vis, alors ?

– Je vis avec ma maman. Et j'ai une grand-mère ; avant, en plus, j'avais Jax, quand on habitait dans une vraie maison.

– Ça ressemble à une famille, tout ça.

– Et Barbie. Elle habitait avec nous. Barbie et tous ses vêtements.

– C'est une vraie personne ou une poupée ? »

Turtle regarde Taylor qui, en dépit des circonstances dramatiques, manque éclater de rire. « Elle est les deux, répond Taylor à sa place. C'était une amie plutôt branchée sur les vêtements.

– Qu'est-ce que tu fais pour t'amuser quand tu es chez toi ?

– Barbie jouait avec moi des fois, quand maman était au travail, explique Turtle. On faisait des trucs. On fabriquait des habits. Elle mangeait tout le temps des doritos au fromage et puis elle allait vomir dans la salle de bains.

– Quoi ? Elle faisait quoi ? » Taylor a le sentiment d'être tombée dans une embuscade. « Je m'en suis jamais douté. Chaque fois qu'elle mangeait ?

– Oui, je crois.

– C'était donc ça, son secret ! » Taylor regarde Andy Rainbelt, elle sent qu'elle va vomir elle aussi. « Vous devez nous trouver un peu bizarre comme famille.

– Toutes les familles sont bizarres. Mon boulot, c'est de déterminer dans lesquelles les enfants vont se sentir bien.

– Barbie est sortie de notre vie complètement. Ce n'est pas une bonne chose que Turtle ait été exposée à ça, j'en suis consciente. Je ne sais pas quoi vous dire. Elle a gardé Turtle le temps que je m'installe dans un nouveau travail. Mais elle est partie.

– Elle a pris tout notre argent, ajoute Turtle. Un type a été obligé de nous couper l'électricité parce qu'on n'avait pas payé. »

Taylor sait qu'elle doit avoir la tête d'une vache dans son corral qui comprend enfin le concept d'abattoir. « Je travaillais à plein temps, explique-t-elle. Mais malgré ça, on manquait d'argent. Elle ne s'en souvient sans doute pas très bien, mais nous avions une vie plutôt agréable avant que tout cela arrive. »

Andy semble patient. « Écoutez-moi. J'entends toutes sortes de choses dans ce bureau. Je ne vous note pas d'après ce que vous dites. Pour être franc, j'observe, plus que je n'écoute. Ce que je vois, c'est cette petite fille sur vos genoux, et elle m'a l'air bien contente d'y être. »

Taylor serre si fort Turtle qu'elle sent son propre cœur cogner contre les arêtes de sa frêle colonne vertébrale. « C'est vraiment dur pour elle de devoir être séparée de moi. Je tenais juste à vous le préciser, pour votre dossier.

– Je comprends.

– Non, ce que je veux dire c'est que c'est terrible. Pas comme pour les autres enfants. Parfois Turtle reste couchée dans la baignoire avec une couverture sur la tête pendant des heures et des heures, si elle pense que je suis en colère. » Elle serre Turtle encore plus fort dans ses bras. « Elle a vécu des choses terribles quand elle était bébé, avant d'être avec moi, et on a toujours pas fini de rattraper le temps perdu.

– C'est vrai, Turtle ? »

Turtle ne dit rien. Taylor attend une nouvelle révélation abominable, jusqu'au moment où il lui vient à

427

l'esprit que sa fille est peut-être en train de suffoquer. Elle relâche son étreinte, et Turtle respire.

« Ouais, fait-elle. Le méchant, c'était pas Pop-pop.

— Elle vient de faire la connaissance de Mr. Stillwater ; c'est-à-dire, de le revoir. Son grand-père. Je crois qu'elle commence à se rappeler des choses de quand elle était petite. »

Andy a une façon de regarder Turtle dans les yeux qui ne lui fait pas peur. Taylor est sidérée. Un géant qui sait se faire petit. « C'était dur, à ce moment-là, hein ? lui demande-t-il.

— Je sais pas.

— Tu peux t'en souvenir, si tu veux. Mais ça fait peur, des fois, n'est-ce pas ? »

Turtle hausse les épaules.

« Plus personne ne te fera de mal maintenant. »

Taylor ferme les yeux et voit des étoiles. Elle fait le vœu, sur ces étoiles, qu'Andy Rainbelt puisse tenir sa promesse.

Plus tard cet après-midi-là, Taylor et Alice se promènent sur le bord de la route à la sortie de Heaven. De retour chez Sugar, Turtle a sombré dans un sommeil de plomb, mais Taylor avait besoin de sortir un moment de la maison.

« Dommage que tu sois fâchée avec ton nouveau copain, dit-elle à Alice.

— Dieu, quel mélo, déclare Alice. Avec tous les poissons qu'il y a dans la mer, il faut que je tombe sur quelqu'un qui est parent avec Turtle.

— Maman, c'est pas simplement de la malchance. C'était un coup monté.

— Quand même ! Il était pas obligé de faciliter les choses à ce point. Et d'être parent avec Sugar, en plus.

428

– À entendre Sugar, elle est parente, d'une façon ou d'une autre, avec tout le monde, d'ici jusqu'à la rivière Arkansas. S'ils étaient décidés à vous mettre ensemble, on n'y pouvait rien.

– Peut-être. Mais je tiens quand même à dire que j'ai jamais eu de chance avec les hommes.

– C'est pas moi qui vais te contredire. » Tout en marchant, Taylor s'est mise à cueillir sur le bord de la route des fleurs aux longues tiges et au cœur noir.

« Et puis, c'est de ma faute. Je suis incapable de supporter quelqu'un qui soit pas prêt à se couper en quatre pour moi. Et les hommes sont tous comme ça. Incapables de se couper en quatre. Je parie que c'est écrit dans le dictionnaire. »

Taylor tend à Alice un bouquet jaune orangé et en commence un autre.

« C'est la maladie de notre famille, poursuit Alice. Et je t'ai refilé le virus.

– J'ai appelé Jax, fait Taylor qui se sent légèrement coupable.

– Je suis contente, ma chérie. C'est vrai. C'est un type extra. Qu'est-ce qu'il devient ?

– Son groupe est en train de capoter. Le guitariste est parti, mais ils prennent un violon électrique. Une nouvelle orientation, en quelque sorte, m'a-t-il dit.

– Et tu lui as pardonné d'avoir couché avec comment elle s'appelle déjà ? Sa propriétaire ?

– Maman, je lui avais donné la permission de faire exactement ce qu'il voulait. Je lui avais dit, quand je suis partie en juin, qu'il valait mieux ne pas faire de projets d'avenir, tu comprends. Alors comment pourrais-je lui en vouloir ? »

429

Une camionnette, dont la carrosserie ressemble étrangement à un mur passé à la chaux, ralentit. Le chauffeur, ne reconnaissant pas les deux femmes avec leurs bouquets de fleurs, poursuit sa route.

«Maman, j'ai décidé quelque chose au sujet de Jax. Tout l'été il m'a manqué. Que nous gardions ou non Turtle, j'ai décidé d'envisager quelque chose de plus durable avec Jax.

– Ça me paraît bien vague tout ça.

– Mais non. J'ai envie que ça dure. Et il est vraiment heureux. Il veut qu'on se marie. Je sais pas si c'est tellement la question, mais tu vois ce que je veux dire.

– Mais, Taylor, c'est merveilleux! crie Alice, prête à se tromper sur les hommes pour cette fois. Qu'est-ce qui t'a fait changer d'avis?

– Quand Andy Rainbelt a demandé à Turtle de lui parler de sa famille aujourd'hui, tu sais ce qu'elle a répondu? Elle a dit qu'elle en avait pas.

– C'est pas vrai. Elle savait plus où elle en était.

– D'accord. Mais c'est parce que moi non plus je ne sais pas où j'en suis. Je pense à Jax, Lou Ann, Dwayne Ray, et toi bien sûr, Mattie, à tous ces gens comme étant ma famille. Mais quand on ne met jamais un nom sur les choses, on accepte l'idée que les gens peuvent partir quand ils en ont envie.

– Ils partent de toute façon, dit Alice. Mes maris à moi n'ont pas fait long feu.

– Mais t'es pas obligée de l'accepter, insiste Taylor. C'est ça ta famille. Les gens que tu veux garder à tout prix.

– Peut-être.

– Regarde Mr. Stillwater. Cash. Il a toujours aussi mal d'avoir perdu Turtle, après tout ce temps. Ça ne

430

m'arrange pas, et je vais pas dire qu'il devrait l'avoir. Turtle est à moi maintenant. Mais il n'accepte pas qu'elle soit partie. Ça se voit. »

Alice a vu cela chez Cash. Elle l'a vu longtemps avant de savoir ce que c'était. Un homme qui se couperait en quatre.

Une file de voitures fait crisser le gravier sur la route, toutes suivent un vieux camion qui avance comme un escargot. Les conducteurs, les uns après les autres, ouvrent grand les yeux.

« Où est-elle, cette pancarte ?

– Quelle pancarte ?

– Celle qui était dans la publicité, tu te rappelles, dans une revue ? Avec Sugar, quand elle était jeune ? Tu me l'as montrée cinquante fois.

– La pancarte qui dit BIENVENUE À HEAVEN. » Alice semble pensive. « Tu sais, je l'ai pas vue.

– Peut-être qu'on n'est pas vraiment à Heaven. Peut-être qu'on est tout à fait ailleurs et que rien de tout ça n'est arrivé.

– Non, c'est bien Heaven. C'est écrit sur l'annuaire du téléphone.

– Dans ce cas, ils devraient mettre cette pancarte. On poserait devant. Peut-être que quelqu'un viendrait nous prendre en photo.

– Je me demande ce qu'ils en ont fait. Il faudra que je pose la question à Sugar. Je te parie tout ce que tu veux qu'ils l'ont démolie.

– Est-ce que ça veut dire que nous ne sommes plus les bienvenues ? » demande Taylor.

Deux autres voitures passent, et cette fois-ci Alice et Taylor sourient et agitent le bras.

« Je crois qu'on va rester jusqu'à ce qu'on nous chasse », dit Alice.

431

Un poisson saute dans la rivière. Annawake observe le cercle d'eau troublée qu'il laisse derrière lui. « Oncle Ledger, dis-moi ce que je dois faire », dit-elle.

Ledger, assis sur sa péniche dans son fauteuil rembourré, fume sa pipe. Annawake arpente les planches silencieusement dans ses mocassins.

« Avant, tu ne me laissais jamais te dire ce que tu devais faire, marmonne-t-il à travers ses lèvres pincées, suçant le tuyau de sa pipe. Pourquoi commencer maintenant ?

– Je savais toujours ce que je faisais, avant.

– Si tu avais su ce que tu faisais, tu ne calerais pas maintenant. »

Elle s'assoit sur le pont, puis s'allonge, regardant le ciel.

« Est-ce que je t'ai déjà dit que tu avais l'air d'un poulet plumé quand tu as coupé tous tes cheveux ?

– Je pleurais Gabriel. Je pensais qu'il fallait que quelqu'un le fasse.

– Si tu veux faire quelque chose pour Gabe, parle-lui.

– Gabe est à Leavenworth.

– Et alors, les coups de téléphone ne sont pas autorisés ? »

Annawake lève les yeux, surprise. Il parle sérieusement. « Je sais pas. Si, je suppose que si.

– Alors, appelle-le. Ou va le voir. Dis-lui qu'il te manque. Organise une putain d'évasion et ramène-le ici. »

Annawake sent comme des pierres rondes qui se déplacent à l'intérieur de son corps et s'installent dans une nouvelle position, plus solide. « Pourquoi pas ?

– Mais bien sûr. Si tu as un problème à résoudre, alors résous-le. Pas la peine de t'en prendre au reste du monde en ressemblant à un poulet.

– Merci. Tout le monde a toujours dit que je te ressemblais.

– Annawake, tu n'es plus aussi respectueuse que tu l'étais. »

Elle se redresse, mais voit une lueur dans ses yeux, et sait qu'elle peut se rasseoir.

« Raconte-moi une histoire, fit-elle. L'histoire d'une petite fille perdue que sa mère est prête à abandonner plutôt que d'avoir à subir encore les tracasseries d'Annawake Fourkiller.

– Je vais te la raconter. » Il s'enfonce dans son fauteuil, qui à un moment de sa vie a été de brocart vert, avant vingt étés de soleil et de pluie. « On raconte qu'il y a longtemps il y avait une enfant qui était réclamée par deux mères de clans différents. Elles portèrent l'enfant aux Esprits tutélaires. Elles arrivèrent en criant et en gémissant, toutes deux disant que l'enfant appartenait à leur clan. La mère de la plaine apporta du maïs, et la mère des collines apporta du tabac, dans l'espoir d'adoucir les pensées des Esprits quand ils prendraient leur décision. »

Ledger s'arrête de parler et regarde simplement le ciel pendant un moment. Ses jambes sont écartées devant lui, oubliées, et la pipe pendouille à sa main, laissant encore échapper un filet de fumée, tel un souvenir amical.

Il reprend soudain : « Quand les Esprits ont parlé, ils ont dit : nous allons envoyer le serpent Uktena. »

Annawake se penche en avant, les bras autour des genoux, plissant les yeux pour écouter. Elle regrette de ne pas avoir ses lunettes.

« Nous enverrons le serpent Uktena pour couper l'enfant en deux, et chaque clan pourra ramener chez lui une moitié de l'enfant.

– Attends, fait Annawake.

– La mère des prairies a accepté avec joie. Mais la mère de la colline a pleuré et a dit non, elle donnerait sa moitié de l'enfant au clan des plaines pour que l'enfant reste entier. Et c'est ainsi que les Esprits ont su quelle mère aimait le plus l'enfant. »

Annawake retire un de ses mocassins et le lance sur Ledger, l'atteignant en pleine poitrine. Elle enlève le second et manque sa tête de justesse, exprès.

« Quoi ? Tu ne l'aimes pas mon histoire ? » Il se redresse, surpris, et croise les mains sur sa poitrine.

« Une vieille histoire cherokee, c'est bien ça ? C'est l'histoire du roi Salomon, dans la Bible.

– Ah bon. Bah, je savais que je l'avais entendue quelque part », dit-il en palpant ses poches à la recherche d'allumettes pour rallumer sa pipe.

« C'est une histoire de *yonega*, dit-elle.

– C'est vrai ? C'est un *yonega* qui a écrit la Bible ? Je me suis toujours posé la question. Sur la couverture, on ne lit pas : La Bible, écrite par Untel et Untel.

– Je ne sais pas. Peut-être que ce n'était pas un *yonega*. Je crois que c'était tout un tas de gens qui habitaient dans le désert et vivaient de la pêche.

– S'ils habitaient dans le désert et attrapaient aussi du poisson, tu ferais bien de les écouter.

– Rends-moi mes chaussures. »

Il se penche en arrière pour récupérer celle qui a volé par-dessus son épaule, et renvoie la paire.

« Il faut que j'aille au conseil pour donner mes conclusions dans une demi-heure. Et tu ne m'as rien dit.

– Non, rien.

– Sauf peut-être que je ne devrais pas sauter de joie de voir une enfant coupée en deux. Ce qu'elle va être, dans un cas comme dans l'autre.

– Je peux te dire quelque chose, petite emportée ?

– Quoi ?

– Il y a autre chose qui repousse avec tes cheveux.

– Et c'est quoi ?

– Le bon sens. Autrefois, tu voulais que ton camp gagne à tous les coups.

– J'entends la camionnette de Dellon sur la route. C'est lui qui me conduit au conseil. Faut que j'y aille.

– Annawake, tu as un cœur généreux, écoute-le. Toute ta vie, tu as eu peur de toi-même. » Il la regarde en face. Et son regard ne passe pas au travers d'elle comme si elle était une poupée de carton, il pénètre en elle.

Elle reste bouche ouverte, attendant un mot. Rien ne vient. Elle dit : « Comment as-tu deviné ? »

Ledger semble entièrement occupé par sa pipe. Il lui fait signe de partir. « C'est mon petit doigt qui me l'a dit. »

Dellon attend tranquillement dans sa voiture en écoutant la radio. Il la baisse en apercevant Annawake. « Alors, est-ce que Ledger a soufflé de la fumée et t'a bénie avant le départ pour la chasse ?

Il a soufflé de la fumée. Il m'agace. On devrait pas être aussi intelligent.

– Tu sais, Annawake, c'est ce que certaines personnes disent de toi. » Il lui jette un regard de biais. « Je ne saurais pas dire qui.

– Si je suis si intelligente, pourquoi est-ce que je suis malheureuse ? »

À la radio, la voix de crooner de Randy Travis pleure quelqu'un parti depuis trop longtemps.

« T'as besoin d'un homme, c'est tout », dit Dellon.

Annawake pousse un soupir excédé. « J'ai eu assez d'hommes dans mon existence pour me durer sept vies. Réfléchis, Dell. Avoir grandi avec vous tous, et papa, et oncle Ledger. »

Dellon, mal à l'aise, s'agite sur son siège. « C'était si terrible que ça ?

– Non, Dellon, mais les hommes ne sont pas forcément toujours la solution. »

Il la regarde avec une telle intensité que sa camionnette part vers le fossé. Il redresse son volant.

Elle le gratifie de ce sourire qui depuis vingt-sept ans fait tomber les garçons comme des mouches, le plus innocemment du monde.

33

Ordre du jour

Annawake Fourkiller et Andy Rainbelt sont assis à la longue table des orateurs, dos au tableau. Andy Rainbelt a un air de fête dans sa chemise bleue ornée de rubans en satin, semblable à celle que portait Annawake le jour de sa première rencontre avec Taylor. Taylor se rappelle exactement l'allure qu'elle avait alors. Aujourd'hui, c'est une tout autre personne, avec ses lunettes à monture noire et une coiffure qui semble l'importuner. Elle ne cesse d'écarter ses cheveux de son visage.

Turtle, Taylor et Alice sont assises côte à côte dans les fauteuils de cinéma rouges qui remplissent la petite salle. Turtle balance les jambes, si bien que le bout de ses tennis martèle en cadence le siège vide qui se trouve devant elle. Les rangs, séparés au centre par une allée, sont disposés en forme de V, face à la table des orateurs. Les spectateurs se sont installés comme pour un mariage, l'allée centrale séparant les deux familles. Les sièges de l'autre côté se remplissent rapidement. C'est là que se trouvent Cash, ainsi que Letty, dans une robe rouge fermée sur le devant par une rangée imposante de boutons dorés. D'innombrables amis et parents, accompagnés de leurs enfants, arrivent chargés de salutations et de messages pour leurs voisins. Boma Mellowbug porte un costume d'homme à fines rayures et une casquette de base-ball qui lui donne un air très sportif. Elle tient par la main un vieil homme extrêmement maigre dont la chevelure pend entre les omoplates en une tresse blanche aussi mince que de la ficelle. La femme costaud qui a servi Alice et Annawake au café entre d'un pas décidé, et se faufile dans la rangée de Letty d'un air affairé, pour l'informer que les patrons de robe demi-taille sont arrivés chez Woolworth à Tahlequah.

« Qu'est-ce que ça veut dire demi-taille, tante Earlene ? demande une jeune femme qui donne le sein à son enfant. Je me suis toujours posé la question. »

Earlene se met de dos et parle par-dessus son épaule, en portant une main à sa taille et l'autre sur sa nuque en guise de démonstration. « C'est quand on a moins de centimètres d'ici à là qu'en tour de poitrine.

– C'est quand on est plus large que haut, dit Roscoe.

– Tais-toi donc, lui souffle Letty. Je sais pas pourquoi Sugar continue à te faire à manger. »

Earlene s'affale aux côtés de la mère et de son bébé. Le bébé fait beaucoup de bruit en tétant, comme une roue qui couine et demande à être graissée.

Sugar arrive tard, longtemps après que Roscoe a pris le seul siège libre à côté de sa belle-sœur Letty. Elle semble ne pas trop savoir où aller. Elle s'installe finalement du côté d'Alice, mais près de l'allée, aussi près que possible des Stillwater.

Une petite femme perchée sur de hauts talons et vêtue d'un chemisier blanc entre d'un pas sonore et prend place à la table à côté d'Andy Rainbelt. Les bavardages deviennent chuchotements. Elle a une grande masse de cheveux qu'elle secoue en s'asseyant comme s'ils avaient pu ramasser de la poussière au cours du trajet. Annawake chausse ses lunettes, arrange la pile de papiers posés devant elle, et se lève. Elle parcourt du regard la modeste assemblée et sourit bizarrement. « Avez-vous tous décidé que c'est Stillwater contre Greer ? »

La salle acquiesce par son silence.

Elle se penche en avant, en appui sur ses paumes, et regarde par-dessus ses lunettes. Elle ne ressemble à rien d'autre qu'à un avocat en blue-jean. « Eh bien, vous vous trompez. Il ne s'agit pas d'un conflit juridique, il s'agit seulement d'une audience. Je suis Annawake Fourkiller, vous me connaissez tous ici. J'ai été engagée par la tribu pour défendre ses intérêts dans cette affaire. Je vous présente Andy Rainbelt, qui a pouvoir de décision en tant que représentant désigné par les services de protection de l'enfant. Et voici Leona Swimmer, qui est là pour veiller à la bonne marche des opérations. »

Leona Swimmer incline très légèrement la tête, ne souhaitant apparemment pas admettre autre chose que sa simple présence en ce lieu.

Annawake poursuit : « Mr. Rainbelt et moi nous sommes entretenus et sommes prêts à livrer nos conclusions au sujet de l'enfant connue sous le nom de Turtle Greer, et également connue sous le nom de Laccy Stillwater. »

Turtle cesse de balancer ses jambes. Taylor lui serre la main si fort que pour une fois Turtle comprend ce que c'est que de se faire mordre par ces tortues qui ne vous lâchent plus.

Annawake baisse les yeux vers Andy. « Vous vouliez dire quelque chose ?

– Non, allez-y », répond-il.

Annawake a ce ton uniforme que seule peut vous conférer une longue pratique. « Nous avons deux considérations principales sur le plan juridique. Tout d'abord, l'adoption de l'enfant par Taylor Greer n'a pas été faite dans les règles. Il n'y avait pas de sa part d'intention délictueuse, mais l'adoption n'en est pas moins illégale. J'ai déposé un recours à la cour de l'état pour rendre nulle cette adoption. »

Le bébé qui tète laisse échapper un petit cri étranglé. Sa mère le déplace sur son épaule, le tapotant et le secouant pour faire monter les bulles d'air selon les lois qui gouvernent les bébés.

« Deuxièmement, dit Annawake, nous avons déterminé que l'enfant est la petite-fille de Cash Stillwater, Lacey Stillwater. Elle le reconnaît, et a une forte ressemblance avec sa famille. »

« C'est bien vrai », gémit Letty d'une voix basse et essoufflée, comme si elle était visitée par l'esprit. Cash est parfaitement immobile. Il ne sent plus ses mains, et se demande s'il n'est pas en train de faire une sorte d'infarctus discret et invisible.

« Étant donné ces faits, dit Annawake, nous devons considérer Cash Stillwater comme le tuteur légal de l'enfant. Si cela venait à être contesté, un tribunal se prononcerait sans aucun doute en faveur de Mr. Stillwater. La Charte des droits de l'enfant indien affirme clairement que nos enfants doivent rester à l'intérieur de notre tribu, et chaque fois que c'est possible, dans leur propre famille. Dans le cas présent la mère naturelle est décédée et le père est inconnu, donc il va de soi que la garde doit être assignée au grand-père. »

Cash n'a toujours pas bougé. Taylor a cessé de respirer.

« Il y a une complication dans cette affaire. » Annawake ramasse un stylo-bille et se met à faire entrer et sortir la bille. « L'enfant a développé un attachement profond pour Taylor Greer, la seule mère qu'elle ait connue ces trois dernières années. Mr. Rainbelt a évalué le milieu adoptif et, après s'être entretenu avec un psychiatre, il a le sentiment qu'il serait désastreux de rompre cet attachement. Il recommande que l'enfant soit suivie, car elle a traversé une période de violences et de négligence avant d'être abandonnée et ultérieurement adoptée. La Nation prendra à sa charge le suivi de l'enfant. Cela fait partie de nos devoirs envers elle. Mr. Rainbelt estime qu'il serait également bénéfique au processus de guérison qu'elle passe du temps avec son grand-père et d'autres membres de la famille. »

Annawake tient le stylo à bout de bras et le regarde soudain comme si elle n'avait pas la moindre idée de son utilité ou de sa provenance.

« Voilà, dit-elle finalement. Vous voyez que nous avons là des considérations antagonistes. Maintenir cette enfant dans sa propre culture, et ne pas perturber son attachement à une mère non cherokee. Nous désirons que l'enfant continue à s'appeler Turtle, dans la mesure où elle est devenue une petite personne tout à fait honorable sous la garde de sa mère adoptive, et où c'est le nom qu'elle rattache aux souvenirs conscients qu'elle a d'elle-même ; mais nous devons la rétablir en tant que petite-fille et pupille

441

légale de Cash Stillwater. Nous recommandons que son nom officiel soit Turtle Stillwater. Nous avons donc défini qui elle est. C'est un pas en avant. »

Quelqu'un dans l'assemblée soupire. Le bébé émet un minuscule rot.

Annawake enlève ses lunettes et fixe le plafond, comme en prière. Il n'y a rien d'autre que des tuiles insonorisées. Aucune manifestation tangible des Esprits tutélaires ou des six mauvais garçons qui ont été changés en cochons. Les visages qui lui font face sont grands ouverts, en attente. Elle se rappelle, quand elle était petite fille, avoir eu envie d'être à la place de son oncle Ledger, pendant les sermons. Elle y est.

« Je pense que nous avons devant nous une de ces rares occasions que la vie nous offre d'essayer d'être ce que nous pouvons être de meilleur, dit Anna-wake. Les journalistes de l'extérieur, quand ils examineront cette affaire, ne poseront qu'une seule question : où est l'intérêt de l'enfant ? Mais nous sommes cherokees et nous voyons les choses différemment. Nous considérons que l'enfant fait partie de quelque chose de plus vaste, une tribu. Comme une main appartient au corps. Avant de la couper, nous devons nous demander comment le corps va se débrouiller sans cette main. La Charte des droits de l'enfant indien a été conçue principalement pour protéger la tribu. Nos enfants sont notre avenir. Mais nous voulons qu'ils grandissent dans la bonté et la générosité. Il arrive qu'il faille faire passer les besoins d'un individu en second, derrière les besoins de la communauté. Mais ils ne doivent jamais sortir complètement de notre esprit. Ce que nous devons faire, c'est satisfaire aux exigences de la tribu sans

442

séparer Turtle complètement de la mère et de la grand-mère qu'aujourd'hui elle aime et à qui elle fait confiance. »

Les parents et les amis de Turtle Stillwater gardent un silence parfait.

Annawake pose ses lunettes et repousse ses cheveux derrière ses oreilles. « Je vais prendre des risques. Andy et moi, il y a à peine un quart d'heure avant cette réunion, avons échafaudé un plan. Il y a un précédent dans ces cas d'adoption pour décider d'une garde conjointe. Parfois ça marche, parfois, c'est un désastre. Mais nous allons prendre la décision de donner à Cash Stillwater la garde légale de Turtle Stillwater, assortie de la recommandation que Taylor Greer bénéficie de la garde conjointe. Nous nous proposons d'élaborer avec les deux familles un arrangement accepté par tous. L'année dernière, dans le cas d'un enfant navajo adopté par une famille de l'Utah, la tribu a autorisé l'enfant à passer l'année scolaire dans sa famille adoptive et les étés avec ses grands-parents dans la réserve. » Le regard d'Annawake va de Cash à Taylor, leurs visages paraissent curieusement identiques. Elle se penche pour s'entretenir à voix basse avec Andy.

Andy Rainbolt ne se lève pas, mais acquiesce, et Annawake reprend la parole. « Andy a l'intention de continuer à assister personnellement Turtle, et de faire des évaluations régulières pour voir comment elle réagit à cet arrangement. Il tient à souligner que Turtle ne sera pas séparée de sa famille adoptive tant qu'elle n'y sera pas prête. Mais nous allons demander aux tuteurs de proposer rapidement une solution qui permettra à Turtle de rester ici dans la Nation au moins trois mois par an. »

443

Alice Greer se mouche. Letty sort un mouchoir de dentelle et se mouche également, avec un talent nettement plus affirmé.

« De toute évidence, poursuit Annawake, avec la garde conjointe, tout dépend de la bonne volonté que les deux intéressés mettent à coopérer. Et de la question de savoir si cette coopération va se prolonger dans l'avenir. Je trouverais très regrettable que cette affaire passe un jour en justice. » Elle baisse les yeux vers les papiers qui sont étalés devant elle. « Je crois que c'est à peu près tout. »

Après un moment de silence abasourdi, Boma Mellowbug pousse un long cri de joie. Le sermon est terminé et la danse peut commencer.

« Merci, Boma. » Annawake sourit et s'assoit.

Personne ne bouge. Taylor respire sa première bouffée de l'air trop rare que sera le reste de sa vie – le partage de Turtle avec des étrangers.

« Votre tour est venu, mes amis, dit Andy. Vous avez le droit de faire entendre votre voix si vous avez des suggestions, des questions, ou si simplement vous voulez participer à la bonne marche de la communauté en général. C'est la raison pour laquelle nous nous entretenons de ces choses en présence de toute la famille. »

Cash, lentement, retrouve ses pieds, juste devant lui. « J'ai une idée. Si moi et Alice Greer on se mariait, alors la petite fille pourrait continuer à voir sa grand-mère quand elle viendrait pendant l'été. »

Alice ouvre des yeux ronds comme des billes. Et Letty Hornbuckle fait de même.

« Hé, doucement, Cash, dit Letty en se levant et en agrippant le siège de devant comme un banc d'église. Y'a pas trois semaines que tu la connais. »

Cash se retourne vers sa sœur comme un taureau qui verrait une robe rouge. « Letty, écoute-moi bien. C'est toi qui as mis en branle toute cette affaire entre elle et moi au départ. Tu devrais avoir honte de toi.

– Mais non ! Ça alors, j'y suis pour quelque chose, moi aussi, s'écrie Sugar, se dressant aussi haut que le lui permet son dos bossu. Letty, tu n'es pas juste avec Alice. C'est ma cousine. S'ils s'aiment, nous n'avons qu'à laisser ces gosses se marier. » Elle se tourne vers Alice. « J'ai joué mon rôle là-dedans. Quand je t'ai dit que Cash crevait d'envie de te connaître, j'en ai inventé une bonne partie. »

Annawake a un petit sourire narquois. « Je ne voudrais pas insister, Letty, mais c'est moi qui t'ai donné l'idée de les mettre ensemble. Tu te rappelles ce jour où je t'ai ramené ton plat à tarte. Ça m'a traversé l'esprit en discutant avec Alice en ville au café, la fois où j'ai renversé le sucre. »

Alice est debout, bouche ouverte. Elle attend. « Est-ce que quelqu'un m'a demandé si j'étais d'accord pour épouser Cash ? »

Toutes les poitrines et les devants de chemise se tournent vers Alice.

« Est-ce que j'ai mon mot à dire dans cette affaire ? Parce qu'il y a longtemps que ma décision est prise. Je veux pas d'un autre mari qui passe sa vie rivé à son poste de télé bien-aimé. J'ai mes propres principes à prendre en considération » Alice se rassied.

Annawake regarde Taylor. Andy Rainbelt a un large sourire, exposant un magnifique espace entre ses dents de devant. Taylor l'entend encore en train de dire : « Toutes les familles sont bizarres. » Elle ne

445

pourrait pas être plus d'accord. Elle est prête à empoigner Turtle et prendre ses jambes à son cou, sauf qu'elle sait à présent où se termine la route.

« J'ai juste une chose à dire, annonce Sugar. Si jamais ils se marient – je dis bien si – je crois bien qu'on devrait organiser la fête du cochon chez moi. Parce que Letty est en train de faire poser un nouveau toit, et avec le cochon en plus, ce serait vraiment trop de choses à la fois, si vous voulez mon avis.

– Mais, Sugar, c'est Cash qui me pose mon nouveau toit ! crie Letty. Tu penses bien qu'il va se dépêcher de terminer avant son mariage.

– Maintenant, écoutez, crie Cash. Si cette réunion est terminée, ce qui me semble être le cas, j'invite Alice et tout le monde ici dans cette pièce à venir chez moi sans plus attendre pour connaître ma décision. »

Il tourne les talons et sort de la pièce. Après quelques instants de silence stupéfait, l'assistance se rue joyeusement vers la porte.

Taylor comprend qu'elle a perdu quelque chose qu'elle ne retrouvera pas. Cash Stillwater est le tuteur légal de Turtle. Qu'elle le veuille ou non.

Elle se rappelle encore le jour où elle a compris qu'elle avait reçu le pouvoir absolu de la maternité – cette force qui fait que tout le monde s'incline devant ce fait irréfutable : elle sait ce qui est le mieux pour Turtle. Ce pouvoir la terrifiait. Mais y renoncer lui donne le sentiment d'être infiniment petite et seule. Elle ne sait pas encore ce qu'elle a perdu ; son cœur est une vallée vide. Elle se concentre sur sa conduite.

Elle se retrouve en queue dans la longue file des voitures qui suivent la camionnette cuivrée de Cash.

Elle et Turtle semblent être momentanément tombées dans l'oubli. L'idée lui traverse l'esprit qu'elle pourrait sortir du rang et aller vers l'ouest. Personne ne s'en apercevrait. Mais elles n'en sont plus là à présent. À partir de maintenant et jusqu'à la fin des temps elle est reliée à cette famille qui parade sur Main Street, à Heaven. Un jour, bientôt, elle sera au lit auprès de Jax et elle lui racontera cette journée dans ses moindres détails.

« Attends un peu qu'on dise à Jax qu'on veut qu'il soit notre papa officiellement, dit-elle à Turtle. Qu'est-ce que tu crois qu'il va faire ?

– Peut-être mettre son pantalon sur sa tête et se chanter " Joyeux anniversaire " à lui-même.

– Ouais, peut-être.

– Est-ce que ça veut dire que tu es toujours ma maman ?

– Oui. Mais il faut que je te partage avec ton grand-père maintenant. Il va avoir son mot à dire sur la façon de t'élever.

– Je sais. C'est pour que je puisse devenir cherokee quand je serai grande. Andy Rainbow m'a expliqué.

– Il est gentil Andy ? »

Turtle acquiesce. « Ces gens là-bas, c'était la famille de Pop-pop ?

– Oui. Ta famille, pour être exact.

– Ils sont fous.

T'as raison, dit Taylor. Et ils vont sans doute déteindre sur toi. »

À peine les autres ont-ils franchi le seul feu de la ville qu'il passe au rouge. Taylor allume ses phares pour que les gens croient qu'il s'agit d'un enterrement, elle appuie sur le champignon et grille le feu.

Il n'y avait pas grand monde de toute façon. Si elle se trouve séparée des autres maintenant, elle ne saura jamais comment sa vie tournera.

Cash sort de la porte arrière de sa cabane. Il transporte son poste de télévision et, avec une énergie muette, il le pose sur une souche. Le poste reste là, légèrement en déséquilibre, son fil noir pendouillant d'un air vaincu. Pendant que Cash retourne à l'intérieur, les témoins se placent en demi-cercle face à l'écran vide. Rien dans ce monde, note Alice, ne permet d'obtenir le silence et l'ordre aussi vite qu'un poste de télévision, même s'il n'y a rien d'autre pour le brancher qu'une souche d'arbre.

Turtle sautille en direction de la télé, mais la fille qui porte son bébé sur l'épaule la ramène doucement en arrière. Taylor tend le bras et lui prend la main.

Cash réapparaît, armé de son fusil. « Reculez tous », ordonne-t-il.

Aussitôt dit aussitôt fait. « Il a perdu la tête, dit Alice calmement à Taylor.

— Dans ce cas, tu devrais l'épouser », répond Taylor à voix basse.

Cash se tient à un mètre ou deux devant elles, les jambes largement écartées. Ses épaules basculent en avant, voûtées et tendues, alors qu'il soulève son fusil et met en joue. Il reste un long moment figé dans cette position. Alice voit le canon du fusil sur son épaule, qui tremble un peu, puis son épaule, rejetée en arrière au moment même où la détonation rugit au-dessus de la clairière. Elle ressent dans ses oreilles la douleur d'une cloche violemment frappée. Les bois sont anormalement silencieux.

Tous les oiseaux prennent bonne note de la blessure ronde et noire qui troue l'écran de télé, légèrement trop à droite, mais fatale tout de même.

Le cœur d'Alice, étrangement, fait son travail à l'intérieur de sa poitrine, et elle comprend que sa condamnation à perpétuité au silence conjugal a été commuée. La famille de femmes est sur le point d'ouvrir ses portes aux hommes. Aux hommes, aux enfants, aux cow-boys, et aux Indiens. Tout est fini. Ne restent plus que les cris.

Rivages poche / Bibliothèque étrangère

Harold Acton
Pivoines et Poneys (n° 73)

Sholem Aleikhem
Menahem-Mendl le rêveur (n° 84)

Jessica Anderson
Tirra Lirra (n° 194)

Reinaldo Arenas
Le Portier (n° 26)

James Baldwin
La Chambre de Giovanni (n° 256)

Quentin Bell
Le Dossier Brandon (n° 102)

Stefano Benni
Baol (n° 179)

Ambrose Bierce
Le Dictionnaire du Diable (n° 11)
Contes noirs (n° 59)
En plein cœur de la vie (n° 79)
En plein cœur de la vie, vol. II (n° 100)
De telles choses sont-elles possibles ? (n° 130)
Fables fantastiques (n° 170)
Le Moine et la fille du bourreau (n° 206)

Elizabeth Bowen
Dernier automne (n°265)

Paul Bowles
Le Scorpion (n° 3)
L'Écho (n° 23)
Un thé sur la montagne (n° 30)

Emily Brontë
Les Hauts de Hurle-Vent (n° 95)

Robert Olen Butler
Un doux parfum d'exil (n° 197)
Étrange murmure (n° 270)

Calamity Jane
Lettres à sa fille (n° 232)

Rivages poche /Petite Bibliothèque
Collection dirigée par Lidia Breda

Pierre Klossowski
La Monnaie vivante (n° 230)

Karl Kraus
La Littérature démolie (n° 92)

Madame de Lambert
De l'amitié (n° 268)

Giacomo Leopardi
Philosophie pratique (n° 258)

Emmanuel Levinas
Quelques réflexions sur la philosophie de l'hitlérisme (n° 226)
Éthique comme philosophie première (n° 254)

Lie Zi
Du vide parfait (n° 263)

Longin
Du sublime (n° 105)

Lucien
Philosophes à vendre (n° 72)

Montaigne
De la vanité (n° 63)

Montesquieu
Essai sur le goût (n° 96)

André Morellet
De la conversation (n° 169)

Friedrich Nietzsche
Dernières Lettres (n° 70)

Ortega y Gasset
Le Spectateur (n° 80)

Ovide
Amours (n° 202)

Martin Palmer
Le Taoïsme (n° 222)

Pascal
Pensées sur la politique (n° 75)

Fernando Pessoa
Fragments d'un voyage immobile (n° 42)
Lettres à la fiancée (n° 43)

Pétrarque
Mon secret (n° 52)
La Vie solitaire (n° 266)

Achevé d'imprimer en juillet 1999
sur les presses de l'imprimerie Maury-Eurolivres
45300 Manchecourt
pour le compte
des Editions Payot & Rivages
106, bd Saint-Germain - 75006 Paris

5e édition

Dépôt légal : avril 1998